Ángeles

compañeros mágicos

Ángeles

compañeros mágicos

Silver Raven Wolf

Grupo Editorial Tomo, S. A. de C. V.
Nicolás San Juan 1043
03100 México, D. F.

1a. edición, mayo 2001.
2a. edición, enero 2002.
3a. edición, noviembre 2003.
4a. edición, noviembre 2005.
5a. edición, agosto 2007.

Translated from
Angels. Companions in Magic
Copyright © 1996 Silver Raven Wolf
Published by Llewellyn Publications
St. Paul, MN 55164 USA

© 2007, Grupo Editorial Tomo, S.A. de C.V.
Nicolás San Juan 1043, Col. Del Valle
03100 México, D.F.
Tels. 5575-6615, 5575-8701 y 5575-0186
Fax. 5575-6695
http://www.grupotomo.com.mx
ISBN: 970-666-373-8
Miembro de la Cámara Nacional
de la Industria Editorial No 2961

Traducción: Pilar Quintana
Diseño de portada: Emigdio Guevara
Supervisor de producción: Leonardo Figueroa

Impreso en México - *Printed in Mexico*

De chispas, flamas y rayos de luna

(La presencia de los ángeles)

¡Chispas del Alma,
Flamas del Sol,
El destello de los rayos de luna
Como Ángeles llega!

A veces alas que envuelven
A veces luz brillante
Que se eleva como el amanecer,
Iluminando la noche.

Buscamos su poder
En grandiosos Milagros
Algunos observan, sin nunca ver
Su plan maravilloso.

Pero los percibo mucho
En el calor de mi casa
Y su caricia en mi hombro
Cuando estoy solo.

David O. Norris

Introducción

Ahora trabajo todo el tiempo con ángeles, pero no siempre fue así. Cuando era niña, creía en los ángeles, pero pensé que simplemente eran criaturas míticas que pertenecían a una religión particular. Sería agradable que fueran reales, pero hey —siempre desee que el personaje de Samantha, del antiguo programa de televisión *Hechizada*, también fuera real.

Yo creo que algunos necesitan un buen golpe en la materia gris para despertar y ver a los ángeles. Yo fui una de esas personas. Los ángeles han influido enormemente en mi vida adulta y no puedo creer que cerré tanto tiempo mi cerebro a su existencia.

Creo que ciertas verdades viajan a lo largo de líneas universales, pero me niego a que las religiones intenten decidir cómo debe responder todo el mundo a la divinidad. En cambio, intento encontrar aspectos de estas religiones que coincidan con mis prácticas, mientras no abandonan el misterio o el enfoque del trabajo. Esto no siempre es fácil.

En mis estudios de magia y religión, descubrí las funciones universales de la magia. Ninguna religión puede atribuírselo, aunque algunas religiones incorporan la magia más que otras. Podemos tomar lo mejor de las religiones que amamos, usar sus propiedades y aún así lograr nuestras metas.

También aprendí a no escuchar a otras personas sobre mi elección de la espiritualidad. Sé que suena algo brusco. Sin embargo, no me disculpo. Creo que sólo hay un experto en el mundo, en tu relación y creencia en la divinidad —tú. Cuando llegue el momento para que explores el mundo más allá, nadie va a estar contigo. Lo harás tú solo. Cualquier cosa que hayas creído hasta ahora como religión y espiritualidad, te va a acompañar. Esperemos que te las hayas ingeniado para captar alguna semblanza de la verdad universal a lo largo del camino.

Frecuento la información de las carreteras (el tablón de anuncios en la computadora y servicios en línea) de vez en cuando. Me gusta ver cómo piensan otros, lo que sienten es importante en la práctica religiosa y cómo coordinan sus vidas con sus aspiraciones espirituales. Esto me interesa, por supuesto, porque soy una Wiccan, pero también soy escritora, en busca de ideas que me ayuden a mejorar mi vida, además de la vida de mis lectores.

Descubrí que los ángeles parecen trascender todas las culturas, las razas y los sistemas. Forman parte de la historia y la civilización humanas, a veces en primera fila, otras veces en las sombras, pero siempre están ahí. No pertenecen a ninguna religión en particular, aunque mucha gente contemporánea pretende asociarlos con el Cristianismo, el Judaísmo y el Islam. Ninguna religión sostiene una responsabilidad total en la creencia de los ángeles. En verdad, estas religiones sólo apoyan la existencia de los ángeles, ellos no los crearon (aunque a algunas sectas les cueste mucho trabajo nombrarlos).

Durante mi investigación sobre ángeles descubrí lo siguiente:

Los Ángeles no son propiedad de nadie.

Los Ángeles no pertenecen a ningún sistema religioso en particular.

Los Ángeles no discriminan basándose en la fe religiosa.

Los Ángeles crean puentes entre varias religiones.

Invocar a un ángel es elevarse por encima del dogma religioso y tocar el espíritu universal.

También descubrí algo muy emocionante. A los ángeles les *encanta* hacer magia con los humanos. Este es el propósito total de este libro —decirles cómo hacer magia con los ángeles exitosamente. Sé que soy mejor persona por haber invitado a los ángeles a mi vida. Mi más profundo deseo es que cosechen los mismos beneficios, y más.

SILVER RAVEN WOLF
Alias Jenine E. Trayer
Abril 1995

1

Busca y encuentra a los ángeles

No existe una evidencia sustancial y concreta, salvo por lo que el testigo vio y sintió. El resto es mito, leyenda y especulación.

Malcolm Godwin
autor de *Ángeles: Una especie en peligro*

Por haber escogido este libro, ya escuchaste las palabras de un ángel. Tu ángel guardián podría estar susurrando en tu oído. Los ángeles del cielo pueden haberte impulsado a echar una ojeada a este libro porque tienen interés en trabajar con alguien como tú. Quizás el ángel guardián de un amigo espera que le transmitas lo que aprendas a su encargado especial, ayudando a tu amigo en un momento de necesidad. De cualquier modo, las fuerzas angélicas están trabajando en tu vida.

Los ángeles han estado contigo desde el día que entraste al plano de la tierra. Ellos no te abandonarán. Ellos saben que primero eres espíritu y que el cuerpo humano es la ropa que usas mientras vives en la Tierra y cumples tu destino. Los ángeles son guías espirituales y ayudantes, asistiéndote en las tareas que te propusiste hacer. Son tan reales como tú. Los ángeles son una parte integral del plan universal, tan importantes como tú, y están exactamente igual de ocupados. Nuestros espíritus pueden sintonizar fácilmente a los ángeles; sólo necesitamos intentarlo.

¿Alguna vez te ha llegado el sentimiento obsesivo de que no eres de aquí? En cierto sentido, ese sentimiento es correcto. La Tierra no es nuestro hábitat natural y nuestro ser espiritual recuerda que es otra cosa "allá afuera" que ya experimentamos y volveremos a experimentar. Cuando vienes a la Tierra, prestas juramento de que intentarás hacer tu mejor esfuerzo en la cantidad de tiempo que se te dio. El juramento es importante, pero muchas veces lo olvidamos. A medida que progresamos espiritualmente, recibimos una imagen más clara de nuestra misión.

Los ángeles no olvidan el juramento que hemos tomado, o lo que prometimos hacer mientras estuviéramos aquí en la Tierra. Nos ayudan a recordar y nos auxilian en nuestra misión personal. Tenemos que aprender a escuchar, porque si bloqueamos a los ángeles, sólo se convierten en los seres sobrenaturales de sueños e historias agradables. Si no recuerdas otra cosa que leas en este libro, entonces recuerda este mensaje: *no estás solo*.

Unas nociones de pensamiento religioso

No hay una forma correcta para creer en un ángel o practicar la religión. Muchas leyendas de ángeles surgen de las creencias tribales, la memoria genética y el recuerdo espiritual. Elige cualquier idea que mejor te parezca.

Casi toda la información escrita sobre ángeles no viene de las escrituras ortodoxas de las cuatro religiones Occidentales que creen en la existencia de estos seres celestiales (Cristianismo, Judaísmo, Zoroastrismo e Islamismo). A través de los siglos, han cambiado las ideas sobre las huestes angélicas, dependiendo quien las haya escrito. Muchos sabios creen que los ángeles son el resultado de la hibridación entre los sistemas de creencias e incluyen los arquetipos egipcio, sumerio, babilonio y persa. A través de más investigaciones encontramos que la creencia en las huestes angélicas y los espíritus es mucho más antigua que cualquiera de las religiones estructuradas que se practican actualmente, lo cual apoya la idea de que no están vinculadas con lo que los humanos quieren que sean. Los ángeles simplemente son.

Durante la historia humana, la popularidad de los ángeles ha subido y caído muchas veces.[1] Algunas veces los ángeles aparecieron por la moda, otras veces fueron arrastrados

---

[1] En 745 d.C., el Papa Zacarías censuró una serie de ángeles. En la Edad Media volvió a surgir su prominencia, anunciada por Milton y Dante. El materialismo científico se puso de moda poco después y a fines de 1800, los ángeles ya no dominaron en la vida de la gente (*Know your Angels* por John E. Ronner, página 135).

al fondo del armario de la Biblia por los caprichos de los líderes religiosos. Con seguridad sabemos una cosa: las historias de ángeles se entrelazaron en el mito y la leyenda humanos mucho antes del Cristianismo. Donde hay leyenda y mito, hay un grano de verdad subyacente. Los ángeles se acercaron a cada cultura, como esa cultura podía entender y usar mejor sus energías. Por ejemplo, los Romanos conocían a los ángeles como Lares, guardianes protectores de la casa. La versión Vikinga de los ángeles son las Valkirias, esas hermosas mujeres robustas que descendieron de los cielos para salvar las almas de los guerreros asesinos y llevarlas a Valhalla.

La "era dorada de los ángeles" ocurrió en la Edad Media en Europa, pero terminó en el siglo XIV cuando la peste negra avanzó rápidamente por la tierra, escupiendo su veneno a humanos y ángeles por igual. La inquisición siguió.

A diferencia de casi todas las modas, los ángeles se las han ingeniado para estar presentes —en primer plano o en la sombra, parece que no les importa— a través de la historia turbulenta de la humanidad. También conservaron las modas actuales de la ropa, estilos aceptados por las bellas artes y se dieron a conocer en las comunidades eclesiásticas así como en los círculos de eruditos. Sus imágenes han adornado los muros de castillos, iglesias, templos, burdeles, casas familiares y colegios de estudios superiores. Vestidos con cualquier cosa, desde pieles de oveja hasta sedas celestiales, los ángeles han cambiado con nosotros. Sin tener en cuenta su popularidad, su trabajo continúa —constante, actual. Algo que los ángeles no son, es volubles.

Los seguidores de las religiones Orientales (Hindúes, Jaínis y Budistas) tienen una creencia en los ángeles menos estructurada. Ellos confían en los mensajes de los seres queridos que partieron, la meditación, la valiosa información recibida por el ser superior, los sabios reencarnados y otra variedad de espíritus. Incorporaron las fuerzas de las huestes angélicas en su propio sistema de creencias, prescindiendo muchas veces de la parte del "ser" de los ángeles. Sin embargo, aún creen en los espíritus serviciales, que a la larga, es lo que cuenta. Cómo manejemos el pensamiento no es importante —el interés principal es cómo usemos la creencia.

Para la mente Occidental, lo intangible se debe hacer concreto para que lo entendamos. Las religiones Occidentales no pueden aceptar quiénes o qué son los ángeles, ni qué tanto interactúan en nuestra vida. Tampoco pueden decidir cómo incluir a los ángeles en sus estructuras.

Parece que las estructuras religiosas prosperan en el debate y en la discusión. Por ejemplo, los Católicos conservadores discuten por un ángel caído (diablo), pero otros Católicos sienten que cada persona es responsable de sus propias acciones. Culpar a una bestia mítica no es la respuesta a todos nuestros problemas. Martín Lutero, en la marcha Protestante, primero censuró a las huestes angélicas, pero conservó a Satán. Parece que Lutero y sus seguidores, recibieron la punta oscura del trato.

Escarbando un poco, descubrimos que los ángeles en realidad son arquetipos de las energías universales. Son pensamientos que preceden a todas las religiones mencionadas anteriormente, volviéndose a detener en nuestras culturas tribales, nuestras memorias genéticas y nuestro recuerdo espiritual. Los ángeles no existen para servirle a una estructura particular. Existen para ayudar a los humanos y a otros habitantes de este planeta.

Las religiones estructuradas toman mucho prestado unas de otras cuando se trata de leyendas y conocimientos sobre ángeles. Descubrirás que se puede llegar a los ángeles a través de la meditación, te ayudarán a ponerte en contacto con tu ser superior, traen mensajes importantes y te aconsejan y sí, hasta te ayudarán a trabajar a través de las memorias de reencarnación. Pero sobre todo, descubrirás que los ángeles no dependen de nuestras estructuras religiosas para existir; más bien, son un misterio que las estructuras religiosas han intentado descifrar.

El material de este libro está diseñado para personas de todos los credos —puedes ser Wiccan, Druida, Hechicero, Cristiano Alternativo, Judío, Cristiano, Islámico— no importa. Es mejor si puedes trasponer los conceptos de tu fe, después mezclar y coincidir la información que aquí se dio y asimilarla con tu fe, en el camino. Mientras creas en un poder superior y positivo en nuestro universo y estés dispuesto a trabajar la magia con los ángeles, este libro es para ti.

Cómo pueden ponerse en contacto contigo los ángeles

Los ángeles adaptarán su contacto contigo de acuerdo a tus necesidades. Algunas personas escucharán voces en su cabeza —no malas palabras, sino pensamientos de sabiduría, paz e iluminación. Juana de Arco (1412-1431) escuchaba las voces de los ángeles, empezando cuando tenía más o menos trece años. Algunas leyendas indican que San Miguel fue quien habló con ella. En otras referencias históricas, escuchó al ángel Gabriel. Todos conocemos la historia de Juana y cómo inspiró a los soldados de Francia. También sabemos que ella fue acusada de Brujería y quemada en la hoguera por sus creencias.

Aunque Juana encontró un fin desafortunado (resultado de las épocas patriarcales), muchas otras personas han afirmado haber encontrado la guía de los ángeles. Tomás de Aquino

(1225-1274), estudiante de Alberto Magno, fue llamado por algunos historiadores el "Doctor Angélico". La Iglesia Católica Romana lo considera como el mayor teólogo y filósofo. Pasó gran parte de su vida en servicio a su orden y escribió *Summa Theologica*, que da una descripción detallada de la existencia de los ángeles. Parece que sus ángeles trabajaron con él a través de un método más parecido a la canalización, en el que escribió los pensamientos divinos y los compartió con los demás. (A mí me gusta Tomás de Aquino porque sintió que muchos de los escritos del Apóstol Pablo estaban equivocados).

Otras personas reciben mensajes en los sueños. *The Book of Mormon* fue publicado por primera vez en Palmira, Nueva York, en 1830. Los Mormones aceptan el libro como un trabajo inspirado divinamente, que se le reveló a Joseph Smith en un sueño. (Existe un rumor de que Joseph Smith era en realidad un mago ceremonial).

La leyenda relacionada con la religión Mormona empieza en el año 600 a.C., antes de la destrucción de Jerusalén. Una familia hebrea huyó de la ciudad y viajó a Norteamérica en barco. Sus descendientes se convirtieron en dos naciones —una es el linaje de nuestros Indios Nativos Norteamericanos. La otra nación, supuestamente fue destruida por la primera. Los archivos de los ancianos de la nación superviviente relatan la aparición de un profeta, quienes creyeron que fue Jesucristo después de su ejecución. Esta información fue grabada en placas de oro por otro profeta llamado Mormón. Su hijo, Moroni, enterró las placas. Permanecieron enterradas durante 1,400 años hasta que Moroni se le apareció a Joseph Smith como un ángel, mostrándole dónde encontrar las placas y cómo traducirlas. Las traducciones se llegaron a conocer como *El Libro de los Mormones*. Después de que Joseph tradujo las placas, se le regresaron al ángel y nunca se volvieron a ver.

Finalmente, existen los que reciben ayuda de los ángeles en forma de visiones. Dos de los anteriores también pudieron haberse considerado como visionarios (Juana de Arco y Joseph Smith), ya que ambas leyendas también hablan de que el participante realmente "vio" un ángel. Se debate si vieron a los ángeles en un estado de vigilia o si habían entrado a un estado alfa o theta (común durante la meditación).

Mientras hacía una investigación para este libro, pasé varias horas en el servicio America Online.® A través de una conversación común en los "chats" descubrí que mucha gente afirma haber visto ángeles o haber sentido los efectos de ellos en su vida.

Por supuesto hay muchos otros ejemplos que podría darles, pero esa no es la idea de este libro. Aquí, vas a tener experiencias angélicas propias.

La cualidad eterna de los ángeles

Los autores han dedicado muchos libros a la idea de los ángeles y muchos sabios han dedicado su vida a aprender sobre ellos. La bibliografía de este texto da varias fuentes, desde las lecturas históricas hasta las populares modernas. Como este es un libro de aprendizaje, no voy a profundizar en el linaje completo de los ángeles, excepto respecto a sus aplicaciones mágicas. Si te interesa este aspecto de todos modos consulta la bibliografía, luego echa un vistazo en tu biblioteca local o si lo deseas, revisa las librerías comunes y metafísicas. Varios capítulos subsecuentes de este libro presentarán ángeles específicos y darán una breve visión histórica general de ellos y su propósito. Para profundizar más en el tema se requerirá que investigues por tu cuenta. Hago esto a propósito. Uno no puede aprender de un solo texto, conversación o trabajo de arte. Necesitas reunir toda la información posible para modelar tus propias creencias. Este proceso estabiliza tu posición en cualquier materia y te ayuda a mantener una mente imparcial.

¿Quiénes y qué son los ángeles para ti?

Yo creo que esta es la respuesta más sencilla para la pregunta anterior: Los ángeles son lo que tú personalmente percibes que son. Antes de que empieces a trabajar con ellos, vas a tener que decidir qué constituye un ángel para ti y qué no, y seguir adelante a partir de ahí. Es mejor que dejes tu mente abierta, simplemente porque no existe ningún experto en ángeles (excepto los mismos ángeles) para decirte cómo son. Cuando se llega a ello, los escritores históricos no son mejores que tú, ni estaban más dotados de visión, pensamiento o acción. Eran humanos, igual que tú, con los mismos sentimientos, impulsos, intuiciones, esperanzas y sueños. Esos sabios religiosos le contaron al mundo lo que ellos pensaban de los ángeles. Sin embargo, sólo eran sus ideas. Sus percepciones no tienen que ser tus percepciones, ni tampoco el hecho de que, como están muertos hace que sus leyendas y su conocimiento sean más válidos que cuando primero se puso en papel.

Te animo a que pienses por ti mismo. No eres un monje en una celda polvorienta, cuya única ocupación es grabar sus visiones y diseñar las verdades que satisfacerán a la jerarquía de su iglesia. No eres un sabio sentado en una mesa redonda, volviendo a inventar la tradición Pagana para que se ajuste a las necesidades de una estructura religiosa. Tienes la libertad de creer lo que elijas. Tus pensamientos actuales de ángeles pueden requerir que te deshagas de algunas ideas antiguas atiborradas de niño en tu cabeza, así que prepara el bote de basura mental. Está bien que cambies tu mente. Es perfectamente aceptable que conozcas a los ángeles en tus propios términos en un proceso de educación espiritual. A medida que vayas trabajando en este libro, tu visión y tus pensamientos sobre ángeles, cambiarán. Volverás a evaluar los patrones en tu vida. Modelarás tus creencias para traer la armonía a tu espacio personal. Estarás trabajando hacia tu sintonización espiritual para formar casi todo tu destino.

Una visita a tu librería local te mostrará que hay más libros sobre encuentros con ángeles (comúnmente llamados testimonios), que otro tipo de texto angélico vendido actualmente. En cuanto a este escrito, una compañía editora particular tiene publicados por lo menos diez libros de ángeles, de los cuales, sólo dos son de un género diferente a los relatos de experiencias angélicas de primera y segunda persona. La información histórica lleva un débil segundo lugar y los libros de aprendizaje, un lejano tercer lugar. Algunos de estos libros conservan estrictamente las estructuras religiosas Cristiana o Hebrea, donde otros son más imparciales y representan una muestra característica más grande de creyentes, haciendo su mejor esfuerzo para no enfocarse en ningún sistema. Cada autor tiene una visión distintiva de los ángeles. Ninguno de ellos es incorrecto, porque cada uno está siguiendo su intuición. Cada autor ve a los ángeles como mejor los entiende. Los lectores que comparten sus ideas también entenderán los libros de esta autora; por lo tanto, cada texto contribuye a la estructura del aprendizaje humano.

Más que decirte lo que es correcto y erróneo de la estructura angélica, vamos a cubrir las preguntas que se hacen con más frecuencia (por lo menos las que son importantes para este trabajo). Es posible que quieras sacar una libreta y anotar tus percepciones mientras lees estas preguntas. Te puede sorprender descubrir que los diarios de ángeles no son algo nuevo; sino que han sido el alimento del pensamiento creativo de mucha gente durante toda la historia. Los ángeles no están en contra de la tecnología, así que si quieres introducir un disquete en la computadora y crear un archivo para tus divagaciones con los ángeles, hazlo. Si no te gusta escribir, entonces quizás puedes optar por una grabadora.

Primero te daré la pregunta, luego te diré lo que yo pienso. No tienes que estar de acuerdo conmigo, pero pensé que tal vez quieras tener algún antecedente que te ayude a entender mi razonamiento para manejar el material posterior de este libro. Recuerda, los ángeles son como quieras percibirlos. Necesitas sentirte cómodo con tus pensamientos. Si tienes dudas en una pregunta o no puedes contestarla por el momento, no te preocupes por eso. Más tarde regresa a ello cuando estés listo. Recuerda, el propósito de estas preguntas es hacer que pienses, no darte (o a mí) una calificación de pasado o reprobado.

¿Crees que todos los ángeles se ven como humanos?

Yo creo que los ángeles son formas de energía que pueden cambiar a voluntad, apareciendo en el estado de ser que sea necesario adquirir para hacer el trabajo. Cuando se trabaja con seres humanos, pueden aparecer como humanos para evitar darnos un buen susto. Esto significa que los ángeles pueden aparecer como un ser de cualquier raza en nuestro planeta, masculino o femenino. Verás y visualizarás ángeles como más necesites verlos, cuando necesites verlos. Para las personas que trabajan con arquetipos, pueden aparecer como mitad animal y mitad humanos. Ten la seguridad de que no hay una manera políticamente correcta para imaginar o "ver" un ángel.

¿Piensas que los ángeles aparecerán ante ti en esta dimensión, hablarte en tu cabeza o sólo enviar ideas e impresiones?

He experimentado todos estos tipos de visitas angélicas. Sin embargo, lo más común para mí, son mensajes a través de ideas e impresiones.

¿Piensas que los ángeles guardianes y los ángeles celestiales son los mismos o son diferentes?

Creo que pueden ser los mismos y ser diferentes. Se piensa que los ángeles celestiales ayudan a tu ángel guardián en ocasiones, convirtiéndose en tus guardianes durante un tiempo. Otras personas creen que el ángel guardián está cerca del humano asignado. Finalmente, algunos sienten que los humanos que están intentando hacer grandes esfuerzos en el desarrollo de otros pueden tener un ser celestial como su ángel guardián. Este podría ser un ángel que normalmente no opera como guardián, pero como la persona vino a la Tierra con una misión especial, se le asignó este ángel. Hay mucho en que reflexionar, ¿no es así?

¿Piensas que los fantasmas y los ángeles son los mismos, o son diferentes?

Yo creo que no son los mismos, aunque pienso que los seres queridos fallecidos sin duda tienen la oportunidad de ayudarte, si ellos lo desean. Algunas personas creen que los fantasmas serviciales y los ángeles guardianes son la misma cosa. Por ejemplo, digamos que uno de los padres murió cuando el niño tenía un año. Este niño puede crecer con la creencia de que el padre actúa como su ángel guardián. Esta es una creencia común en nuestra sociedad donde los niños han perdido a sus padres o abuelos a una edad temprana. Tendrás que decidir si quieres dibujar la línea entre la ayuda fantasmal y la asistencia angélica.

¿Crees que los espíritus guías y los ángeles son los mismos, o son diferentes?

Si no necesitas hacer una distinción entre fantasmas, espíritus guías y ángeles, entonces no lo hagas. Si eres la clase de persona que tiene que tener todo resuelto, entonces esta es una pregunta que necesitas meditar. Yo creo que los espíritus guías y los ángeles son parte de la misma energía divina, pero no necesariamente la misma entidad.

¿Los ángeles tienen que tener un nombre?

No lo creo, aunque algunas personas le ponen nombres a los espíritus/ángeles de los que dependen regularmente. A otras personas les gustaría conservar lo que puede representar un ángel, como sanación, risas, éxito, compasión, etc., y dejar en paz el proceso de los nombres. También hay personas que escogen encontrar ángeles que ya tienen nombres históricos. Más adelante cubriremos todos estos temas en el libro.

¿Todos los nombres angélicos tienen que terminar en -el o -irion?

No creo que estos sufijos sean necesarios. Generalmente se considera que ésta es una práctica hebrea. No es malo usar estos sufijos, pero no es necesario. El sufijo *—el* es una antigua palabra que tiene algo de historia propia:

Sumerio *el:* "brillantez" o "resplandor"
Acadio *ilu:* "el radiante"
Babilonio *ellu:* "el brillante"
Galés Antiguo *ellu:* "un ser brillante"
Irlandés Antiguo *aillil:* "brillante"
Inglés *elf:* "ser brillante"
Anglosajón *aelf:* "ser radiante"

¿Sientes que como un ángel recibió su nombre a través de una religión diferente a la tuya, no puedes trabajar con él?

Si eres bastante fuerte para cruzar los límites y las tendencias religiosas, entonces realmente no importa qué nombre histórico pueda ser. Si contestaste sí a esta pregunta, significa que otras creencias religiosas distintas a la tuya te molestan, entonces no llames al ángel por su nombre, sino por el propósito de su trabajo. Sin embargo, recuerda que los nombres tienen poder y llamar algo o a alguien por su nombre te acerca a la energía que estás contactando, no necesariamente a la estructura que le dio el nombre. No olvides que los ángeles trascienden las tendencias religiosas —la discriminación es únicamente una carga humana.

¿Cómo se ven los ángeles?

Esto depende de ti. Las alas y los halos no se veían en las imágenes cristianas de los ángeles hasta la época del Emperador Romano Constantino (312 d.C.), aunque el panteón griego incluye los dioses alados como Hermes y Eros. Las representaciones de ángeles precristianas incluyen seres con pieles blancas de ovejas o los muestran muy jóvenes en las construcciones y las imágenes. He visto ángeles con piel oscura, extremidades fuertes y alas gruesas; ángeles que son altos y están envueltos en túnicas blancas (parados junto a un oficial de policía, sí lo recuerdo bien); y ángeles con el cuerpo de un humano y la cabeza de un león.

¿Los humanos pueden ser ángeles o ellos mismos son una especie?

Algunas personas creen que ciertos humanos son "ángeles en entrenamiento", mientras que otros están de acuerdo con la idea de que los ángeles fueron creados en los albores del tiempo como una especie separada. Y otros creen que muchos de los dioses o los arquetipos paganos fueron/son seres angélicos y no son humanos ni espíritus inferiores, sino que representan una porción del Dios/a.

Estoy segura que piensas de otra manera en los ángeles, que no abarqué. Eso está bien. La idea de estas preguntas es hacer que pienses en los ángeles, no para probarte si la respuesta podía ser correcta o errónea. Puedes pensar que nunca verás a un ángel, entonces —adivina que— tienes una visita. Puedes sentir que es imposible que le hables a un ángel por su nombre porque no sigues alguna religión en particular, luego tu hijo se enferma y mientras haces magia, de alguna manera dices el nombre. Sorprendido descubres que al llamar al ángel por su nombre te funcionó, aunque no practicas la religión de la cual deriva el nombre.

Los sabios de la historia y los autores de ángeles no pueden coincidir en las respuestas de muchas de estas preguntas. Mientras revisaba varios trabajos del tema, encontré unos cuantos autores que condescienden con sus parejas y sus puntos de vista —no muy angélico de su parte, ¿no es así? El lado animal y espiritual de los humanos siempre está en guerra. De ti depende ayudar a que los dos lados se encuentren en la mitad y traigan armonía a tu vida, y a la de los demás. Si piensas que los ángeles están vestidos en sedas y satines y tu amigo ve ángeles en faldas Hawaianas, que así sea.

¿Por qué usar magia angélica?

¡Pensé que nunca lo preguntarías! Primero, estoy segura que hay muchas cosas en tu vida que te gustaría cambiar y te apuesto que piensas que algunas cosas no las puedes asociar. Pídele ayuda a los ángeles.

Segundo, ¿y la armonía planetaria? Quizás estás haciendo magia para ti mismo y las cosas están saliendo muy bien. ¿Por qué no pedirle a los ángeles que te ayuden a trabajar para afinar tus habilidades? Ninguna petición es demasiado pequeña o demasiado grande para la intervención angélica. Todos nosotros salimos de entre esa roca proverbial y un lugar difícil —es tiempo de ángeles.

¿Tu familia tiene problemas para entender tu religión alternativa? ¿Te hacen pasar un mal rato por tus creencias? Mete a los ángeles. A todo el mundo le gustan los ángeles. Imagina su sorpresa cuando descubren que a ti también te gustan. ¡Y hasta mejor, que trabajas con ellos! ¿Tienes problemas para relacionar la divinidad con tus hijos? Saluda a los ángeles. Los niños y los ángeles se llevan maravillosamente. ¿Los amigos y la familia tienen problemas con la autoestima? Los ángeles la levantarán.

¿En tu vida se está dando una batalla de custodia y una de las rocas o flechas que te pegó tiene el nombre de tu religión en ella? ¿Las visitas entre familiares son una pesadilla porque de un lado o de ambos están tratando de meterle hasta el cuello una religión particular a los niños? Es tiempo para un ángel. Casi todo el mundo cree en los ángeles.

¿Trabajas con gente en los campos de hipnoterapia, psicología, tarot, I Ching, percepción, psicometría o conocimiento rúnico? Que mejor manera para que comprendan que no los amenazas y captan la información que les estás dando, que usar a los ángeles para unir el abismo.

¿Te llegó el desastre? Trae a los ángeles. Ellos tampoco quieren verte revolcándote en un charco de porquería.

Otra vez, estos sólo son unos cuantos ejemplos de cómo pueden incorporarse a tu vida los ángeles. La magia angélica me ha permitido unir el abismo entre todo tipo de personas de todas las clases sociales. Los ángeles rompen la barrera entre los diversos universos que experimentamos. Pero sobre todo, trabajar con los ángeles me ha dado iluminación. No pasa un sólo día sin que sienta su presencia en mi vida. Si no me crees, ya es hora de que lo intentes.

Bienvenido, ángel, amigo mío

Ya es hora de que encuentres a tu primer ángel. No te pongas nervioso; encontrar a un ángel no es tan difícil. Sólo se necesita una cosa —no puedes estar bromeando cuando llames a un ángel. Primero, quiero que te sientes y pienses seriamente, por qué quieres ponerte en contacto con los reinos angélicos. Sé honesto contigo mismo. ¿Hay algo en tu interior o en tu estilo de vida que quieras mejorar, o hay un punto difícil en tu vida que quieres suavizar? ¿Es simplemente por curiosidad?

Toma tu tiempo. No me voy a ir a ningún lado.

¿Lo captaste? Bien. Ahora, toma una hoja de papel o una tarjeta y escribe un aviso de ocasión para tu ángel. No estoy bromeando. Siéntate y prepara un aviso de ocasión como si estuvieras buscando un maestro, un amigo, alguien que da un servicio que te gustaría contactar, etc. He aquí una muestra de un aviso de ocasión al ángel:

***SE BUSCA**: Un ángel de los reinos celestiales. Busco un ángel que pueda ayudarme a mejorar mi imagen personal. Necesito a uno que pueda traspasar mi lado obstinado.*

O:

***SE SOLICITA**: Un ángel que esté dispuesto a ayudarme con mis problemas de dinero. Busco una ayuda afectuosa que me ayude a crear paz y prosperidad en mi vida.*

Cuando hayas terminado el aviso, sosténlo en tu mano, cierra tus ojos y concéntrate en traer hacia ti a un ser de luz. Lee tu aviso en voz alta si piensas que ayudará. No te preocupes que no lo hagas bien —no hay una forma errónea de pedirle a un ángel ayuda mientras uses buenos modales. Si quieres, te invito a pronunciar una pequeña oración. He aquí una buena:

Huestes angélicas, por favor reciban mi llamado
Gozosas bendiciones, a todos les propago
Este y sur, oeste y norte
Doy la vuelta y te invoco
Amigo invisible, mensajero de amor
Envíame ayuda del reino superior.

Cuando hayas terminado, mete la tarjeta en una bolsa o préndela en alguna parte de tu ropa donde nadie pueda verla. No le avises a todo el mundo que acabas de ponerle un aviso de ocasión a un ángel. No queremos que los pensamientos de alguien interfieran con tu proyecto. Después de que haya llegado la ayuda y sientas la necesidad de compartir la información con alguien que pueda usarla, entonces hazlo, por supuesto. Si tienes amistades o familia que sepas que se van a burlar de ti, no te preocupes. Hay un viejo adagio mágico que dice: "No le enseñes los misterios a los tontos." Los demás encontrarán su camino en su momento adecuado sin usarte como trampolín.

No esperes que tu ángel se te aparezca con trompetas de gloria y luces doradas y plateadas. Los ángeles muchas veces hacen su trabajo sutilmente. Puedes recibir una oferta de trabajo de una fuente inesperada. Un amigo puede llamarte para sacarte de tu abatimiento. Puedes escoger un libro y encontrar ahí la respuesta que estabas buscando. Cuando los ángeles están cerca, no existen las coincidencias. Tu trabajo es elevar tu sensibilidad. Si abres tus ojos mentales, verás ángeles por todas partes.

Los ángeles buscan personas mágicas

Los ángeles quieren trabajar con Brujas, Ritualistas, Druidas, Hechiceros y otros Paganos. Quieren trabajar con Cristianos y Judíos inspirados divinamente. Usualmente las personas llenas de ánimo y mágicas, actúan juntas y ya están trabajando por el mejoramiento de la humanidad. Si puedes llamar a los elementales, evocar la muerte ancestral e invocar a la deidad y los arquetipos, no hay razón para que no puedas trabajar con ángeles. Los ángeles desean trabajar con gente que sepa bien lo que hace y tenga fuertes sus creencias. Recuerda, los ángeles no discriminan. Están buscando lectores de tarot, hechiceros, hipnoterapeutas, astrólogos, expertos en hierbas y sanadores holísticos. Tienes la oportunidad de ser parte de algo grande. No dejes que las ideas preconcebidas, por la mala información, se interpongan en tu camino.

No pienses que a los ángeles no les interesan tus problemas cotidianos o están demasiado ocupados en los reinos celestiales para escucharte. Esas tonterías son de los teólogos retrógrados, no de los ángeles. Los ángeles son guías, ayudantes y amigos y están esperando que los llames. Pídeles ayuda y ofréceles tu ayuda. El universo tiene múltiples peldaños y facetas — hay un lugar para todos nosotros.

Torbellino de ideas angélico

Los ángeles son magníficos para ayudarte a solucionar cualquier problema, elección o situación. El siguiente ejercicio está diseñado para que tengas relación con los ángeles de inmediato. Necesitarás una pluma o un lápiz, algunas hojas de papel, un reloj y una grabadora, si lo deseas. Si tienes computadora, abre un archivo de ángeles y prepárate para mandar a volar esos dedos.

Enciende tu grabadora y graba los pasos. Recuerda dejar lapsos de dos minutos donde se indica y pausas breves después de las instrucciones de respiración. Pon la cinta cuando estés listo para hacer el ejercicio.

Cierra tus ojos. Toma una respiración profunda y relájate. Otra. Una más. Deja que todas las preocupaciones del día salgan de tu sistema. Siente cómo salen de ti.

Ahora abre tus ojos y escribe la palabra "Ángel" en la parte superior de tu hoja. Durante dos minutos (y sólo dos minutos), escribe cada palabra o frase que puedas pensar, que esté asociada con los ángeles. No importa que las asociaciones sean extrañas. Sólo suéltate. Nadie verá este ejercicio, así que no te preocupes por lo que escribas. Al término de dos minutos, deja tu lápiz. Toma una respiración profunda y relájate.

Cierra tus ojos. Toma otra respiración profunda. Imagina que los ángeles te rodean. No tienes que hacer esta visualización muy elaborada. Las sensaciones son magníficas. Abre tus ojos y escribe la palabra "Universo" en la parte superior de otra hoja de papel. Durante dos minutos (y sólo dos minutos), escribe en tu hoja las asociaciones con el universo. Escribe todo lo que llegue a tu cabeza. Cuando se terminaron los dos minutos, suelta tu lápiz y toma una respiración profunda. Relájate y suéltate.

Cierra tus ojos una vez más y toma otra respiración profunda. Imagina que un ángel toca tu hombro. Este es tu ángel guardián. Abre tus ojos y escribe la palabra "Mensaje" en la parte superior de la última hoja de papel. Durante dos minutos (y sólo dos minutos) escribe todo (y quiero decir todo) lo que llegue a tu mente. Cuando se terminaron los dos minutos, suelta tu lápiz y toma una respiración profunda. Cierra tus ojos y di "gracias", porque te comunicaste con las huestes angélicas. Es así de fácil.

Vuelve a leer tus papeles. En este momento no analices los significados de lo que escribiste. Si algo te brinca, es posible que desees meditar el pensamiento, pero no esfuerces tu cerebro en ello.

Veinticuatro horas después, vuelve a leer tus asociaciones. ¿Encontraste algo nuevo? Yo siempre encuentro.

Puedes usar este ejercicio en cualquier proyecto. Lo más difícil de cualquier tarea es empezar. A los ángeles les encanta ayudar a la gente a poner en marcha sus motores, ya sea para crear algo o para resolver un problema. Entre más practiques este ejercicio, serás mejor en la inspiración angélica.

He aquí lo que escribí cuando hice este impulsor de habilidades angélico. (Verás, soy partidaria de compartir lo que hago e intentar todo antes de darle la idea a otra persona. Jamás encontrarás algún ejercicio que no haya intentado primero en ninguno de mis libros.)

Ángel: Suave, amable, luz, servicial, lleno de diversión, difícil de encontrar, investigación, estrellas, leyendas, asertivo, arquetipos, dispuesto a ayudar en todas las situaciones, testimonios, camión de basura, adivino, sanación, tesoro, ser un ángel, deleite, felicidad, ir más allá, risa, abarcar. Diosas serviciales, sabiduría, maestros, imparcial.

Universo: Completo, uno, intuitivo, conectado, todo, omnipresente, balanceado, amor, no negociable, cuidado, valioso, circular, eterno, talento, tiempo, respeto, individual, alma, viaje, astral, ignorancia, oración, unidad, niveles del ser, espacio, afecto, entusiasmo, niveles de la existencia, animales, decisiones, música, danza.

Mensaje: Salto de fe, misterio, profetas, unión, interés, sin trabas, futuro brillante, oportunidades, guía, amor, maestros, servicio, ser o no ser, sal de tu inutilidad, déshazte de la gente negativa que desordena tu vida, sé una persona, camina y otros te seguirán, sé un ángel, no vivas por los juicios de otros, sé fuerte y sabia, la sabiduría está en tu corazón.

Si escribiste una y otra vez alguna palabra, no te preocupes. Eso significa que hay algo en tu mente y tus ángeles están intentado ayudarte a que lo arregles. Relee tu mensaje y piensa en lo que significa para ti.

Planeando un día angélico

Una de mis cosas preferidas es planear un "día angélico". No cuesta nada, y nunca me decepciona lo que encuentro o las experiencias que tengo. Puedes elegir pasar un día en la naturaleza (prepara un almuerzo campestre), visita unos amigos o ve a un centro comercial concurrido. No importa. Sólo hay un requerimiento: antes de empezar, di mentalmente, "Hoy, voy a tener un día angélico. Eso significa que estoy abierto a cualquier cosa que el universo me quiera mostrar sobre los ángeles y cómo puedo ayudar a los demás". Y luego te vas.

Ten presente que cada suceso y a todos los que encuentres están orquestados por los ángeles para instruirte o divertirte. Estás en una aventura, una cacería del tesoro. Sé amable con todas las personas que encuentres. Ve a la gente directamente a los ojos si te hablan. No estoy diciendo que vayas a la peor parte de la ciudad y vayas tan fresco como si fuera tu propio lugar. Usa el sentido común.

Si eres "comprador", di mentalmente que hoy sólo vas a buscar cosas angélicas. Descubrirás que gastas menos dinero y consigues cosas que realmente estabas buscando, no la basura que usualmente juntas por el impulso de comprar. Pídele a los ángeles que te ayuden guiándote a la tienda adecuada, o librería, si estás buscando un libro en especial o material de consulta.

Cuando regreses a casa, anota los sucesos importantes de tu día. Medita un momento y despeja tu cuerpo. Durante la meditación, visualiza a tu ángel como un guía de turistas para que te ayude a trabajar en cualquier pregunta sin respuesta de tus experiencias.

En esencia, de muchas maneras puedes tener un "día angélico". Puedes empezar cada día como un "día angélico". Te sorprenderá qué tanto más te sintonizarás con el universo y es una magnífica sensación que se tiene todos los días.

Hacia adelante...

Juntos, tú y yo vamos a viajar a los reinos celestiales. Buscaremos y saldremos a encontrar a los ángeles y haremos magia con ellos. Así es, no le echaremos a cuestas el trabajo a los ángeles. Vas a intentar recordar precisamente por qué estás aquí en este planeta y cuál podría ser tu misión.

Este libro sólo es una herramienta que puedes usar para trabajar con los ángeles. Revisa los libros mencionados en la bibliografía para tener más información de los ángeles que ves aquí. A los ángeles les da mucha felicidad trabajar contigo como tú elijas.

2

El altar angélico

Los ángeles aman la magia. Les gusta la energía y adoran la conexión con la divinidad. Los ángeles y la magia son —disculpa el juego de palabras— una unión hecha en el Cielo... Tierra Estival... espacio sagrado... escoge uno. ¿Por qué no querrían trabajar ellos con las personas mágicas?

Los ángeles no están en contra de los círculos de

adivinación. Se mantendrán al margen si se los pides, o vendrán si los llamas. Trabajan bien en las residencias. Algunas veces simplemente cerrarán el círculo con su presencia, dándole más energía a tu trabajo.

En este capítulo cubriremos la información para crear un altar angélico. También encontrarás material de los primeros ángeles de la cultura Occidental. Para algunos de ustedes, esto serán noticias antiguas, pero espero que de todos modos lo lean. Puedes encontrar algo diferente o quizás quieras intentar algo. Si esto es nuevo para ti, no te preocupes si no se aclara todo de inmediato. Tómalo con calma.

Creando un altar angélico

Algunos ya pueden tener un altar que usan en sus trabajos cotidianos. Una función importante del altar es centralizar el poder. Cada artículo colocado sobre el altar debe tener un propósito específico. Los adornos superficiales o las piezas predilectas no deben estar en tu altar de trabajo. Una vitrina en la pared, arriba de tu altar, podría ser un buen lugar para estas cosas.

Tu altar también sirve como superficie de trabajo. Asegúrate que haya suficiente espacio para elaborar talismanes, hacer bolsas de conjuros, etc. El altar también te permite honrar al universo y tus creencias, aunque no estés presente físicamente.

Los altares pueden ser tan grandes o pequeños como quieras, dependiendo de tu personalidad y los requerimientos del espacio. Algunas personas tienen un altar "superior" y un altar "inferior". El altar superior principalmente sirve de decoración y sólo se usa en días de fiesta. El altar inferior tiene múltiples usos, en general, está diseñado para la magia cotidiana. Tanto mi altar superior, como el inferior consisten en grandes piedras planas. Mi altar superior permanece en el norte. Mi altar inferior, es una piedra plana por la que puedo caminar alrededor. Cada artículo en tu altar (además del mismo altar) debe limpiarse, consagrarse y cargarse antes de usarlo. (Más sobre esto posteriormente en el capítulo).

A unas personas les gusta usar sábanas de altar, que compran en las tiendas de magia o usan bufandas exóticas de la tienda de gangas. A otras, les gusta hacer las telas del altar, cosiendo diseños mágicos que coincidan con su sistema de creencias. Para un altar angélico quizás quieras bordar escritura angélica (ver Capítulo 15) en un trozo de tela con ángeles en los bordes. Más que una sábana de altar, quizás quieras hacer una pancarta de ángel para colgarla arriba de tu altar. No necesitas coserla —podrías encontrar un diseño que te guste, lo recortas en fieltro y lo pegas con goma a una pancarta simple de fieltro.

Tal vez quieras poner una lámpara de aceite o velas en tu altar con fines de iluminación. Las lámparas de aceite son muy mágicas. Las lámparas de aceite guardadas en los templos por los sacerdotes y sacerdotisas de antaño representaban la luz de la divinidad en un mundo por lo demás oscuro. He descubierto que prefiero trabajar con la lámpara de aceite y guardo velas para el trabajo mágico real. Cuando uses velas, por favor asegúrate que tus candeleros sean sólidos y no inflamables. Si vas a dejar una vela encendida toda la noche, pon un recipiente de metal grande debajo del candelero para garantizar tu seguridad y la de tu casa, por si el candelero se cae o se quema. Recibí la carta de una joven que usaba un candelero de madera (como siempre lo había hecho) y dejó su vela encendida toda la noche. El candelabro se incendió y destruyó su altar. Afortunadamente, despertó antes de que se incendiara el resto de su departamento. Otro muchacho perdió su departamento por dejar encendido un incensario de madera sin vigilancia. Los candeleros sólo son de adorno y no están diseñados para un gran trabajo mágico. Siempre escojo candeleros/recipientes que no sean inflamables.

El altar angélico

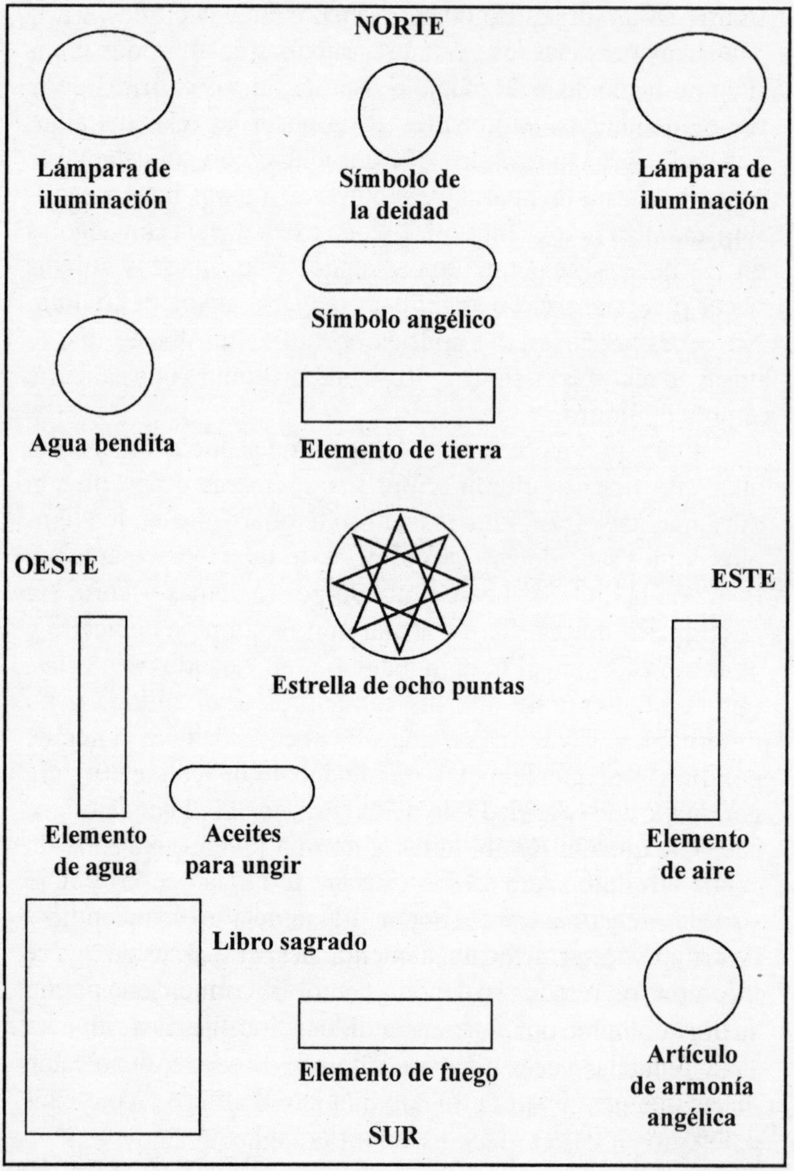

NORTE

Lámpara de iluminación

Símbolo de la deidad

Lámpara de iluminación

Símbolo angélico

Agua bendita

Elemento de tierra

OESTE

ESTE

Estrella de ocho puntas

Elemento de agua

Aceites para ungir

Elemento de aire

Libro sagrado

Elemento de fuego

Artículo de armonía angélica

SUR

A mucha gente mágica le gusta poner una representación de la deidad en su altar. Esto es como prefieras. A veces tengo en mi altar una estatua que represente a la Diosa; otras veces pongo un perchero de cornamentas de ciervo que represente al Dios. Cuando trabajo la magia Holandesa Alemana de Pennsylvania (Asamblea), uso una placa pintada con una flor de seis pétalos, llamada Hexefus (que representa el poder de la Bruja bajo la dirección de la Diosa Velada y del Dios Cubierto). Si eres de otra religión, tal vez quieras poner una estatua o quizás una imagen de tu deidad en el altar. Por ejemplo, los Católicos mágicos pueden escoger la estatua de un santo o de la Virgen María. Alguno de una fe Protestante puede elegir una imagen de Jesús. Si crees que la energía de Dios no tiene rostro, entonces tal vez no quieras poner ninguna representación en el altar.

Para mí, las huestes angélicas son parte de la divinidad, guiada por el gran plan de la luz universal. En mi mente, la Diosa manda a esos ángeles que enfrenten el proceso de nacimiento, nutrición, aprendizaje, sabiduría y crecimiento. El Dios manda a esos seres que mantienen el orden, que fortalezcan a los que tienen necesidad, releguen la justicia, etc. Por lo tanto, muchas veces recurro a los ángeles y a mi creencia en la divinidad cuando estoy involucrada en un trabajo serio. Este es un asunto de elección personal.

Cuando trabajo con ángeles, me gusta poner la representación de un ángel en mi altar. No estoy venerando a los ángeles, sino sintonizándome con sus energías. Una representación me ayuda a conectarme con esa energía. Otro dispositivo poderoso con los reinos angélicos es la estrella de ocho puntas. Puedes comprar una, o hacerla en un disco de madera o de metal. Muchas veces pongo el disco en el centro de mi altar (por lo menos a través de la oración de apertura antes del trabajo de magia verdadero) cuando trabajo con ángeles.

Tu representación de un ángel no tiene que ser un artículo costoso de porcelana o algo que esté fuera de tu presupuesto. Una tarde, mi hijo de ocho años se sentó con un simple pedazo de papel y una tijeras. Después de un rato, se paseó por mi escritorio y me dio un ángel que había creado. Me gustó tanto que lo enmarqué y lo colgué arriba de mi altar.

Los ángeles se llevan bien con los elementos y la magia elemental. Casi toda la gente mágica pone representaciones de estos elementos en su altar. Los elementos son tierra, aire, fuego y agua. Más adelante en este texto vamos a mencionar a los ángeles que tienen afinidad con los elementos, pero por ahora, tal vez quieras elegir algo de cada una de estas categorías para ponerlo en tu altar. He aquí algunos ejemplos:

Tierra: Un recipiente con tierra de tu área, arena, sal, cristales o en algunas tradiciones mágicas, hielo. El artículo de tierra se sitúa en tu altar, en la punta norte de la brújula. El Norte representa misterio, crecimiento, fertilidad, abundancia material, las fuerzas combinadas de la naturaleza, nacimiento, sanación, negocio, industria y posesiones.

Aire: Incienso, una pluma, un abanico. El artículo de aire se sitúa en tu altar en la punta este de la brújula. El este representa intelecto, comunicación, conocimiento, concentración, telepatía, memoria, sabiduría, la habilidad para conocer y entender los misterios, desentrañar los secretos y contactar a los ángeles.

Fuego: Una vela o lámpara pequeña especial, un pequeño perol. Pon el artículo de fuego en la punta sur de la brújula en tu altar. Representa energía, purificación, valor, la voluntad para atreverse, creatividad, el ser superior, éxito, refinamiento, las artes y la transformación. Si no puedes tener fuego donde practiques la magia, usa un recipiente de cereales, harina de maíz o arroz.

Agua: Un recipiente con agua, una flauta de agua, un pequeño perol con agua. Pon el elemento agua en la punta oeste de la brújula en tu altar. El oeste representa intuición, emociones, el ser interno, movimiento fluido, el poder de atreverse, limpieza, simpatía, amor, reflexión, mareas y también representa las puertas de la muerte.

Casi terminamos con las cosas que tal vez quieras poner en tu altar. Faltan tres artículos que sería bueno considerarlos:

Aceite bendito/ aceite de unción: Para ungirse uno mismo durante la oración o antes de trabajar.

Libro sagrado: El libro que sea más importante en tu religión. La Bruja puede usar su Libro de las Sombras, un Cristiano usaría la Biblia, etc.

Pieza de evocación: Durante tus trabajos con ángeles puedes escoger algo especial que te permita sintonizarte con la energía angélica rápidamente. Puede ser una gema, una placa, una pieza de joyería o un pequeño talismán. Quizás sea un artículo que descubriste en una jornada de meditación. No importa qué sea físicamente. Lo importante es que te ayude a crear armonía con las fuerzas angélicas.

Primero, veamos las fuerzas angélicas básicas que estarás usando. Sus nombres son Rafael, Miguel, Uriel y Gabriel.

Un altar angélico sencillo

¿Y si no quieres poner todo lo que se mostró previamente en tu altar? ¿Eso va a perjudicar algo? No. A continuación se muestra un altar angélico sencillo que tal vez quieras intentar.

El propósito de mostrarte varias distribuciones del altar es para recalcar que lo que encuentres agradable en tu espiritualidad es correcto para ti. Si quieres que tu altar tenga sólo una estatua de un ángel y veladoras en tazas de té, entonces así será. No hay una manera correcta para venerar a la divinidad o llamar a los ángeles a tu vida. Siempre puedes elegir.

Un altar angélico sencillo

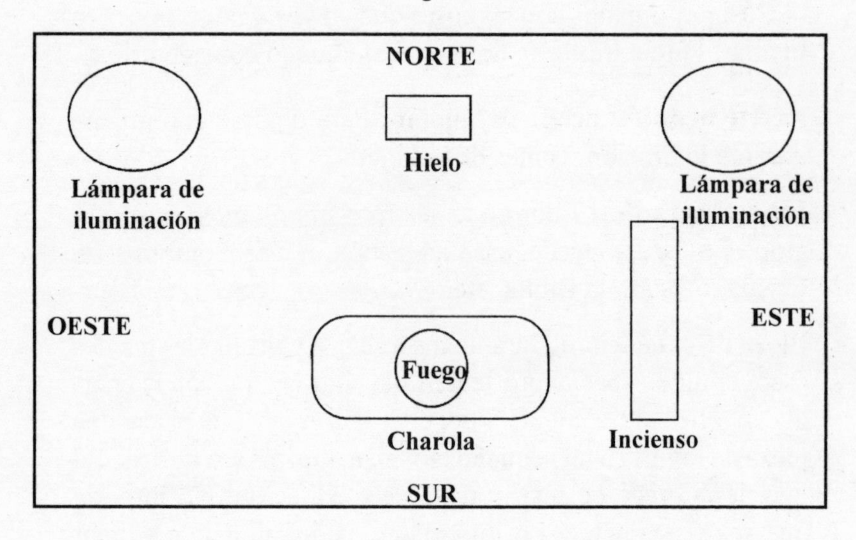

Las fuerzas angélicas básicas

La secta Judía de los Esenios, que floreció en la época de Jesús, a los que entraban a la orden les imponía un juramento de que nunca revelaran los nombres de los ángeles. Porque en el conocimiento de los nombres, ellos creían, había poder del cual se podía abusar y que distraería al aspirante espiritual de su razón principal para ser un miembro de la comunidad.[1]

---

[1] *In Search of Angels* por David Connolly, página 87.

Los nombres tienen poder. Nombrar algo es fusionarse con su energía, para bien o para mal. En lo personal, pienso que si abusas del poder angélico, sufrirás por ello. Igual que con todas las decisiones que tomamos en la vida, trabajar para el bien o para el mal es cuestión de elección. Igual que con todas las elecciones, cosecharás las consecuencias, positivas o negativas.

El pensamiento moderno en el tema de los ángeles los vincula más con los aspectos positivos del universo, como sanación, éxito, protección y seguridad. Ya salimos (eso espero) de las épocas medievales de hacernos cosquillas en la ceja con una pluma y tragar saliva sobre no sé cuantos nombres que podemos crear para las legiones de los ángeles caídos. Algunos humanos han transferido los fracasos de la humanidad a otras entidades, creando formas de pensamiento desagradables —de ahí las filas de los ángeles caídos.

En este texto trataremos principalmente con las energías angélicas que tienen una historia de atributos positivos y trato con los humanos. De éstos, los primeros son los Arcángeles, que son comunes en casi todas las religiones —Rafael, Miguel, Gabriel y Uriel.

La descripción de cada Arcángel incluye una invocación para trabajar con ellos. Una invocación es la inducción de los poderes de cualquier ser divino. Con las invocaciones que se dieron, vas a atraer las energías de los Arcángeles a un círculo mágico (cubriremos esto en el Capítulo 6). A veces la inducción de lo angélico provoca un cambio en la personalidad de la persona mágica. Puedes encontrarte rodeado por una luz brillante y, como consecuencia, convertirte tú mismo en un ser brillante, cubierto por las energías del ángel que llamaste.

Emplea las invocaciones en una situación específica para manifestar esas energías que pueden ayudarte mejor en tu situación. Por ejemplo, si quisiera manifestar poderes de sanación, llamaría a Rafael. Si quisiera una transformación en mi vida, entonces Gabriel sería la fuerza angélica para manifestar mi deseo. Usa las energías de Miguel si te encuentras en una situación que necesites protección. Si quisiera mejorar mis habilidades proféticas o aprender una herramienta de adivinación, como el Tarot, llamaría a Uriel. Estos sólo son unos ejemplos. Cada ángel tiene muchos talentos que está dispuesto a compartir contigo.

Rafael, Ángel del Este

Yo soy el Ángel del Sol
Cuyas ruedas de fuego empezaron a moverse
Cuando el aliento todopoderoso de Dios
Dijo a las tinieblas y a la Noche,
¡Que se haga la luz! Y la luz se hizo
Yo traigo el don de la fe.

Longfellow, "La Natividad"

Colores: Amarillo o dorado y azul

Estación: Primavera

Hora del día: Amanecer

Elemento: Aire

Signos astrológicos: Géminis, Libra y Acuario

La versión Caldea original de Rafael se llamaba Labbiel. La palabra Hebrea *rapha* significa sanador, doctor o cirujano. Rafael, en realidad querría decir "excelente sanador". La información sobre Rafael se remonta al Cercano Oriente, antes de la época de Cristo. Ugarit, una ciudad-estado que floreció en la costa del Mediterráneo, tenía un panteón que incluía al dios supremo El y su consorte Atirat (cuyo hijo fue Rafael), el dios de las tempestades Baal y su hermana Anat, otras divinidades y (por supuesto) ángeles. Por lo tanto, Rafael originalmente fue un arquetipo, no un ángel.

La tarea de Rafael es sanar la Tierra y a través de él, la Tierra protege y nutre a la humanidad. Esto incluye las energías de amor, gozo, luz, oración, compasión y honor. La función principal de Rafael es encargarse de la enfermedad, padecimiento y desequilibrio en todos los hijos de Gaia. Se le conoce como el ángel del Sol, rige la ciencia y el conocimiento. Es el príncipe regente del segundo cielo, supervisor de los vientos nocturnos, guardián del Árbol de la Vida (Biliomagas), gobernador del sur y a veces se le ve como el guardián del oeste, aunque en casi todo nuestro trabajo él se mantendrá en el este. Rafael es un ángel de amor y de risa. También es un guía en el Inframundo, además de ser el ángel patrono de los doctores, enfermeras, parteras, sanadores alternativos, viajeros y los que han perdido su vista. Rafael le regaló al Rey Salomón el pentáculo. Recuerda que las puntas del pentáculo derecho representan la tierra, el aire, el fuego, el agua y el espíritu de la humanidad, rodeados por la armonía universal. Rafael es el ángel de las herramientas mágicas y de los misterios que las rodean.

Rafael tiene afinidad con la gente joven y la creatividad. Algunos dicen que él es el "supervisor" de todos los ángeles guardianes. Este ángel tiene sentido del humor y le gustan las bromas y los momentos humorísticos. Él vigila a los que están empezando nuevos senderos espirituales o a quienes están esforzándose por aventajar su camino de iluminación elegido. Le gusta visitar mortales desprevenidos y charlar con ellos. Él es el "ángel incógnito".

Visualiza a Rafael como una figura vestida con túnicas amarillas y algunos destellos violetas, llevando un caduceo (una vara con serpientes entrelazadas; este símbolo, representa la fuerza vital, lo usan los doctores) y subido en una brisa. Sin embargo, otras fuentes sienten que usa túnicas verdes con tonos azules (como se ve en la pintura de Botticini titulada *Tobías y los Ángeles*).

Invocación de Rafael

Desde la costa azul y el océano Ugarit
El dios brillante de la sanación devota del linaje Caldeo,
Coronando las brisas encantadas y doradas del amanecer
Elevándose para purgar a la humanidad de las insidiosas enfermedades.
Te llamo a ti, gran ángel del Sol
Para que entres aquí con una risa vivaz y diversión creativa.

Susurra los secretos del pentagrama, justo Rafael
El Hijo de El y de la consorte Atriat, es Labbiel.
Tu vara entrelazada por míticas serpientes
La ciencia y el conocimiento son tus devotos sirvientes,
Ahora manda a las legiones donde la magia se requiera
Y trae el poder de la bruma sanadora.

Ángel guardián de líderes espirituales
Roza las alas de pavo real en remolinos de cedro perfumados
Flotando entre la humanidad disfrazados
Girando del este como oraciones azuldoradas que se elevan
Trayendo a la forma otra vez el equilibrio de Gaia
Y no nos dejes nunca llorar por lo que pudo haber sido.

Miguel, Ángel del Sur

San Miguel Arcángel, defiéndenos el día de la batalla; sé nuestro protector contra la maldad y las trampas de la negatividad y hazlo tú, príncipe de las huestes celestiales, por el poder de Dios aparta a todos los espíritus malignos y malvados...

Papa León XIII

Color: Rojo o escarlata

Estación: Verano

Hora del día: Mediodía

Elemento: Fuego

Signos astrológicos: Aries, Leo y Sagitario

Miguel significa "el que es Dios" y por lo tanto se le puede ver como la forma de dios Pagana. En muchas religiones, Miguel está considerado como el ser angélico superior. Igual que a Rafael, se le adoraba como dios de los Caldeos. Por lo tanto, antes de su fusión al Cristianismo, Islamismo o Judaísmo, él era (redoble de tambores, por favor) Pagano. Sí, exactamente igual que el buen árbol de Navidad antiguo y el Conejo de Pascua, ¿adivina quién los tuvo primero? Las actuales religiones estructuradas no. Lo tomaron prestado, igual que a muchos otros ángeles e hicieron que encajaran en su estructura de creencias.

Así que vemos que Miguel en realidad viene de un arquetipo Pagano. Él es jefe en la orden de las Virtudes; jefe de los Arcángeles; ángel del arrepentimiento, la justicia y la misericordia y regente del cuarto cielo. (Más adelante tendremos la explicación de toda esta terminología extraña en el texto). Su nombre arcano es Sabbathiel, así que si quisieras llamarlo así, hazlo. En el Islam tiene el nombre de Mika'il.

La popularidad de Miguel con las religiones patriarcales es fácil de entender. Es un ángel exterminador que ha matado a unos cuantos chicos malos en la leyenda y la tradición, significando que él atrae a los que tienen una sobrecarga de testosterona —los aplasta y los deshecha. En la época medieval, usaba una armadura. Actualmente lo puedes encontrar ataviado con el mejor equipo militar que ha diseñado nuestro mundo. Él es un héroe indiscutible, el exterminador de los reinos angélicos. No seamos demasiado duros con Miguel, ya que su tradición popular es producto de vanas ilusiones masculinas combinadas con la verdadera necesidad de justicia, fuerza, protección y equilibrio en nuestro mundo. En la leyenda, no sólo es un ángel que defiende las huestes celestiales contra viento y marea. Su lealtad es incuestionable.

La historia de Miguel no sólo incluye la tradición Cristiana. Por ejemplo, él asumió la tarea de "pesar las almas" realizada alguna vez por Anubis en el panteón Egipcio. En la mitología Persa, Miguel llevaba el nombre de Beshter, que significa alguien que le da sostén a la humanidad. En una versión Acadia anterior, la gente lo llamaba Kasista, que significa príncipe o líder. Los pueblos Paganos de la Galia Romana fueron sobornados al Cristianismo por falsear más con su esencia. La Iglesia le dio muchas de las cualidades de Mercurio a Miguel. Por consiguiente los "Montes de Miguel" que se encuentran por toda Europa y se asocian con la antigua costumbre de los montículos de los muertos, se basan en las creencias míticas Paganas. Estos montes enlazan a la línea ley de energía. La Iglesia permitió que Miguel asumiera muchos poderes Paganos arquetípicos en un esfuerzo por convencer a la gente alejándola de sus religiones madre. En la tradición, el ángel Miguel es quien se le apareció a María (madre de Jesús) para decirle que le había llegado su tiempo de abandonar este plano. Miguel se manifiesta como un ser angélico que no está más allá de la misericordia, la paciencia y la compasión.

En la tradición Islámica, es un ángel de alimento y conocimiento; en Egipto, es el patrón del Nilo. Su festival y su fiesta ocurren cada año en la crecida del Nilo.

Las alas de Miguel se despliegan en un verde esmeralda encendido, algunas veces se le representa con alas de pavo real (¿un remanente de la Diosa Egipcia Maat?). A veces, Miguel lleva una espada resplandeciente; sin embargo, en la época moderna, su arma de la verdad radica en la palabra escrita y no, gracias a Dios, en los cohetes de nuestros militares. En algunas tradiciones sostiene un cetro en vez de la espada.

Miguel es el jefe principal de los oficiales de policía, guardias de seguridad, cazadores y el personal del servicio armado. Se levanta firme como el guardián de la Diosa en los planos astrales, donde protege Su energía de las embestidas del patriarcado. Miguel tiene un talento especial para limpiar cualquier cosa, desde personas hasta lugares. También es la unión de los antiguos espíritus que vigilaron los sagrados riachuelos, arroyos, fuentes, lagos, etc., antes de la era Cristiana y el guardián de los santuarios erigidos en honor a las energías sanadoras de la divinidad.

La Fiesta de San Miguel que celebra la Iglesia de Inglaterra y la Iglesia Episcopal Norteamericana, atrae multitudes de fieles el 29 de Septiembre de cada año. Mucha pompa y ceremonia le precede al festival de San Miguel. En las Islas, se habla de Miguel como brian Micheil (dios Miguel):

Tú que eres el guerrero valeroso
Que vas en la jornada de la profecía
Tú no viajarías en un lisiado
Tú tomaste el corcel del Dios Miguel,
Él estaba sin nada en su boca
Tú lo llevaste en el ala,
Tú saltaste por encima del conocimiento de la Naturaleza.[2]

Cuando levantas un espacio sagrado dentro de tu casa o tu propiedad, llama al ángel Miguel en busca de una guía tanto en la estructura como en la ubicación. Visualiza a Miguel como una figura vestida de escarlata con destellos verdes o dorados que sostiene una espada flamígera.

Miguel el victorioso
Tú, Miguel, el victorioso,
Hago mi círculo bajo tu escudo,
Tú, Miguel, del corcel blanco,
Y de las magníficas espadas brillantes,
Conquistador del mal
Cúbreme mi espalda,
Tú, vigilante de los cielos
Tú, guerrero y rey de ángeles
Oh Miguel el victorioso,
Mi orgullo y mi guía,
Oh Miguel el victorioso,
Mi vista se regocija.

Hago mi círculo
En la compañía de mi ángel guardián
En el campo, en el bosque

---

[2] *Carmina Gadelica Hymns and Incantations* por Alexander Carmichael, página 588.

En la fría colina de brezos;
Aunque deba cruzar el océano
Y el duro globo del mundo
Ningún mal puede nunca acontecerme
Bajo el abrigo de tu escudo;
Oh Miguel el victorioso
Joya de mi corazón
Oh Miguel el victorioso,
Pastor de diosas eres tú.[3]

Invocación a Miguel

Príncipe Caldeo y dios Pagano
Lanza y vara de vengadora espada
Ángel guerrero de la gracia del fuego de mediodía
Que guarda en él este espacio sagrado
En la forma irrumpe mi Miguel
La flama escarlata de Sabbatiel.

Leal guerrero y guardián astral
Líder carmesí, espécimen perfecto del hombre.
Misericordia, paciencia y afectuosa compasión
Cuya mano divina se encargó de modelarla
Alabanzas a ti, Oh patrón del Nilo
Yo te invoco, poderoso Miguel.

Valor y confianza que tomaron forma
Ángel alado de leyenda que el tiempo favorece
Centra tus energías con sabiduría y justicia
El Campeón de la Diosa en quien Ella confía.
Este ángel exterminador, cazador celeste
Mi ángel de batalla de verano ardiente.

---

[3] *Carmina Gadelica Hymns and Incantations* por Alexander Carmichael, página 87.

Gabriel, Ángel del Oeste

La más hermosa de las doncellas
Como la luna entre las estrellas
Querida Gabriel vestida de luz
Que trae paz a mi corazón

Desconocido

Color: Azul o aguamarino

Estación: Otoño

Hora del día: Crepúsculo

Elemento: Agua

Signos astrológicos: Cáncer, Escorpión y Piscis

Gabriel sólo es segunda de Miguel tanto en la tradición Cristiana como Judía. La raíz de su nombre es de origen Sumerio. Su nombre significa "gobernador de luz" (*gabri* significa "gobernador" y el sufijo —*el* significa "brillante"). Ella es el ángel de resurrección, misericordia, venganza, muerte, nacimiento, transformación y misterio revelado, además de ser conciliadora. Ella porta enfrente una rama de olivo, el símbolo de la paz. Gabriel, considerada como la princesa regente del primer cielo, se sienta a la izquierda de la divinidad. Mahoma afirmó que Gabriel tenía 140 pares de alas; desafortunadamente, él dijo que ella era hombre. Se le conoce como Jibril entre los Musulmanes. Ellos creen que el ángel Gabriel (la versión femenina) fue quien le dictó el Corán al profeta Mahoma.

Gabriel es la jefa de las guardias angélicas que vigilan el Paraíso (Cielo, Tierra Estival, etc.). También se le ve como el ángel de la Luna. Sus dones incluyen la esperanza y los mensajes desde los reinos divinos a través de la palabra escrita. Grandiosas alas doradas se despliegan alrededor de su delgado cuerpo. Gabriel es otro ángel "exterminador", quiere decir que entre todos sus deberes incluía patear duro a los chicos malos. Gabriel es la guardiana de la energía de la Diosa en la Tierra, protegiendo a quienes estén al servicio de Ella. Disfruta las flores y cuenta la leyenda que su rostro es asombrosamente hermoso y su constitución podría ganar un concurso de belleza. A su lado resoplan caballos blancos salvajes y llamativos. Los caballos, en especial los alados, son los animales asociados con este ángel.

Se piensa que Gabriel es protectora del parto y el embarazo y ella es el ángel, por testimonio de Juana de Arco, quien persuadió a Juana para que ayudara al Delfín. Gabriel anuncia el nacimiento de los que son santos o favorecidos por las fuerzas universales de la luz, y la tradición Sumeria indica que una vez tomó forma humana (otra vez, energía arquetípica) y se elevó al estado de Diosa. El símbolo de Gabriel es la azucena, la *flor de lis*, que representa el aspecto triple de la Diosa. En la leyenda, Gabriel predijo los nacimientos de Sansón, la Virgen María, Juan el Bautista y Jesús.

Gabriel también está relacionada en la leyenda y la tradición con Lilith, la primera esposa de Adán, que lo despreció y cayó de la gracia de los humanos y las huestes celestiales. En un relato, Lilith nunca fue humana, sino un ser de las estrellas que se negó a unirse con Adán, el animal (que fue una cruza de genes humanoides inferiores y estelares). Gabriel y Lilith no son el mismo ser; Gabriel es la genetista que supervisó el proyecto.

Aunque Miguel está a cargo de los ejércitos celestiales, Gabriel trabaja en la estrategia y organiza los movimientos de las tropas. En la tradición Musulmana, Gabriel le entregó a Abraham la Piedra Negra de Kabah en La Meca. La piedra existe actualmente y muchos seguidores hacen una peregrinación anual *(baj)* a la ciudad de La Meca para besar la piedra.

En la época moderna, Gabriel se encuentra como elegida del patrón de los mensajeros y empleados postales. En 1951, el Papa Pío XII declaró a Gabriel como ángel patrono de todos los aspectos de telecomunicaciones. Visualiza a Gabriel como una figura vestida en azul con algunos destellos naranjas, sosteniendo una copa rodeada de cascadas.

Invocación a Gabriel

Sacerdotisa Sumeria de la Luz
Aquí esta noche busco tu presencia,
Como niebla aguamarina encantas al anochecer
Y el otoño florece su musgo sagrado,
Surge dulce Gabriel de la Luna
Con alas teñidas de dorado.

Energía de la Diosa aquí en la Tierra
Trae transformación y renacimiento
El lirio se abre, alimentado por el cáliz
Este ángel elimina y venga la malicia.
Regidora de la luz divina y mística
Resurrección y misericordia, su diseño.

Ven ahora, únete mi Reina Guerrera
Que dice el nacimiento y las cosas invisibles
De la fuente de sabiduría busco beber
Y un misterio abierto todavía tengo que pensar.
Mientras las hadas pintan los cielos estrellados
Y Jibril vigila este paraíso.

Ariel, Ángel del Norte

El ángel que vigila el relámpago y el terror...

Malcolm Godwin

Colores: Verde y café

Estación: Invierno

Hora del día: Medianoche

Elemento: Tierra

Signos astrológicos: Tauro, Virgo y Capricornio

Ariel significa "gran señor de la Tierra" o "Tierra brillante". Este ángel es el guardián de las visiones, los sueños y la profecía. Muchas veces se representa llevando un rollo de pergamino. Ariel se conoce como el ángel del misterio y asiste a Rafael en la curación de los hijos de la Diosa. Ariel es otro ángel que primero apareció como dios en la leyenda y la tradición, así que él también ascendió (o cayó, como lo percibas). Según John Dee, astrólogo real el día de la Reina Isabel, Ariel es una unión de Anael y Uriel. Los escritores modernos sobre ángeles, muchas veces confunden a Ariel con Uriel, probablemente porque representan casi lo mismo. Uriel le dio a los humanos la interpretación de los misterios de la magia y es especialmente amable con los nacidos en el mes de Septiembre. Es el protector de los físicos y de todos los que procuran predecir el futuro por el bien de la humanidad, además de los periodistas, profesores y escritores. Se encarga de los fenómenos naturales como tornados, tormentas, huracanes, volcanes y terremotos. Uriel es el arquetipo del dios del Sol. Sin embargo, ten cuidado —Uriel es otro ángel "exterminador" y es más agresivo en su trato con los transgresores. No es un ángel dulce, disfruta arrancando las lenguas y achicharrando a los malvados. Un nuevo escritor de ángeles dice, la energía de Uriel se aplica para el plano de la tierra "como una búsqueda inquebrantable del deber, como un camión de cuarenta toneladas viajando a noventa millas por hora" sin frenos.

Ariel también es responsable de supervisar el trabajo de todos los espíritus de la naturaleza. Él tiene las llaves de los reinos invisibles.

Visualiza a Ariel/Uriel como una figura vestida en colores verdes y cafés en un paisaje fértil sosteniendo un manojo de trigo, maíz o cebada. Su animal tótem es el león.

Invocación a Ariel

Bosque verde y color siena
El invierno se despliega, para tocar el suelo
Donde la medianoche helada trae el misterio
De visiones, sueños y profecía
Los espíritus de la naturaleza danzan el conjuro
Para llamar al estruendoso Uriel.

Volcanes de información ahora explotan
En copos de nieve cristalinos del norte
Con leones rugiendo y la fuerza de Sekhmet
Llamo a este ángel de fuente secreta
Brillando la tierra y diciendo una verdad
Busco el conocimiento de Ariel.

De rocas y piedras y árboles del bosque
Un ser vigilante que ve infinitamente
La verdad corta el frío de las mentiras humanas
Y trae el don de la visión del ángel
Despliega tus alas de huracán desplazado
Ilumina mi pobre alma mortal.

Quizás notes que llamé a tres de los cuatro Arcángeles "él". Sin embargo, los ángeles no son masculinos ni femeninos y pueden ser cualquiera de los dos, aunque tienen una tendencia. ¿Has notado que los nombres Miguel, Gabriel, Rafael y Uriel pueden ser para niño o niña? Si te sientes mejor tratando con ángeles en un sentido femenino, hazlo. Tal vez también quieras conservar sus atributos masculinos y luego llamar la energía de la Diosa para crear un ambiente más equilibrado, armonioso —tú eliges.

Estos son cuatro del "Clan de los Siete" en los reinos angélicos, a veces se conoce como el Octavo Coro de los Arcángeles. Las creencias Cristianas y Judías coinciden que son siete, pero no coinciden con los otros tres miembros angélicos. El Islam reconoce a estos cuatro (y no otros), pero el Corán sólo menciona dos —Gabriel y Miguel. Conocerás a los otros seis ángeles polémicos más adelante en este libro. Ellos son Metatron, Remiel, Sariel, Anael, Raguel y Raziel.

En todo el resto del libro conocerás todo tipo de ángeles. Si no deseas usar el nombre histórico del ángel, en su lugar puedes llamar a la fuerza/energía. Sé específico, hazlo con sentimiento y obtendrás los resultados que buscas.

El pentagrama del destierro (tierra)

El pentagrama (la estrella de cinco puntas) y el pentáculo (la estrella de cinco puntas con un círculo alrededor) es/fue un regalo del ángel Rafael para la raza humana. La clave para usar el pentagrama del destierro se encuentra en nuestras técnicas de visualización.

Si no has hecho esto antes o estás teniendo problemas, sigue estos pasos. Primero, dibuja el pentagrama en una tarjeta. Mira fijamente el pentagrama, luego cierra tus ojos. Velo delineado detrás de tus párpados. Ahora imagina que hay una luz azul fuerte o blanca. Ahora, abre tus ojos y sigue el diagrama de la siguiente página que te muestra cómo se dibuja el pentagrama de destierro. Practícalo hasta que te salga bien.

Pentagrama del destierro

Limpiando, consagrando y cargando

Limpiar, consagrar y cargar elimina cualquier residuo negativo que se ha adherido a un artículo o lugar, generando armonía para que puedas trabajar conjuntamente con la divinidad y las fuerzas universales y le infundas energía armónica positiva al objeto o al lugar, asegurando el éxito de tu trabajo.

Por lo tanto, la limpieza elimina cualquier vibración negativa. La consagración dedica el artículo o el lugar a la divinidad. La carga infunde esa energía divina en el artículo o el lugar. Antes de que arregles tu altar angélico (o uses cualquier herramienta por primera vez, como una carta del Tarot, joyería o cualquier artículo en el altar) debes limpiarlo, consagrarlo y cargarlo.

El primer paso en nuestro altar limpiando, consagrando y cargando es el Ritual Menor de Destierro, muchas veces se le llama RMD. Debes aprender este ritual y realizarlo cada noche y cada mañana. En la magia ceremonial uno usa muchas veces una daga; en los reinos Wiccan podemos usar una vara o athame. En la magia angélica ninguno de los dos es necesario; los dedos de tu mano dominante estarán de perlas. El RMD limpia tu cuerpo y el área donde estás y te provee de un sendero de armonía durante el día.

El ritual menor de destierro

1. Toma una respiración profunda, luego otra, y una más. Relájate. Cierra tus ojos si lo deseas. Visualízate lleno de una luz divina, haciéndote más grande, pero arraigado a la Madre Tierra. Deja que tu centro (alrededor del área de tu ombligo) entre a un estado de completa calma, una sensación flotante de paz y tranquilidad. Imagina que tus pies, como las raíces de un árbol, se entierran profundamente, asegurando tu cuerpo en la tierra. Este procedimiento se llama arraigo y centrado.

2. Lleva el índice de tu mano dominante hacia abajo de tu cuerpo hasta que apunte al suelo. Mientras lo haces, visualiza que la luz blanca de la divinidad entra por arriba de tu cabeza y circula hacia abajo por tu cuerpo. Di *Mahl-KUT.*

3. Lleva tu índice a tu hombro derecho. Visualiza la luz blanca bajando por el centro de tu cuerpo, formando un rayo desde el área del corazón hacia tu derecha, pasa el dedo a tu hombro derecho. Di *Vih-g'hoo-RAH.*

4. Mueve tu dedo horizontalmente a tu hombro izquierdo. Visualiza la luz blanca extendiéndose a través del espacio infinito a tu izquierda. Di *Vih-g'doo-LAH.*

5. Cruza tus brazos en la posición de Dios (las muñecas tocando tu pecho, con la muñecas cruzadas). Visualiza dentro de tu pecho, en el punto cubierto por tus muñecas cruzadas, un destello dorado brillante. Di *Lih-oh-LAHM, Ah-MEN.*
6. Voltea al este. Con un movimiento fluido, da un paso afuera con tu pie izquierdo, apunta tu dedo al este y dibuja el pentagrama de destierro en el aire. Mucha gente visualiza este pentagrama como flamas azules o una luz blanca encendida. Algunos lo visualizan como una espiral que sale de sus dedos y explotan la visualización del pentagrama del destierro. La elección es tuya. Di *Yud-heh-vahv-heh.*
7. Baja tu mano a tu costado y voltea al sur. Repite el pentagrama como antes y di *Ah-doh-Nye.*
8. Baja tu mano a tu costado y voltea al oeste. Repite el pentagrama como antes y di *Eh-heh-YEH.*
9. Baja tu mano a tu costado y voltea al norte. Repite el pentagrama y di *AH-glab.*
10. Voltea al este, sube tu mano y empieza a unir los pentagramas con una luz blanca resplandeciente, moviéndote del este, al sur, al oeste, al norte y de regreso al este.
11. Visualiza este círculo expandiéndose para formar una esfera alrededor de ti y de la habitación donde estás.
12. Estira tus brazos hacia fuera de tu cuerpo, para que formen una cruz. Esta cruz de brazos iguales representa los cuatro elementos y los cuatro ángeles arquetípicos. En el este, di *Frente a mí, Rah-fay-EL. Atrás de mí, Gahb-ray-EL. A mi derecha, Mee-chai-EL. Y a mi izquierda, Ohr-ree-EL.*

13. Todavía con tus brazos en alto, separa tus pies (esta es la posición de la Diosa) y di *Porque a mi alrededor las flamas del pentagrama...*
14. Visualiza una estrella dorada de seis puntas descendiendo a la parte superior de tu cabeza y bajando en tu cuerpo; di *Y arriba de mí, ahora dentro de mí, brilla la estrella de seis rayos. Servicio* (toca tu cabeza), *devoción* (toca tu corazón), *honor* (toca tu muslo), *Shekinah, ¡ahora desciende en mí!*
15. Repite los pasos del 2 al 5.

Agua Bendita

Hay muchas maneras de hacer agua bendita. Los ingredientes básicos son sal y agua. Las tradiciones mágicas difieren en la forma de preparar el agua bendita y a veces se agregan ingredientes adicionales con un propósito específico. Sin embargo, para la magia angélica, sólo necesitamos sal y agua. Es mejor la sal de mar o sal kosher, pero si no puedes conseguir otra cosa, será buena la sal de mesa. Se da aquí una manera de hacer agua bendita.

Sostén el recipiente de agua en tus manos y di lo siguiente:

En nombre del ángel Miguel (él vigila los manantiales y los pozos) *y el ángel Rafael* (él limpia las aguas bautismales y las infunde de sanación). *Yo destierro toda la negatividad de esta agua, a través del tiempo y la ilusión. Yo limpio y consagro en nombre de los santos. Que así sea.*

Dibuja un pentagrama de destierro con tu dedo sobre la sal y visualiza que se bendice el agua y se llena con luz divina.

Agrega tres pizcas de sal al agua del recipiente. Revuelve el agua tres veces en el sentido de las manecillas del reloj, con el dedo índice de tu mano dominante.

Aquí es donde el procedimiento cambia, dependiendo de tu preferencia religiosa. Si eres Wiccan, baja tu athame al agua y di:

Así como la vara es para el Dios, así el cáliz
es para la Diosa.
Juntos son uno.

Si eres Protestante, recita el Padre nuestro.
Si eres Católico, di:

Así como la madre María es la representación
de la unión divina,
Así juntos somos uno.

Si eres Ritualista, di:
¡Contempla, esta es la unión divina del agua y de la tierra!

Todas las recitaciones llevan el mismo procedimiento de visualización, en el cual el recipiente se visualiza transmutándose en luz divina y sagrada. Si no estás usando un athame, pon tus dedos índices y tus pulgares juntos para formar un triángulo. Ve a través de este triángulo el agua en el recipiente e imagina la luz brillante de los santos irradiando a través del triángulo y cambiando el agua. Los ritualistas llaman a esto el Triángulo de Manifestación.

Sostén el recipiente con el agua bendita y di:

En nombre de Miguel, Gabriel, Rafael y Uriel, invoco los poderes positivos del universo para transmutar esta agua en esencia divina en nombre de (tu deidad), *y me permita trabajar una magia positiva para el mejoramiento de la raza humana.*

Limpiando, consagrando y cargando tu altar angélico

La santificación y la purificación del altar forma parte de casi todas las religiones, sean estructuradas, alternativas o tribales. Para limpiar, consagrar y cargar tu altar angélico, necesitarás tu agua bendita y algo que represente los cuatro elementos, además de tu aceite para ungir. En las tiendas metafísicas o de hierbas se pueden comprar aceites baratos.

Haz el ritual menor de destierro (ver página 59).

Recoge el incienso encendido y haz un pentagrama del destierro con el incienso sobre el altar, luego haz un círculo con el incienso tres, siete o nueve veces, en el sentido de las manecillas del reloj. Di lo siguiente:

Ángel del este, guardián de la sanación y la sabiduría eternas, elemento del aire, invoco al ángel Rafael para limpiar y consagrar esta piedra de altar en nombre de (deidad elegida).

Enciende la vela y di:

Elemento del fuego
Trabaja mi voluntad por mi deseo.

Haz un pentagrama de destierro con la vela sobre el altar, luego pásala tres, siete o nueve veces sobre el altar y di:

Ángel del sur, guardián de la fuerza eterna y Diosa de la energía, elemento de fuego, yo invoco al ángel Miguel para que limpie y consagre esta piedra de altar en nombre de (deidad elegida).

Recoge el recipiente de agua y rocía el agua sobre el altar en forma de un pentagrama de destierro, luego haz un círculo con el recipiente sobre el altar con un movimiento en el sentido de las manecillas del reloj tres, siete o nueve veces, diciendo:

Ángel del oeste, guardián de la Tierra y de sus habitantes, elemento de agua, invoco al ángel Gabriel para que limpie y consagre esta piedra de altar en nombre de (deidad elegida).

Recoge el aceite de unción. Unge tu frente. En el altar, dibuja un pentáculo con aceite en cada una de las cuatro esquinas.

Deja tu mano dominante sobre el altar y haz un círculo en dirección de las manecillas del reloj, cuatro veces (una para cada elemento). Ahora estás mezclando las energías elementales juntas para formar una sustancia. Pega con tu mano tres veces en el altar para sellar esta energía.

Sostén tus manos sobre el centro del altar y di:

En nombre de Miguel, Gabriel, Rafael y Uriel, limpio y consagro el altar en nombre de (deidad elegida). *Pido a las huestes angélicas positivas e invisibles que se reúnan a mi alrededor para poder llamarlas aquí y ahora y santificar este altar en el nombre de* (deidad elegida). *Alrededor y sobre el curso de las energías positivas del universo y a través de mis manos y las manos de los ángeles, haz una corriente permanente de energía del poder del pulso.*

Espera varios latidos hasta que sientas el poder pulsando a través del altar, luego permite que el poder crezca hasta que sientas que has terminado. Di:

Por el batido de las alas de los ángeles, los tambores del universo ahora suenan el llamado de la perfección. Queda consumado.

Quita tus manos del altar y haz la señal de la cruz de brazos iguales sobre el altar para sellarlo permanentemente. Ahora, puedes completar tu altar con cualquier cosa que veas que encaja. Cuando hayas terminado, quizás quieras decir:

Ángeles místicos, vivos y puros
Muchas gracias por estar aquí,
Ángel de la tierra, que lleva Sus misterios
Ángel del agua, que vigila a Sus hijos
Ángel del fuego, que protege Su territorio
Ángel del aire, que canaliza Su sabiduría y sana Su cuerpo
Ve seguro a tus reinos celestiales
Energía de paz y divina que sea tu luz guía
Te llamo y adiós.

Pega con tu pie en el suelo o aplaude con tus manos y di:

Este círculo está abierto, pero nunca roto.

¡Ahora todo tu altar angélico está organizado y listo para empezar! Usarás tu altar mientras realices tus servicios, trabajando magia menor y mayor, creando y trabajando con la energía de sanación, efectuando un ritual angélico y orando.

Notarás que muchas veces recomiendo que hagas tu trabajo cerca o en tu altar. Esto es para que te mantengas sintonizado con las energías ahí; sin embargo, a veces no podemos ir al altar. Por ejemplo, quizás mi hija está estudiando en la mesa del comedor (mi altar está en el comedor) y no quiero molestarla. Puedo hacer el trabajo preliminar en mi escritorio, tal vez escuchando mi grabadora portátil usando los audífonos. Más tarde, por la noche, cuando mi familia haya despejado el comedor, iré a mi altar y terminaré mi trabajo. Aquí es donde me conectaré con la deidad y los ángeles.

Aunque hay veces que estás lejos del altar, esto no significa que no puedas hacer contacto con los ángeles simplemente porque no tienes una representación física, o no puedes prender una vela. Los ángeles te escucharán cuando los llames, estés donde estés. La idea de usar un altar es para fomentar que encuentres la armonía en tu trabajo localizando tus energías y enfocando tus ideas y aspiraciones.

Invocación general a los ángeles

En los ojos del espíritu universal,
En el amor de Los Divinos,
En el poder de los ángeles,
Bendíceme con
Amor hacia el universo,
El afecto de los ángeles
La sabiduría de la Reina,
La gracia de Dios,
La fuerza del espíritu humano,
Y la voluntad y el poder para realizar magia
en servicio de la humanidad.
Que pueda realizar,
En la sombra y en la luz
Cada día y noche
En amor perfecto y confianza perfecta
Descienda sobre mí el espíritu amoroso
Que así sea.

3

Jerarquía angélica y la Reina de los ángeles

Mientras hacía la investigación para este libro, descubrí varios sistemas que presentan niveles de jerarquías en los reinos angélicos. Todos estos sistemas y estructuras registrados, que pueden parecer abrumadores al principio, tienen sus raíces en la mente humana. Muchas veces, parecen tan tediosos y apegados a una estructura religiosa que se pierde su propósito original. Sin embargo, si preferimos ignorar estos trabajos, ¿estamos siendo justos? Obviamente, alguien dedicó gran parte de su tiempo a crearlos. En ese tiempo, cuáles fueron las pasiones que lo originaron y la fuerza que lo estimuló, no lo sabemos. ¿Pero es correcto que ignoremos su trabajo, recreemos lo mismo y lo llamemos de otro modo por la filosofía moderna?

Me esforcé por resolver esta cuestión y finalmente decidí apegarme a lo que ya existe, pero expandir el conocimiento a los reinos mágicos. Sí tuve algunos contratiempos en mis estudios. Por ejemplo, no puedo creer que la divinidad haya creado un grupo enorme de ángeles cuya única función sea "alabar a las huestes celestiales". No hay como hacer tu propio equipo de porristas. Eso indica finalmente que la divinidad tiene un ego y no es muy reducido. En mi mente, sólo el humano está restringido con ese ego. En vez de "alabar las huestes celestiales" quizás su trabajo sea crear un depósito de energía positiva del cual puedan tomar todos los planos de existencia.

También tuve problema con los pasajes que indican que los ángeles (se supone que son hombres, en este caso) estaban tan encantados por la belleza de las hijas de los hombres que dejaron a un lado sus obligaciones sagradas y buscaron a las mujeres para tener relaciones sexuales, condenándose a la expiación eterna, creando por eso a los ángeles caídos.

Esta es una trama maravillosa para una novela, pero no es particularmente práctica para el suave movimiento del universo, en el cual el elemento de caos es la humanidad, no los ángeles. Sólo porque algunos humanos del sexo masculino no puedan aprender a controlar su deseo no quiere decir que los hombres de todas las demás especies en el universo tengan el mismo problema.

Esto no nos lleva a la jerarquía de los ángeles, ¿o sí? Tal vez sí lo hace. Al entender nuestros propios errores, nos damos cuenta que los sistemas establecidos pueden tener algunos problemas aquí y allá. Eso está bien. Podemos trabajar alrededor de esto y ponernos en contacto con cosas más importantes. Como usar la jerarquía de los ángeles en nuestra vida sin sentir que no somos suficientemente buenos para trabajar con ellos es el primer paso.

¿Recuerdas el Capítulo 1 cuando te dije que los ángeles venían con nosotros y están aquí para ayudarnos a cumplir con nuestro destino? Con cada capítulo de este libro te impulso que vayas hacia delante y hacia arriba en los reinos de la jerarquía angélica y pretendo demostrarte que al interactuar con los ángeles, puedes hacer tu vida mejor, más plena y reunir una sensación de armonía a tu alrededor.

Este sistema que siguen más comúnmente los Occidentales viene de un libro escrito por Dionisio Areopagita en el siglo VI. A través de las eras, estos coros de ángeles han realizado tareas específicas y portado energías inherentes sólo a ellos. Algunas religiones estructuradas creen que muchos humanos están trabajando a través de encarnaciones previas para llegar a ser miembros de uno de los Nueve Coros. Los Nueve Coros están divididos en tres grupos o esferas, como sigue:

Ángeles de la primera esfera

Serafines Querubines Tronos

Ángeles de la segunda esfera

Dominaciones Poderes Virtudes

Ángeles de la tercera esfera

Principados Arcángeles Ángeles

Ángeles de la primera esfera

La primera esfera de ángeles está relacionada colectivamente con el universo y las manifestaciones de la divinidad en ello, operando en el nivel más elevado del astral. Algunos ven esto como ángeles de pura contemplación, pero para mí, la contemplación significa sentarte en un tapete y pensar en cosas. Quizás, entonces esto significa que ellos manifiestan la energía a través del pensamiento puro. Me gusta más esa idea. Estos ángeles poseen el conocimiento más profundo de la divinidad y sus trabajos y manifestaciones internos. Los ángeles de la primera esfera son los Serafines, los Querubines y los Tronos.

Serafines

Los Serafines, los que están más cerca de la divinidad, se concentran en manifestaciones vibratorias para mantener la divinidad constante e intacta y se consideran como ángeles de puro amor, luz y fuego. Se aseguran que nada complique las cosas, que ninguna energía negativa consiga comunicarse con la divinidad y ayudan a crear y a llevar la energía positiva a través de todos los coros de ángeles y en los reinos físicos. Ellos no rodean a Dios y cantan bonitas canciones para mantener a todos felices. Rodean a la divinidad para asegurar su continua existencia y canalizar esa energía hacia nosotros para que podamos seguir adelante. Supuestamente, hay cuatro jefes de estos ángeles, correspondiendo a los cuatro vientos de la Tierra, que baten el aire cada uno con seis alas. El regente de los Serafines es Jehoel, Metatron o Miguel. Otros ángeles nombrados en este orden son Seraphiel, Uriel, Kemuel y Nathanael. A medida que estudies y trabajes con los Nueve Coros, encontrarás que varios ángeles se mencionan en más de una categoría, subiendo y bajando la escalera celestial como los necesita el universo. Este movimiento es especialmente cierto de los cuatro Arcángeles (Miguel, Gabriel, Rafael y Uriel).

Los Serafines (seres de pura luz) brillan con tal resplandor que un humano moriría de miedo si viera un Serafín en todo su esplendor. Sólo el Señor y la Señora y Miguel, son capaces de tener una interacción completa con estos seres. Algunos dicen que sus rostros son como un relámpago y su ropaje tan cegador como la nieve del ártico. Nunca dejan de moverse y de actuar —son incesantes en su trabajo.

La gente mágica puede tener acceso a los Serafines porque somos excelentes para orar y levantar el poder. Sin embargo, como una vez me dijo un amigo: "¿Te gustaría toparte con estas ancianitas que se sientan en la parte posterior de la catedral, murmurando sus rosarios? Hay más magia en ellas que en muchos adeptos fanfarrones". No lo dudo.

La palabra Serafín significa "ardor". En otras palabras, estos ángeles trabajan con el consumo del amor y la compasión divinos. Uno no puede sólo ascender a los Serafines y decir, "¿cómo te va?" en el plano astral. Los humanos los encuentran sólo por invitación. Esto no quiere decir que los Serafines no interactúan con los humanos en absoluto, o no escuchan lo que les decimos. Les puedes hablar y pedirles su ayuda para hacer magia, pero quizás nunca los veas (obviamente; si son espeluznantes, quizás no quieras). Si tu ángel guardián pertenece a la orden de los Serafines, puedes encontrarte involucrado en una especie de cambio mundial o cambio de la conciencia humana, donde necesitas su inspiración, amor divino y poder para completar tu misión.

En otra mitología, los Fénix eran ángeles de una orden superior, clasificados con los Serafines y los Querubines. Ellos se convierten en los elementos del Sol y estuvieron asociados con planetas específicos. Tenían doce alas y estaban asociados con los pájaros; su plumaje es púrpura.

Mágicamente, trabajan con los Serafines cuando deseas elevar la energía para causas humanitarias o planetarias. Ellos escuchan los grupos rituales. Para llegar a los Serafines, enciende una vela blanca para la divinidad y una vela púrpura para los Serafines.

Querubines

Los Querubines funcionan como guardianes de la luz y las estrellas. También crean y canalizan la energía positiva de la divinidad y aparecen en formas exquisitas. Supuestamente eclipsan a todos los demás ángeles. Ellos tienen un origen Asirio o Acadio y su nombre quiere decir "los que interceden" —son espíritus poderosos con un conocimiento y un amor ilimitados. Encuentro interesante que muchas veces surgen en la conciencia humana como mitad humanos y mitad bestias, usualmente con cara de leones. La arquitectura antigua colocó estatuas de ellos con rostros humanos y cuerpos de toros o leones en las entradas de los templos para proteger el suelo sagrado. Originalmente, los Querubines no eran ángeles, pero con el tiempo entraron a la jerarquía celestial. ¿Pudieron haber sido una raza perdida que ahora opera en el astral más que en el plano físico? Los humanos los ven como una especie de la Bella y la Bestia combinados en una criatura. ¿No es extraño que Vincent generara tanta admiración entre sus televidentes en el programa popular de la televisión *La Bella y la Bestia*? Los Querubines vigilan las galaxias, reuniendo o dispensando energía donde se necesita, además protegen cualquier templo religioso, desde los más espléndidos arquitectónicamente hasta una choza de adobe.

Los Querubines también pueden funcionar como guardianes personales, blandiendo espadas flamígeras, si esto es necesario. Un vislumbre más hórrido de los Querubines los pinta con cuatro rostros y cuatro alas, que debe ser una representación mítica asociándolos con los cuatro vientos. Aparecen tanto como bestias sagradas como aurigas de la divinidad. Tenemos los nombres de Ophaniel, Rikbiel, Cherubiel, Rafael, Gabriel, Uriel y Zofiel. Por qué el mundo del arte habrá reducido a estos ángeles fuertes y atractivos a unos seres enanos que se ven más como bebés, nunca lo sabré. Prefiero conservar el rostro del león y el cuerpo de humano. Por supuesto, tú puedes verlos de diferente manera.

En la magia, cuando estés buscando protección divina, sabiduría y conocimiento, busca un Querubín. Muchas de las deidades Egipcias, en especial Sekhmet, Bast y Anubis, se pueden considerar como Querubines. Algunos arqueólogos creen ahora que la famosa Esfinge (la estructura gigante de rostro humano y cuerpo de león) puede ser anterior a la cultura Egipcia, insinuando una civilización que aún no se ha descubierto. Para llegar a los Querubines, enciende una vela blanca para la divinidad y una vela azul para los Querubines.

Tronos

Los Tronos están asignados a los planetas, por lo tanto casi todos los ángeles planetarios que encuentres mencionados en este libro son de la categoría de los Tronos. Ellos crean, canalizan y reúnen las energías positivas que entran y salen. A los Tronos se les llama "los de muchos ojos" una especie de detectives privados para la divinidad, además de instructores de la humildad. Su nombre —Tronos— viene de la idea de que todo el poder de la divinidad descansa en sus hombros estables. La justicia y su dispensación son importantes para ellos. Ellos dirigirán su luz a las injusticias y enviarán energía de sanación a cualquier víctima. Otra vez, quién rige a quién es la cuestión. El príncipe de los Tronos podría ser Oriphiel, Zabquiel o Zaphkiel. Otros nombres que se dan son Raziel y Jophiel. Los Tronos toman un gran interés en lo que están haciendo los humanos, aunque es posible que canalicen las energías a través de tu ángel guardián más que tratar ellos contigo.

En la magia, invoca a los Tronos para que te asistan a suavizar las relaciones con grupos de personas o entre dos personas. Si buscas estabilidad, busca a los Tronos. En cualquier asunto que implique a los planetas o las energías planetarias, llama a los Tronos. Para llegar a los Tronos, enciende una vela blanca para la divinidad y una vela verde para los Tronos.

Ángeles de la segunda esfera

La segunda esfera de ángeles (las Dominaciones, Poderes y Virtudes) tienen que ver con el gobierno de un planeta específico, además de las tareas asignadas a los ángeles que están debajo de ellos. Estos ángeles fluyen en un poder intenso. También transmiten las órdenes que reciben de los ángeles de la primera esfera. Los ángeles de la segunda esfera tratan con el cosmos y su interconexión. Sin embargo, algunos estudiosos de los ángeles discuten que la segunda esfera de ángeles no da un céntimo por los humanos y están demasiado interesados en los asuntos del "cosmos". No puedo creer que su sistema de mensajes sea tan malo que las oraciones y la elevación de energía de los humanos se pierda. Tampoco creo que ellos tengan el atributo humano de ser engreídos.

Dominaciones

Los Dominios (Dominaciones) cumplen el papel de líderes divinos cuyos esfuerzos implican integrar lo material y lo espiritual, sin perder el control. Ellos portan emblemas de autoridad, como cetros y órbitas. El príncipe de esta orden es Hashmal o Zadquiel. Curiosamente, Dominio también es el nombre del ángel más antiguo. Otros ángeles que se mencionan como príncipes de las Dominaciones son Muriel y Zacharael.

Mágicamente, todos los asuntos de liderazgo caen bajo el control de las Dominaciones. Son el epítome de la ley de causa y efecto y son muy precisos en su trabajo. Los ángeles Dominaciones confieren el "liderazgo natural" y trabajan para cerciorarse que los humanos sean felices y sanos bajo ese liderazgo. No aprueban los gobiernos, políticos, líderes eclesiásticos o civiles corruptos, que no tienen sinceramente los mejores intereses hacia la gente. Si deseas tener acceso a la sabiduría divina, pídele a las Dominaciones. Son mediadores y árbitros perfectos. Si estás iniciando un proyecto importante o has tropezado con una falla técnica en la continuación de uno, llama a las Dominaciones. Para llegar a las Dominaciones, enciende una vela blanca para la divinidad y una vela rosa para las Dominaciones.

Poderes

Los Poderes llevan el registro de la historia humana. Los ángeles del nacimiento y de la muerte son de este linaje. Organizan las religiones del mundo y envían energía divina para que sigan adelante los aspectos positivos de éstas. Funcionan como reguladores del caos. Algunos teólogos piensan que los Poderes fueron creados antes que los otros coros. Se les consideran guerreros espirituales, que trabajan, pero no a través del temor y el odio, sino a través del amor compasivo. Aunque dispensan la justicia, no hay odio detrás de la acción. Los Poderes son los ángeles de la advertencia y te enviarán mensajes cuando alguien te vaya a dañar. Estos mensajes pueden llegar de muchas maneras: sensaciones, sueños o fragmentos de conversaciones. Esto significa que debes aprender a calmar tu parloteo interno y escuchar lo que te están diciendo estos ángeles. Trabajan a través del sexto sentido humano, entrando a éste para que los escuchemos. Otra vez, se debate quién dirige esta orden. Según los herméticos, el jefe es Ertosi. Sammael y Camael también se mencionan como líderes. Otros ángeles de esta categoría son Gabriel y Verchiel.

Mágicamente, son ángeles guerreros y debes invocarlos cuando estés en problemas. Los Poderes son excelentes para descubrir las órdenes ocultas que están destinadas a servir únicamente al ego personal y a dañar a otros. Te asistirán cuando pienses que te estén dando gato por liebre. Estos ángeles defenderán tu casa, propiedades, hijos o cualquier grupo de personas que los invoque en busca de protección y defensa. Para llegar a los Poderes, enciende una vela blanca para la divinidad y una vela amarilla para los Poderes.

Virtudes

La tarea principal de las Virtudes es desplazar cantidades masivas de energía espiritual al plano terrenal y a la conciencia colectiva humana. Se les conoce como "los ángeles milagrosos," confieren gracia y valor. En el esquema planetario de los Egipcios y los herméticos, el jefe de las Virtudes era Pi-Rhe. Entre los príncipes regentes de la orden están Miguel, Rafael, Barbiel, Haniel, Hamaliel, Tarshish, Sabriel, Uzziel y Peliel.

Las Virtudes le tienen un cariño especial a los que intentan llegar más allá de sus capacidades para lograr más de lo que todos los demás dicen que pueden. Les encantan las personas emprendedoras, ambiciosas y positivas que intentan iluminar y guiar a los demás hacia la armonía.

Las Virtudes son los espíritus del movimiento, trabajando y guiando las energías elementales que afectan nuestro planeta. La tierra, el aire, el fuego, el agua, el espíritu, los patrones climatológicos y los trastornos planetarios asociados con los elementos caen bajo los auspicios de las Virtudes. Estos son los ángeles de la naturaleza. Cuando se trabaje con la magia elemental, las Virtudes son las que te escucharán y te asistirán. Cuando estés en problemas o trabajando una sanación, dirígete a las Virtudes. Cuando estés enfermo o temeroso, invoca a las Virtudes. Para llegar a ellas, enciende una vela blanca para la divinidad y una vela anaranjada para las Virtudes.

Ángeles de la tercera esfera

Los ángeles de la tercera esfera se encuentran intrincadamente involucrados en los asuntos humanos y se consideran como ángeles de la Tierra. Constantemente entran y salen de nuestra vida, escuchando atentamente los asuntos humanos. Los ángeles de la tercera esfera incluyen los Principados, los Arcángeles y los que simplemente se llaman Ángeles.

Principados

Los Principados son los guardianes de grupos grandes, como continentes, países, ciudades y otras creaciones humanas a gran escala (como la OTAN). Trabajan para la reforma global. Los encontrarás en las salas de juntas y en las piscinas, en cualquier lugar donde se congreguen las personas para aprender, tomar decisiones o sólo para divertirse. Ellos también crean y canalizan energías positivas del plano físico al divino y del divino al físico. Como protectores de la religión y la política vigilan a los líderes humanos para ayudarlos a tomar las decisiones correctas en los asuntos humanos. El jefe regente de los ángeles de esta orden incluye a Requel, Anael, Cerviel y Nisroc. En la tradición Egipcia el regente es Suroth.

A estos ángeles muchas veces se les llama Príncipes por su asociación con las ciudades, los estados, las provincias, las islas, los países, los continentes, etc. Cuando se unieron las Naciones Unidas, puedes imaginar la hueste de ángeles que rodeaba y estaba por encima de estos jefes de estado.

Mágicamente, puedes llamar a estos ángeles en momentos de discriminación, extinción de animales y de gente (prohibición de la Diosa), un gobierno inadecuado de cualquier cosa, desde una ciudad hasta una compañía, o fuerza para tomar decisiones sabias para estos lugares y sus habitantes. Los derechos humanos y la reforma económica son prioridades primordiales para los Principados.

Arcángeles

Los Arcángeles son un grupo extraño. Muchas veces pertenecen a una de las otras esferas o coros, sin embargo disfrutan tratar con los humanos cuando pueden. Son las fuerzas especiales de los reinos angélicos, acostumbrados a tratar con los altos rangos hasta al bebé recién nacido. También crean y canalizan las energías en ambos sentidos. El Capítulo 2 y otras secciones de este libro discuten las aplicaciones mágicas de los Arcángeles.

Para llegar a los Arcángeles, revisa la correspondencia de colores mencionada en el Capítulo 4.

Ángeles

Los Ángeles son aquellos seres asignados a una persona en particular. Muchas veces se les conoce como ángeles guardianes. Estos ángeles se relacionan con los asuntos de los humanos y las manifestaciones físicas. Ellos también canalizan las energías desde nosotros a la divinidad y de la divinidad hacia nosotros. Nuestros ángeles de la guarda se nos han asignado a través de todas las encarnaciones en la Tierra. Son nuestros mejores amigos y nuestros compañeros más cercanos. Están con nosotros en nuestro nacimiento y nos ayudan a través de la transición de la muerte. Nos defienden cuando estamos en problemas, nos ayudan a integrarnos al mundo, asistiéndonos para cumplir nuestro plan divino e invocar las otras fuerzas de los Nueve Coros cuando las necesitamos. Sin embargo, no pueden hacer todo esto si no les pedimos su ayuda. El libre albedrío humano no sólo es nuestro don, sino que a veces es nuestra caída. Debemos aprender a abrir nuestras boquitas apretadas y hablar de nuestras necesidades y preocupaciones. (Hablaremos más de ángeles de la guarda en el Capítulo 7, que sólo está dedicado a ellos.)

Nuestros ángeles de la guarda constantemente están en contacto con cualquiera y con todos los ángeles de los Nueve Coros. Transmiten mensajes en un abrir y cerrar de ojos y si le pedimos ayuda a nuestros ángeles de la guarda, ellos le pedirán ayuda a la divinidad y a otros ángeles. Otra vez debo decirte que nunca jamás estamos solos. Aunque todos los ángeles puedan actuar en un santiamén, cuando tus problemas implican a otros humanos, las cosas pueden darse más lentamente de lo que esperas o puede ser que no resulten exactamente como lo habías planeado. Cuando le pidas asistencia a los ángeles, cerciórate que tu mente y tu corazón sean puros y pide que se manifieste la mejor solución para todos o pide que se te trate de una manera justa y amable. No pienses que por haber llamado a los ángeles, no vas a tener que atar los cabos sueltos de un problema o no tengas que hacer tu parte. Sin embargo, se abrirán caminos desbloqueados y te traerán oportunidades que no hayas podido cultivar por ti mismo.

Los ángeles de la guarda vienen de alguno de los Nueve Coros. Cada ángel tiene su función (o es como lo indique tu sistema de creencias). Ninguno es mejor o más importante que los otros. Para llegar a tu ángel de la guarda, enciende una vela de tu color predilecto. Enciende otra vela blanca para la divinidad.

El flujo y reflujo de energía al humano y del humano a la divinidad, es el enfoque central de todos los ángeles. Si este flujo se interrumpe, todos podemos, incluso los ángeles, dejar de existir. Todas las leyes, cósmicas y humanas, están gobernadas por los ángeles. Ellos pueden cambiar la creencia de alguien en cualquier momento. Sin embargo, un ángel nunca será un coconspirador en nada maligno. Si se necesita hacer justicia, la harán con fuerza y amor, no en una retribución despiadada. Esas historias son para espantar a los estúpidos.

Podemos hacer magia con cualquiera de los ángeles de los Nueve Coros. Por ejemplo, si quieres sanar el planeta, entonces debes dirigirte al coro específico que sea responsable de ello. Todos los ángeles están sintonizados con, y siguen los dictados de, la Madre Bendita y el Padre Bendito. Esas personas que abrieron su corazón a la divinidad femenina harán cambios importantes en nuestra sociedad. La Señora es, en definitiva, la Reina de los Ángeles y si la necesitas, lo único que tienes que hacer es llamar.

Cuando trabajamos con los ángeles, nuestro único talón de Aquiles es la duda y el temor. Si dudamos que el poder de los ángeles nos ayude, rompemos nuestro lazo con ellos. Si no creemos o tenemos miedo, es como si pusiéramos una puerta entre nosotros y los ángeles.

Invocación de los nueve coros

Yo te invoco brillante Serafín
Rodeando el círculo tráeme amor a mí,
Vigila mi entrada Querubín poderoso
Aleja de mí, la tristeza y el odio.
Tronos manténganse firmes y estables
Manténganme sereno en tierra o en mar.
Invoco a las Dominaciones, verdadero liderazgo
Que pueda ser justo en todo lo que hago.
Círculos de protección que forman los Poderes
Ayúdenme a superar cualquier tormenta.
Virtudes milagrosas ronden cerca
Energías elementales las llamo aquí,
Principados traigan reforma global
Bendigan al mundo y a cada bebé que nazca.
Gloriosos Arcángeles muéstrenme el camino
Para traer la paz y la armonía cada día.
Ángel de la guarda, Diosa de la noche
Bendíganme con su luz guía.

Petición de la alineación de los nueve coros

El hecho de que hayas elegido este libro y estés pensando en hacer magia con los ángeles te convierte en una persona especial. Probablemente eres una en miles. Pocas personas tienen las agallas para hacer magia angélica porque significa que tienen que vivir honorablemente, lo cual no necesariamente es algo fácil. Otros piensan que los ángeles no coinciden en sus creencias religiosas. He llegado a la conclusión de que los ángeles encajan en cualquier parte, en cualquier momento y en cualquier lugar. No son tan quisquillosos como nosotros.

Una encantadora mañana invernal, tenía que hacer algunos mandados que me llevaron a un centro comercial local y a una tienda de abarrotes. Mientras hacía mis transacciones, repentinamente empecé a observar a la gente —quiero decir a verlos realmente. Me di cuenta que cada persona cerca de mí no estaba sola —que sus ángeles (pocos o muchos) estaban con ellos. Con asombro me di cuenta que el plano terrenal puede ser realmente un lugar concurrido. En ese momento los sentidos psíquicos que había estado entrenando dieron un gran salto hacia adelante. Mientras veía a cada persona, "sentí" las cosas que más me molestaron. Algunas personas vagaban como si estuvieran solas en el mundo y me daban ganas de decirles que no lo estaban. Otros estaban muy ocupados yendo a sus negocios, pensando en la familia, amistades, etc. Al verlos sabía quiénes eran deshonestos o malos de corazón, o los que sentían que sus vidas eran vacías, a pesar de su ropa fina o su maquillaje bien aplicado —pensé que había entrado a la dimensión desconocida.

Mientras caminaba, sentía ángeles junto a mí. Eran muy grandes y sentía que vibraban. No sé por qué sabía esto; sólo lo sabía. La gente me veía y se sonreía y yo también les sonreía. Esto no es normal porque por estos parajes no son muy amistosos con casi todos los extraños, en especial con alguien que está de paso. Sentí que los que me sonreían ampliamente podían sentir a los ángeles, pero no tenían ni idea de lo que sentían. Me sentía grande. Me sentía bien. Me sentía amada. Me conmovía la armonía.

Mientras vagaba por el estacionamiento, me llegó la idea de la Petición de los Nueve Coros. Es tu presentación a todos los tipos de ángeles y vamos a informarles que estás verdaderamente preparado para invitarlos a tu vida y a hacer magia con ellos.

Vas a necesitar una vela blanca para representar a la Señora y una vela blanca para representar al Señor. También vas a necesitar una vela para cada uno de los niveles de los Nueve Coros, así que en total son once velas. Si quieres, usa los colores de velas que te di antes.

Cerciórate que no te molesten durante este ritual. Necesitas tiempo para hablar con los ángeles solo y que no te moleste el teléfono, la televisión, las visitas o miembros de la familia.

Ve a tu altar angélico y enciende tus velas o lámparas de iluminación. Toma una respiración profunda y sostén bien ambas velas en tus manos. Cualquiera que sea tu preferencia religiosa, pronuncia una oración o una invocación, diciendo exactamente lo que deseas hacer. No te diré ninguna porque tiene que salir de tu corazón. Enciende ambas velas diciendo:

Enciendo esta vela para el Señor.
Enciendo esta vela para la Señora.

Si sabes de magia, en este momento se traza tu círculo mágico. Elige el trazo de círculo que más te guste. Si no sabes cómo trazar un círculo mágico, revisa el Capítulo 6 de este libro; si la idea de un círculo te hace sentir incómodo, simplemente visualízate rodeado de luz blanca.

Alinea las velas y empieza con la vela de tu ángel guardián. Di lo siguiente:

Enciendo esta vela del ángel guardián e invito a mi ángel guardián a mi vida. Prometo hacer magia con los ángeles y ayudar a mis semejantes y al planeta con lo mejor de mí. Que así sea.

Relájate y medita en lo que acabas de decir. Siente cerca a tu ángel de la guarda y acepta que escucharás los mensajes que se te den.

Enciende la vela del Arcángel y di lo siguiente:

Enciendo esta vela para el Arcángel e invito a los Arcángeles a mi vida. Prometo hacer magia con los Arcángeles y ayudar a mis semejantes y al planeta con lo mejor de mí. Que así sea.

Igual que antes, relájate y piensa en los Arcángeles y lo que significan para ti.

Sigue con el resto de los coros, uno a la vez, encendiendo la vela, invocando a los ángeles, luego pronuncia el juramento. Medita en cada coro.

Cuando hayas terminado, toma una respiración profunda y cierra tus ojos. Ábrete a la armonía universal.

Cuando termines, haz una petición a los ángeles que hayas llamado. Puede ser algo grande o pequeño —no importa. Di la petición en voz alta y con firmeza.

Toma otra respiración profunda y relájate. Agradece a los ángeles por asistirte y ayudarte. Si trazaste un círculo mágico, es momento de deshacerlo.

Puedes alinearte con los Nueve Coros en cualquier momento, ya sea que estés de buen humor o sintiendo una especie de disfunción en tu vida. Los ángeles siempre están ahí para ayudarte.

La Reina de los ángeles (la historia de Santa Catherine Laboure)

Ahora no soy Católica y nunca lo he sido, pero cuando leí por primera vez esta historia mi corazón saltó y se pararon los vellos de mi brazo. Pienso que no hay un relato mejor que este para exhibir el poder y la existencia de la Reina de los Ángeles, la entidad que nosotras, las Wiccan, conocemos como la Señora.

El 18 de julio de 1830, Catherine Laboure, una mujer de las Hermanas de la Caridad, despertó en 140 Rue du Bac en París, Francia, con la visión de un ángel brillante, que la invitó a que fuera a la capilla rápidamente. Cuando Catherine llegó ahí, contempló a la Reina de los Ángeles, que le impartió un mensaje especial para ella. En este primer mensaje le dijo a Catherine que Ella era la madre bendita de todos los niños. Ella se llamó a sí misma la Reina de los Ángeles.

Después de esta primer visita, Catherine se dedicó a una profunda soledad y oración durante varios meses. Cada mañana, Catherine regresaba a la capilla, esperando volver a ver a la Reina de los Ángeles. Una mañana Ella apareció, parada sobre un globo bañada de una luz brillante y vestida por el sol. Ella usaba anillos en cada dedo. Cuando Ella abrió las palmas de Sus manos, salían rayos de fuego resplandecientes para encender el globo. Los ángeles irradiaron una inmensa luz vibrante mientras la Reina decía las siguientes palabras:

La esfera que ves representa al planeta Tierra. Estos rayos que irradian de mis manos simbolizan las gracias que se me confiaron para dárselas a nuestros hijos que me las pidan. Las gemas que no irradian son las gracias que mis hijos olvidan pedir. La luz de los ángeles simboliza su poder y su presencia en la tierra. Permítanme ayudarlos, hijos míos. Busca la luz de los ángeles.

Las visitas a Catherine se intensificaron. Los rayos de las manos de la Reina emitían fuego sobre todas las partes de la esfera. Una puerta dorada, la puerta a la Tierra Estival, ondeaba en una forma oval alrededor de la visión. La Reina de los Ángeles ahora dijo:

Es la voluntad divina que se haga una medalla portando la imagen de esta visión celestial que se te otorgó. La medalla siempre será una señal de mi protección y la presencia de los ángeles para llevarte a lo largo de los caminos del amor incondicional de la divinidad por ti. Todos los que usen esta medalla con confianza tendrán grandes gracias, bendiciones y fuerza.

Esta medalla fue elaborada y distribuida a los Católicos de todo el mundo. La leyenda indica que aquellos que usen esta medalla con fe y confianza cosecharán miles de milagros y favores divinos. La medalla se llegó a conocer como "La Medalla Milagrosa". Las personas de todo el mundo siguen usando esta medalla con poder angélico, un don de la Misma Reina —Nuestra Señora.

Después de estudiar esta historia, decidí visitar la tienda Católica local de artículos religiosos. Me sentí rara paseando entre artículos religiosos que me eran extraños, pero al mismo tiempo, me sentí bien porque estaba bastante segura en mi propia creencia para buscar la de alguien más en plena cara y honrar su sistema de creencias sin sentirme condescendiente por la suya o estúpida por la mía. Encontré la Medalla Milagrosa y una tarjeta laminada que venía con ella.

En casa las puse en mi altar angélico (ver Capítulo 2) y limpié, consagré y faculté las dos. Aunque hay una oración en el dorso de la tarjeta, hice mi propia invocación para satisfacer mis necesidades espirituales:

Dulce Diosa, me uno a ti bajo el título de mi Señora, Ella que es la Reina de los Ángeles, que produjo esta Medalla Milagrosa. Que esta medalla sea para mí una señal segura de tu afecto maternal y un constante recordatorio del juramento que he tomado en mi religión. Que pueda ser bendecida por tu amorosa protección y protegida en la gracia de tu Consorte. Gran Doncella Poderosa, Madre y Hechicera, consérvame cerca de ti en todo momento de mi vida para que como tú, pueda vivir y actuar de acuerdo con el juramento que he tomado. Con esta medalla invocaré los poderes del reino angélico para que asistan a mis semejantes y faculten mi propia vida. Que así sea.

Si no quieres usar la Medalla Milagrosa, no te preocupes. Me tomó cierto tiempo encontrar una Medalla Milagrosa sin una cruz en la parte posterior. Yo no uso nada de joyería que tenga una cruz, ya que ese símbolo denota ataque y tiene connotaciones negativas para mí. Si quieres, elige otra pieza de joyería que te haga sentir cómodo. Si eres Judío, quizás quieras usar la Estrella de David. Si eres Wiccan, puedes desear usar el pentáculo. El símbolo debe ser importante para ti y debes creer que funcionará para el propósito que afirmaste en la consagración y la bendición que se dieron previamente.

Los Católicos tienen una oración que usan en todo tipo de dificultades. Te la voy a dar aquí y luego vamos a corregirla un poco para que coincida con los credos religiosos alternativos. Como todos los dioses son un dios y todas las diosas son una diosa, no pienso que a Nuestra Señora le moleste. Dice la leyenda que esta oración fue recitada por primera vez por el ángel Gabriel.

Dios te salve María, llena eres de gracia, el Señor es contigo. Bendita seas entre todas las mujeres y bendito sea el fruto de tu vientre, Jesús. Santa María, Madre de Dios, ruega por nosotros, ahora y en la hora de nuestra muerte. Amén.

Si tienes un credo alternativo, quizás quieras intentar lo siguiente:

Dios te salve Señora, llena eres de gracia, Dios es contigo. Bendita seas entre todas las mujeres y bendito sea el fruto de tu vientre, el Consorte y el Hijo. Santa Diosa, Madre de la Tierra, trabaja el misterio para tus hijos, ahora y en la hora de nuestra necesidad. Que así sea.

La Reina de los Ángeles y el círculo mágico

La Reina de los Ángeles envía a los Serafines para que reúnan las oraciones humanas y las canalicen a la divinidad. Todos los ángeles La veneran profundamente y Ella tiene su propio séquito de ángeles. Por lo tanto, cuando traces un círculo mágico e invoques al Señor o a la Señora, también estás invocando a las huestes angélicas que viajan con ellos, sin tener en cuenta tu sistema de creencias o si piensas o no en ellos, o hasta que creas en ellos. Si reconoces la presencia de los seres angélicos cuando traces tu círculo, notarás la diferencia. Si no me crees, inténtalo y descúbrelo.

Es cierto que muchos de nosotros sentimos la presencia de ángeles en nuestra vida más agudamente cuando las cosas no van bien. Veme. He estado llevando a cabo el trabajo de este libro de ángeles, a veces frustrada, pero pensando que mi vida es como debe ser, cuando un desacuerdo profesional que en realidad no tenía nada que ver me hizo aterrizar en un momento difícil. Bastante infeliz, pensando que toda mi vida en breve se iría por el caño, fui a mi altar angélico y encendí dos velas blancas. Invoqué a mi ángel guardián y le pedí que esta transición de mi vida fuera lo menos dolorosa posible y que vea la verdad por lo que es, no cegada por mis emociones humanas y mi ego.

Recuerdo haber leído que los humanos son conductos de energía espiritual en el mundo material y que los ángeles son conductos de energía material en el reino espiritual. Eso hace que ambas especies sean un puente que enlaza el reino material y el reino espiritual. También entendí que antes de que pudiera seguir con cualquier trabajo, necesitaba liberar mis sentimientos negativos de duda, coraje, incapacidad, rechazo y autocrítica. Un caldero horrible realmente lleno de mugre mental.

Primero, me di un baño y visualicé que el agua limpiaba tanto mi cuerpo físico como mi cuerpo espiritual. Luego, le di poder a un vaso con agua fría (cualquier bebida está bien) e imaginé que con cada sorbo, estaba llenando mi cuerpo con energía angélica y universal. Después de eso, inhalé, visualizando que la energía de sanación entraba a mi cuerpo. Exhalé expulsando cualquier duda o pensamientos infelices.

Invoqué a la Señora a través de un poema de Edgar Allan Poe:

Por la mañana, el mediodía, el crepúsculo,
Señora, tú has escuchado mi himno:
En la alegría y en la tristeza, en la salud y la enfermedad.
Diosa, Madre, sigue conmigo.
Cuando las horas pasaron volando
Y ninguna nube oscureció el cielo,
Mi alma, para que no fuera perezosa,
Tu gracia la guió a lo tuyo y a ti.
Ahora, cuando nublan las tormentas del destino
Oscureciendo mi presente y mi pasado,
Deja que mi futuro irradie
Con dulces esperanzas de ti y lo tuyo.

Luego, recité la oración de Gabriel varias veces, mezclándola en un mantra, para elevar el poder:

Dios te salve Señora, llena eres de gracia, Dios es contigo. Bendita seas entre todas las mujeres y bendito sea el fruto de tu vientre, el Consorte y el Hijo. Santa Diosa, Madre de la Tierra, trabaja el misterio para tus hijos, ahora y en la hora de nuestra necesidad. Que así sea.

En un lapso de veinticuatro horas se desvaneció el problema.

Otras jerarquías

Antes mencioné que existen varias jerarquías cuando empiezas a mezclar los ángeles con la religión. Aunque elegí los Nueve Coros para trabajar con ellos en este libro, sin duda no quiero eliminar el misticismo Judío. En la Cábala hay siete sephiroth (en singular, sephirah). Cada uno representa un mundo propio que implica grandes requerimientos. Cada sephirah tiene una presencia angélica. Los nombres de los sephiroth incluyen Fundamento, Esplendor, Eternidad, Belleza, Poder, Gracia, Conocimiento, Sabiduría, Comprensión y Perfección (Corona). El diagrama que muestra estos poderes aparece en forma de árbol. En las raíces de este árbol está el ángel guardián Sandalphon, que se extiende a través del árbol y hacia fuera al universo. Otros ángeles del árbol son Saphkiel, el ángel de la contemplación; Rafael, el médico divino; Gabriel, el que manda la sabiduría espiritual; y Miguel, el jefe de los ejércitos celestiales de dios. En la cima está Metatron. Discutiremos todos estos ángeles a través de todo el texto del libro.

4

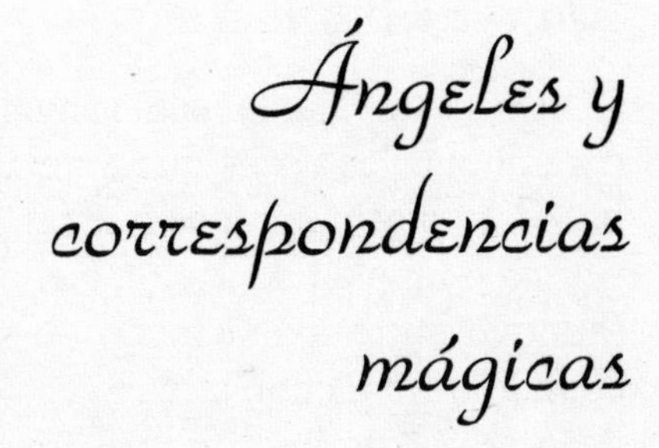

Ángeles y correspondencias mágicas

La palabra *ángel* viene de la versión griega de la palabra hebrea *mal'akh*, que significa "el lado oscuro de la deidad". Los ángeles trabajan en las sombras, significando que normalmente no podemos verlos, pero sentimos los efectos de su presencia y de sus obras. La magia es un arte de las sombras, que provoca el cambio en el universo a través de la voluntad.

Este capítulo da suficiente material para trabajar la magia con los ángeles. Si la gente te dice que los ángeles no son mágicos o que no puedes trabajar la magia con ellos, no sabe de lo que está hablando. Yo lo hago todo el tiempo. Esta sección tiene las correspondencias (cosas que están en armonía y trabajan bien juntas), además de ejercicios para trabajar a través de cada serie de correspondencias. Cubriremos los días de la semana, los meses, colores, horas planetarias y por supuesto, aprenderemos más sobre las funciones históricas y modernas de los ángeles.

Tu diario angélico

Si vas a trabajar la magia angélica, vas a necesitar un diario para anotar las cosas que aprendes, además del trabajo que haces. El diario no tiene que ser un tomo dramático de prosa florida o un plan de acción científico enumerando cada paso (aunque entre más específico seas, te dará más felicidad cuando quieras consultarlo). A algunas personas les gusta decorar sus diarios con imágenes de ángeles, trabajos artísticos, listones, caligrafía, etc. Para ser honesta, se convertirá en un hermoso objeto de colección que un estudiante o un miembro de la familia puede usar en sus propios estudios.

Los días angélicos de la semana

Ciertos días de la semana son mejores para las aventuras planeadas que otros. Cuando planeas la magia, asegúrate que revises qué día será el más armónico para el trabajo.

Lunes

El lunes se centra en las energías de la Luna. Las cosas como el psiquismo, los sueños, la energía femenina, la salud, el éxito en las búsquedas espirituales, los asuntos caseros y las cosas de origen familiar son especialmente importantes este día. Los colores del lunes son plateado y blanco.

Los ángeles del lunes son Gabriel, (ver pág. 52), Arcan, Missabu y Abuzaha. Arcan se conoce como el rey de los ángeles del aire y el "regente" del lunes. Abuzaha (Abuzohar) sirve al lunes y es muy sensible a las invocaciones y la magia ritual. Missabu es un ángel ministro de Arcan.

Martes

El martes gira en torno a las energías de Marte. Los martes son buenos para los negocios, las cosas mecánicas, compra y venta de animales, cacería, inicio de estudios, jardinería, actividades sexuales y confrontación. Los colores del martes son rojo, rosa o escarlata.

Los ángeles del martes son Camael, Samael, Satael, Amabiel, Friagne y Hyniel. Cuando se invoca, Camael toma la forma de un leopardo. En la mitología Druida él es el dios de la guerra, por eso se le asocia con Marte (otra vez, observa la influencia del sistema de creencias Pagano). Se dice que Camael es miembro de los "Siete Magníficos" en algunos círculos. Camael es otro ángel "exterminador". Si embargo, algunos afirman que él trato de evitar que Moisés recibiera la Torah y encontró su hundimiento permanente, aunque los Cabalistas muchas veces aseguran que él sobrevivió a la destrucción.

Samael recorre ambos mundos como mago y como hechicero. Algunos lo ven como el ángel de la muerte, otros como "el brillante y resplandeciente". Muchos lo consideran más como un demonio y lo acusan de ser Satán. Sin embargo, hay referencias de los satanes (plural) como encargados de hacer respetar las leyes, una especie de policía angélica, si quieres.

Supuestamente, cuando Samael está cerca, los perros aúllan en la noche. Por un lado, él es el regente del quinto cielo y está a cargo de dos millones de ángeles; por el otro, él es el que se transformó en serpiente y convenció a Eva que tomara el fruto prohibido del conocimiento.

Satael es un ángel del aire que se invoca en los ritos mágicos y es el espíritu que preside el planeta Marte. Amabiel es otro espíritu del planeta Marte; sin embargo, él utiliza su energía en asuntos de la sexualidad humana. Friagne, también es un ángel de este día, se le invoca por el este. Es miembro del quinto cielo. Hyniel también pertenece a este día y está sometido al viento del este.

Miércoles

Bajo la guía de Mercurio, el miércoles es un día de actividades cambiantes, comunicación, correspondencia y llamadas por teléfono. Este es un buen día para los periodistas, escritores, poetas, negociaciones, contratación de empleados y visita de amigos. Los colores del miércoles son naranja, azul claro y gris.

Los ángeles de los miércoles son Rafael (ver página 44), Miel y Seraphiel. Estos tres ángeles funcionan como guardianes del planeta Mercurio. No se pudo encontrar mucha información sobre Miel, pero Seraphiel es jefe en la orden de los Serafines. Parece que él figura como el príncipe más elevado. Invócalo por el norte.

Jueves

El jueves es el día de Júpiter. Es un día maravilloso para los asuntos de dinero, ya que Júpiter es el planeta regente de todo tipo de asuntos financieros. La superación personal, la investigación y el estudio también son buenos este día, además de los viajes y las reuniones sociales. Los colores del jueves son violeta y azul marino.

El ángel de los jueves es Sachiel. Sachiel como que navega por los días de la semana y en varios textos se le puede encontrar en las categorías del lunes, jueves o viernes. Preside el planeta Júpiter. Invócalo por el sur.

Viernes

Asuntos de amor, interacción humana, fluidez de la comunicación, costura y creación de prendas artísticas, mejoramiento de la casa, compras y planeación de fiestas, caen bajo los aspectos del viernes y su planeta regente, Venus. Los colores del viernes son verde esmeralda o rosa.

Los ángeles del viernes son Ariel/Uriel (ver pág. 55). Rachiel y Sachiel. Rachiel también está involucrado con la sexualidad humana y es el espíritu que preside el planeta Venus. (Para información de Sachiel, ver jueves.)

Sábado

La correspondencia planetaria para el sábado es Saturno. Los asuntos que tratan con el público, la agricultura, los lazos familiares (como testamentos y herencias), ocuparse de las deudas, tratar con abogados, financiamiento, asuntos de dinero compartidos, bienes raíces, personas ancianas, destierro o vínculo de la negatividad y eliminación de malos hábitos, caen bajo el cargo de Saturno. El color del sábado es el negro.

Los ángeles del sábado son Cassiel, Machatan, Uriel y Orifiel. Cassiel es el ángel de las soledades y las lágrimas. Es uno de los regentes del planeta Saturno y ocasionalmente aparece como el ángel de la paciencia. Cassiel se enlaza con la energía del dragón. (Le encantan los dragones). Con respecto a Machatan, la única información que recabé es que trabaja bien con Cassiel y también es un poder de Saturno. Para Uriel, ver página 55. Orifiel es un ángel de la jungla, regente de la segunda hora del día y también se asocia con Saturno.

Domingo

El domingo está influido por el Sol. El trabajo comunitario, los servicios voluntarios, el ejercicio, los deportes al aire libre, compra, venta, especulación, conocer gente, cualquier cosa que implique grupos, administración de ferias y sorteos, crecer cultivos y cuidar todos los asuntos de salud, caen bajo la influencia del Sol. Los colores del domingo son dorado o amarillo.

Miguel es el ángel principal del domingo, pero cada hora de este día también tiene su ángel secundario. Estos ángeles son Miguel (primer hora), Anael (segunda hora), Rafael (tercer hora), Gabriel (cuarta hora), Cassiel (quinta hora), Sachiel (sexta hora), Samael (séptima hora), Miguel (octava hora), Anael (novena hora), Rafael (décima hora), Gabriel (onceava hora) y Cassiel (doceava hora). Observa cómo algunos ángeles duplican su tarea este día.

Magia de siete días para traer la armonía a tu vida

Repasa la información de los días de la semana (que se dio previamente) y elige una cosa que quisieras mejorar en cada uno de los siete días. Puedes tener algo que abarque el ciclo de los siete días, o elige una solicitud diferente para cada día. Sé realista en tu elección. Escribe cada día de la semana en una tarjeta. Cuando termines tendrás una tarjeta para el lunes, una para el martes, etc., con un total de siete tarjetas.

Escribe tu solicitud en un lado de la tarjeta, abajo el día, luego fírmalo con tu nombre. En el otro lado de la tarjeta pon el nombre del ángel que represente mejor tu solicitud. (Me doy cuenta que unos días no tienes muchas elecciones.) Si no quieres llamar a un ángel con un nombre específico, entonces recuerda usar una frase que indique el tipo de energía que quieres (ángel de sanación o ángel de tratos de negocios, etc.).

Sostén la pila de tarjetas en tus manos, con los nombres de los ángeles hacia arriba y faculta las cartas con todo tu deseo para trabajar la magia con los ángeles.

Pon las cartas en un montón en el centro de tu altar en el orden apropiado, con el día que quieras empezar arriba.

Escoge un momento en que quieras trabajar la magia de tu ángel todos los días. ¿Es cuando te levantes, o quizás antes de irte a dormir? No importa, mientras elijas la misma hora todos los días para trabajar tu magia con los ángeles.

Cuando estés listo para trabajar la magia, enciende tu lámpara de aceite (o vela) y quema un poco de incienso. Para empezar haz el ritual menor de destierro (ver página 59), luego arráigate y céntrate otra vez. Sostén la tarjeta del día en tus manos y cierra tus ojos, concentrándote en las energías positivas de los ángeles que te ayudan. No le digas al ángel cómo hacerlo o cómo ir a posibles situaciones —deja que la energía angélica maneje esto.

Cuando hayas terminado, quema la tarjeta y dispersa las cenizas en el viento.

Si deseas dejar encendida la vela o la lámpara durante cierto tiempo, asegúrate que esté en un lugar seguro. No dejes de agradecerle en tu mente al ángel que llamaste, antes de abandonar tu altar.

Registra tu trabajo en tu diario, luego regresa más tarde y observa cómo te ayudó este ejercicio.

Ángeles de las estaciones

Para mí, la magia de estación es una de las formas de arte más pura. Como humanos, nos movemos conjuntamente con los ciclos de la Tierra, mezclándonos con las diversas capas de energía y transmutando el desgaste de la Tierra. Con la magia de la estación, el enfoque es para traer a la forma la prosperidad y la armonía. Invoca a los ángeles que se atribuyen a cada estación el primer día de la estación (o cerca de su inicio) para tu bienestar general, luego durante toda esa estación para asuntos específicos.

Primavera

El Equinoccio de Primavera ocurre alrededor del 21 de marzo. La primavera trae el renacimiento, rejuvenecimiento, implantación de ideas, amistades, unión sexual, diversión, creatividad y comunicación. La magia que se realice será para sanación, purificación, psiquismo, pago de deudas, trasplante exterior y todas las cosas asociadas con el aire. Los colores de la primavera son cualquier tono pastel.

Milkiel es el ángel regente de la primavera y de todas las energías necesarias que crean la estación. Spugliguel es el jefe de la primavera. Para empezar la estación, busca la ayuda de los dos, Milkiel y Spugliguel. Otros cuatro ángeles (Amatiel, Caracasa, Core y Commissoros) se asocian con esta estación como guardianes.

Verano

El Solsticio de Verano ocurre alrededor del 21 de junio. El Verano es una época de rápido crecimiento, proyectos en pleno florecimiento, unión sexual profunda, fuerza y el deseo de compartir la riqueza del universo. La magia que se hace en este tiempo es para traer el amor hacia ti, belleza, protección, energía física y mágica, valor, matrimonio y toda la magia que implica el elemento fuego. Los colores de Verano son tonos brillantes del verde, azul, rosa y amarillo.

El ángel jefe del verano es Tubiel, que también se invoca para el retorno de pequeñas aves a sus dueños. Los ángeles bajo él incluyen a Gaviel, Tariel y Gargatel, que fungen como guardianes de la estación. Oranir es el jefe del Solsticio de Verano y se considera que es eficaz contra el mal de ojo.

Otoño

El Equinoccio de Otoño ocurre alrededor del 21 de septiembre. El Otoño es la época de la cosecha y la realización, establecer planes para los meses de invierno y atar cabos sueltos en la vida. La magia que se hace en esta época es para el empleo, grandes posesiones (casas, coches, refrigeradores, estufas, hornos, ampliaciones a la casa, muebles, etc.), sanación, toda clase de estudios y toda la magia que implica el elemento de agua. Los colores de otoño incluyen el naranja, dorado, marrón claro, café y amarillo oscuro.

Torquaret se considera que es la cabeza de la estación, con los ángeles Tarquam y Guabarel como guardianes.

Invierno

El Solsticio de Invierno ocurre alrededor del 21 de diciembre. Este es el momento para descansar, evaluar tus realizaciones y crear planes a largo plazo para la siguiente estación de crecimiento. La relajación a través de la creatividad serena ocurre muchas veces en los meses fríos; el cuerpo y la mente necesitan más sueño y alimentación. La magia que se hace en esta época es para el destierro de cualquier enfermedad (sea mental o física), meditación, romper hábitos (se incluyen adicciones y patrones negativos), planeación de magias y magias que impliquen el elemento tierra. Los colores de invierno son blanco, verde, rojo y gris.

Attaris es la cabeza de los ángeles de esta estación, con Amabael y Cetarari actuando como guardianes. Miguel también es el ángel de la nieve.

Nudo mágico para las estaciones

Elige la estación con la que deseas trabajar y encuentra una cuerda de treinta pulgadas de largo con el color de la estación.

Escribe específicamente lo que quieres trabajar y qué tipo de asistencia angélica se solicitará. (Recuerda, si no quieres llamar a los ángeles por los nombres que se dieron previamente, entonces llámalos por las energías que deseas manifestar.)

Ve a tu altar angélico y enciende tus velas o lámparas de iluminación. Coloca la cuerda en el centro del altar. Enciende tu incienso. Realiza el ritual menor de destierro.

Recita el siguiente poema, atando los nudos como se muestran a continuación:

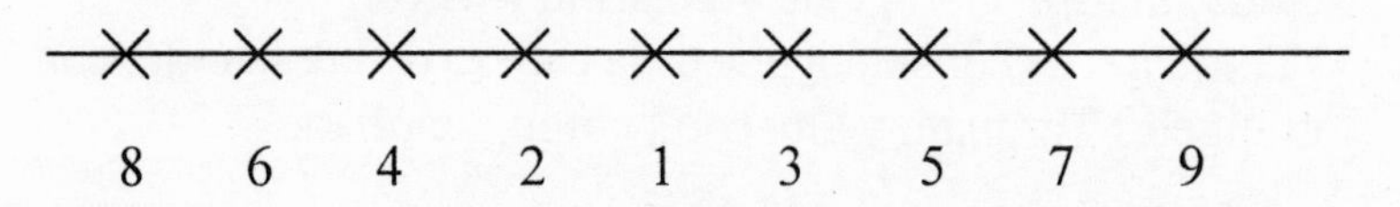

Por el nudo de uno, esta magia angélica ha empezado
Por el nudo de dos (nombre del ángel) los poderes
se hacen realidad
Por el nudo de tres, el deseo llegará a ser
Por el nudo de cuatro mi voluntad ahora es segura
Por el nudo de cinco esta magia está viva
Por el nudo de seis esta magia se fija
Por el nudo de siete que se dé el poder angélico
Por el nudo de ocho la magia ahora es destino
¡Por el nudo de nueve el deseo es mío!

Lleva contigo la cuerda hasta que se haya manifestado el hechizo.

Cuando la magia haya fructificado, desata los nudos y quita la energía de la cuerda, luego deshecha la cuerda. No olvides dar las gracias a tu ángel elegido por ayudarte.

Ángeles de los meses

Igual que los días y las estaciones, cada mes también tiene su ángel guardián. Puedes trabajar con los ángeles de los meses de diversas maneras.

Enero: Gabriel (ver página 52). Color: Blanco.

Febrero: Barchiel, ángel de las granizadas. Color: Azul pálido.

Marzo: Malahidael. Ejerce su dominio durante noventa y un días, de la primavera al verano; asiste para relacionar a los enamorados. Color: Amarillo pálido.

Abril: Rafael (ver página 44). Color: Verde pálido.

Mayo: Ambriel. También es útil para proteger del mal y es un espíritu que se cita con el propósito de hacer conjuros bajo el planeta Marte. Color: Rosa.

Junio: Muriel. Su nombre significa "mirra". Invócalo por el sur. La leyenda dice que puede darte una alfombra mágica. Color: Verde esmeralda.

Julio: Verchiel, que está bien informado en los poderes del Sol. Colores: Azul y púrpura.

Agosto: Miguel (ver página 47). Colores: Dorado y amarillo.

Septiembre: Uriel (ver página 55). Colores: Naranja y rojo.

Octubre: Barbiel, que permite el contacto con la muerte ancestral. Colores: Negro y naranja.

Noviembre: Advachiel. Color: Café.

Diciembre: Hanael. Su nombre significa "gloria". Él lleva las misivas a los divinos. Invócalo como un defensor contra el mal. También hay una asociación empatada con Ishtar, la diosa Caldea. Colores: Rojo y verde.

Magia angélica para la planeación de la meta mensual

Al empezar cualquier mes, tu meta es planear tus realizaciones para el siguiente año. Este trabajo puede tomar algún tiempo, así que vas a necesitar apartar un tiempo de tranquilidad. Si quieres, pon un poco de música suave.

Vas a necesitar un marcador, doce sobres, un calendario y varias hojas de papel. Si quieres, puedes empatar el color del marcador (o lápices de colores) para el nombre del ángel y los nombres de los meses. Pon todos los materiales en tu altar angélico, luego coloca las manos sobre ellos. Pídele a los poderes angélicos que te asistan en tu trabajo, luego traza un pentagrama de destierro sobre todos tus materiales. Enciende tus velas o lámparas de iluminación y quema un poco de incienso.

Haz el ritual menor de destierro.

Escribe el nombre de un mes en cada sobre, luego pon los sobres en orden a partir del mes que deseas empezar. Busca en tu calendario este primer mes. Relájate y sosténlo en tus manos. ¿Qué te gustaría realizar este mes?

Escribe cada meta en una pieza de papel, luego firma con tu nombre. Cuando hayas terminado con el mes en curso, pon todos los papeles en el sobre. No lo cierres. Escribe el nombre del ángel que deseas su asistencia en el reverso del sobre. Pon a un lado el sobre.

Sigue los mismos procedimientos para los meses sucesivos. Recuerda, si no quieres llamar a los ángeles por un nombre, simplemente puedes llamarlos ángeles guardianes del mes.

Cuando hayas terminado, pon los sobres en un lugar seguro.

Al principio del primer mes, saca el sobre correspondiente y colócalo en tu altar. Quizás quieras hacer el ritual menor de destierro, luego invoca al guardián de ese mes para ayudarte con tus metas. Sostén el sobre en tus manos y visualiza la asistencia angélica fluyendo por tu cuerpo y dentro del sobre. Cierra el sobre y haz la señal de la cruz de brazos iguales sobre éste. Conserva el sobre en tu altar todo el mes.

El último día del mes, abre el sobre. Quema las hojas de papel cuyas metas se hayan manifestado y agradécele a los ángeles su asistencia. Observa las metas que no se han satisfecho. ¿Eran demasiado elevadas para este mes? ¿Algo se interpuso en su camino? Reconsidera si la meta es válida para tu sendero de vida. Si sientes que no lo es, descarta la meta. Si piensas que te gustaría volver a intentarlo, elige otro mes para ponerlo. No tiene que ser el mes siguiente. Considera cuidadosamente dónde debe caer esta meta en tu vida, luego ponla en el sobre apropiado.

Sigue los procedimientos enumerados anteriormente el primer y el último día de cada mes. Conserva un registro de cómo te está yendo y tus pensamientos en este tipo de magia angélica. Al final del ciclo de los doce meses, escribe un resumen de todo el trabajo que has realizado y de qué manera ha cambiado tu vida el uso de este tipo de magia.

Si todavía quedan algunas metas, puedes cambiarlas al siguiente año o desecharlas si ves que es conveniente.

Ángeles y color

Los ángeles aprecian el color. Igual que la música, el color es un lenguaje universal. Algunas personas mágicas sienten que sólo ciertos colores pueden representar un sentimiento o una intención particular, pero he descubierto que cada persona armoniza con el color de una manera personal. Hasta ahora, he dado referencias de colores para los ángeles, pero como podrás observar, no entré en detalle sobre ellos. Siento que es necesario que la gente encuentre el color que funcione mejor para ellos en una situación dada.

Es cierto que los colores afectan la psique humana de una manera general. El azul muchas veces va a crear una sensación de descanso y tranquilidad. El rojo estimulará el temperamento y a veces aviva las discusiones o la pasión. Una norma de aplicación de colores en magia considera estas reacciones universales; sin embargo, eso no quiere decir que tengas que seguir al pie de la letra lo que otros usan. Necesitas experimentar para encontrar las combinaciones de color o los colores simples que funcionen mejor para ti en una situación dada.

Te sugiero que empieces usando las asociaciones de color que se dan aquí, pero aprende a mezclar y a empatar esos colores para aumentar tus beneficios. Por ejemplo, digamos que usas el verde para el dinero, pero tu trabajo no tiene éxito. Primero, necesitas considerar el motivo de tu fracaso. Podría ser algo pequeño (simplemente no estabas concentrado) o algo más grande (no es el momento adecuado para traer esto a tu vida). Después de haber considerado estas cosas, vuelve a intentarlo.

¿No tienes suerte? No hay problema. Es momento de intentar otra cosa, digamos que combinas el verde con otro color, o tal vez no uses ningún color, sino mejor un símbolo.

Esta vez funciona. Entonces después tratas de usar el verde otra vez para un trabajo diferente y encuentras que nuevamente fracasas. Puedes haber programado tu mente contra el color. ¿Ahora qué haces?

Para empezar, cambia los colores, aunque sólo sea un tono. Considera de qué color se representa el problema. El verde, por ejemplo, es sanación, dinero o suerte. ¿Sientes que no mereces dinero? Quizás subconscientemente piensas que debes estar enfermo en vez de bien. Podría haber muchas razones y las respuestas dependen de ti.

Correspondencias de color

Blanco: Pureza, verdad, energías angélicas, sinceridad, esperanza, fuerza espiritual, protección, poder de la divinidad. Ángeles de luz, Cáncer, la Luna. Correspondencia de múltiples propósitos.

Púrpura: Claridad de pensamiento, riqueza, ambiciones mundanas, poder, religión, sanación de enfermedades serias y condiciones mentales, superación de dificultades de negocios. Ángeles de Sagitario, Júpiter, la Luna (lavanda), Mercurio (violeta), caos (oscuro).

Azul: Tranquilidad, paciencia, comprensión, salud, psiquismo, intuición, sabiduría, control mental y emocional, protección, felicidad, transformación. Ángeles del agua, Júpiter, Venus (luz), lagos, mares, Piscis (oscuro), Venus (pálido), Tauro, Cáncer (oscuro), Libra (azul-verde), Sagitario (intenso), la Luna, Acuario (iridiscente).

Verde: Salud, suerte, fortuna, fertilidad, sustento, crecimiento, dinero, prosperidad, cumplimiento de un proyecto o plan. Ángeles de Venus (pálido), bosques, montañas, tierra, Tauro, Piscis (verde mar).

Amarillo: Atracción, carisma, confianza, hipnosis, diseño, fascinación, alegría, intelecto, comunicación, viajes, encanto. Ángeles del aire, Leo, el Sol, Mercurio (pálido).

Naranja: Carrera, ánimo, estímulo, adaptabilidad, estudio, valor, finanzas activas. Ángeles de Mercurio, Leo, Virgo (siena), Acuario (oscuro).

Rojo: Pasión, fuerza, virilidad, conservación de la salud, longevidad física, protección, necesidades defensivas, impulsividad, ataque, salud, energía, victoria. Ángeles del fuego, Marte, Aries, Leo (escarlata), Escorpión (intenso).

Rosa: Amor, pasión, comunicación con los seres queridos, relajación, sanación del espíritu, éxito, vida limpia, compasión, honor, venciendo el mal. Ángeles de Venus, Tauro, Libra.

Dorado: Virilidad masculina, éxito, felicidad, confianza, valor. Ángeles del Sol, Leo.

Plateado: Energías femeninas, psiquismo, fuerza y compasión, paciencia, sabiduría superior. Ángeles de la Luna, Cáncer, Virgo, caos (pewter).

Café: Amistad, energías de la tierra, firmeza, salud y seguridad de los animales, éxito financiero. Ángeles de la tierra, montañas, bosques, Virgo, Acuario.

Negro: Vinculación, retroceder la negatividad, destierro, absorción de las actitudes y las adicciones malsanas, protección. Ángeles de Saturno, tierra, caos, Escorpión.

Turquesa o gris: Neutralización; detener el parloteo, equilibrar el karma. Ángeles de Venus, Saturno, Libra.

Rueda de colores angélica

Para la rueda de color angélica[1] vas a necesitar una serie de lápices de colores o marcadores, una simple pieza de papel, una lista de lo que debes mejorar en tu vida y los nombres de los ángeles a los que te gustaría pedirles ayuda. Por ahora, puedes apegarte a los ángeles que mencionamos hasta ahora; sin embargo, si ninguno de estos parece adecuado, de todos modos hojea el texto y encuentra uno que lo haga. Si ningún nombre de ángel te parece correcto, entonces mejor invoca la energía o la esencia del ángel.

Usando un compás, dibuja un círculo en el centro de tu papel. Dibuja otro circulo más o menos dos centímetros más grande que el primero, usando la misma punta del centro.

Usa tu regla para dividir el círculo en secciones (rebanadas de pay), con una rebanada para cada petición. Tu rueda no debe verse como un diseño celta intrincado. Conserva el número de solicitudes —como cuatro o seis para empezar.

Coincide las solicitudes para un color. Por ejemplo, si quieres energía de sanación para tu mascota favorita, elige el verde. Si quieres sobresalir en esa entrevista de trabajo, elige el naranja.

Escribe cada solicitud en una rebanada del pay con marcador negro. En el borde exterior escribe el nombre de la energía angélica que necesitas, entonces dibuja la rebanada con el lápiz de color apropiado. Finalmente, escribe tu propio nombre atravesado a la mitad de la rueda.

Lleva la rueda a tu altar angélico y colócalo en el centro. Enciende tus velas o lámparas de iluminación y realiza el ritual menor de destierro (ver página 59).

---

[1] La idea de este proyecto se tomó de *Practical Color Magick* por Raymond Buckland.

Sostén la rueda de color en tus manos y llama a cada ángel, uno a la vez. Dile a cada ángel lo que escribiste en el papel. Cuando hayas terminado, cierra tus ojos y visualiza los seres angélicos a tu alrededor, cada uno llevándose su rebanada del pay. Agradéceles por ayudarte.

Pega tu rueda angélica en alguna parte de tu casa, como en el espejo de tu recámara, el refrigerador, etc., o déjalo en tu altar angélico. Si piensas que alguna persona de tu familia lo verá y se burlará de ello, ponlo en un lugar donde sólo tú lo veas. A los ángeles no les gusta la negatividad de otros más que a ti.

Cuando todas las solicitudes en tu rueda de color lleguen a tomar forma, es momento de "quitarle la magia" a la rueda. Llévalo a tu altar y agradécele a los ángeles su asistencia. Luego imagina la magia formando una bola dorada sobre el papel. Deja que la magia penetre en tu altar o en el suelo. Quema la rueda y dispersa las cenizas a los vientos.

¿Y si no hiciste todo en la rueda? Eso depende de lo que pediste y cuánto tiempo esperaste. Generalmente, de dos semanas a treinta días para cosas pequeñas, de treinta a noventa días para cosas mayores. Te prevengo contra la predicción de tiempo porque no existe ninguna fórmula exacta. Uno necesita aprender la paciencia cuando se trabaja la magia. Otra vez, este puede no ser el momento correcto para traerlo a tu vida, o quizás te tome más tiempo para traer a la forma lo que originalmente pensaste. Recuerda, la magia (igual que la electricidad) viaja a través del sendero de menor resistencia. Si has querido algo por un largo tiempo, podría ser muchos bloqueos autoimpuestos a lo largo del camino, incluyendo la preocupación, la frustración, la duda, etc. Si puedes suspender tu negatividad, tienes una mayor oportunidad para lograr tus deseos.

Si sientes que has esperado el tiempo suficiente y no ha pasado nada, quita la magia de la primera rueda, luego haz una nueva rueda diseñada para tu única solicitud.

La rueda

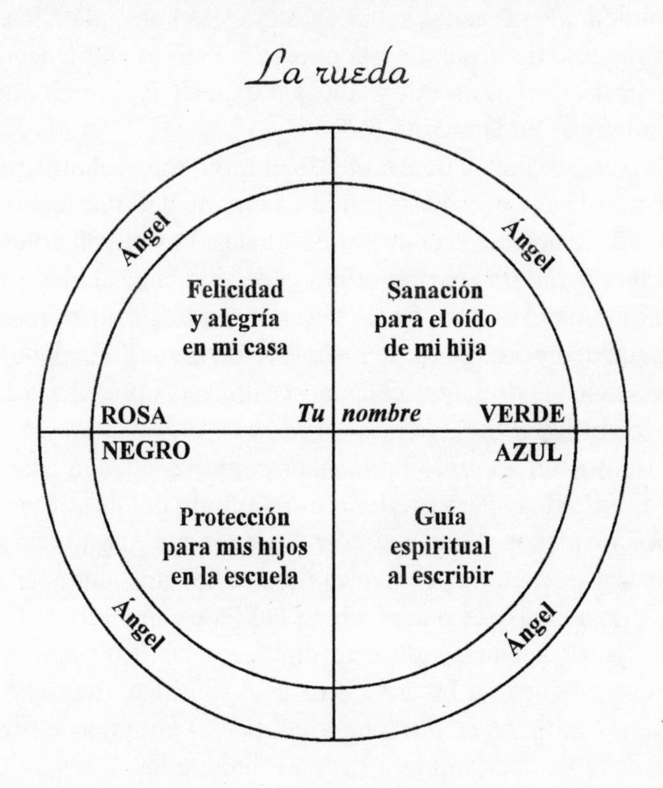

Ángeles para cada hora

Si conoces las horas planetarias, esta sección será pan comido para ti. Cada hora del día tiene asignado un ángel que puede asistirte en tus trabajos. Cuando empieza un proyecto, su hora de origen llevará las energías de esa hora durante todo el trabajo. También puedes juzgar un asunto por la hora en que primero se te notificó de ello.

Cada hora del día está regida por un planeta y por un ángel. Vamos a trabajar con las horas planetarias en el Capítulo 13. Aquí, voy a presentar a los ángeles que se asignan a cada hora. Lo único que necesitas saber para usar las horas angélicas es el momento de la salida y la puesta del sol (o atardecer) del día, horas locales en que planeas trabajar y la gráfica que te proporciono en la página 115.

En cuanto hayas determinado el momento del amanecer o el atardecer, necesitas dividir las horas del día, luego las horas de la noche, en doce partes iguales. Los incrementos no siempre serán de sesenta minutos de duración debido a los cambios de estación. En el verano, tendrás más horas del día que de noche. Durante los meses de invierno, aplicará lo opuesto. Cuando hayas calculado esto, estás preparado para ver la gráfica.

Usemos un ejemplo para saber cómo se pueden usar las horas angélicas para predecir el resultado de una situación o por lo menos para controlar las energías que te rodean. Mientras escribía este manuscrito, recibí una llamada por teléfono a las 10:28 p.m. Tiempo del Este el miércoles 15 de febrero. El amanecer de este día fue a las 7:00 a.m. y el atardecer ocurrió a las 5:42 p.m. Eso significa que hubo 10 horas 42 minutos de día o un total de 642 minutos de luz de día. Si la llamada hubiera llegado durante las horas de día, hubiera dividido 642 entre 12 para descubrir el tiempo de las horas planetarias de día.

Sin embargo, llegó durante las horas de la noche. El atardecer fue a las 5:42 p.m. y el amanecer del día siguiente (febrero 16) fue a las 6:59 a.m. Experimentamos una noche de 13 horas y 17 minutos de oscuridad o un total de 797 minutos. Divide esto entre 12 y encontramos que cada hora planetaria sería aproximadamente de 66.5 minutos de largo. Redondea esta figura a 67 minutos. Podemos volver a calcular más tarde si descubrimos que este incremento de los decimales (0.5) puede cambiar la hora planetaria.

Recuerda que mi llamada de teléfono llegó a las 10:38 p.m. La hora planetaria número uno empezó a las 5:42 y duró 67 minutos. La hora planetaria número dos empezó a las 6:49 p.m. La hora planetaria número tres empezó a las 7:56 p.m. La hora planetaria número cuatro empezó a las 9:03 p.m. La hora planetaria número cinco empezó a las 10:10 p.m. La hora planetaria número seis empezó a las 11:17 p.m. Como mi llamada entró a las 10:38 p.m., cae dentro de la hora planetaria cinco, así que esa es la que estudiaremos. No necesitamos preocuparnos por la diferencia de 0.5, ya que la suma de unos minutos no cambiará la hora planetaria en este día.

Al buscar al ángel en la gráfica de la hora angélica, encuentro que la quinta hora después del atardecer en miércoles está regida por el ángel Cassiel. ¿Qué sabemos de este ángel? Cassiel es el ángel de la soledad y las lágrimas. Él es uno de los regentes del planeta Saturno y ocasionalmente aparece como ángel de la paciencia. A Cassiel le encantan los dragones y su energía. Aunque todavía no hemos cubierto las influencias planetarias en conjunción con los ángeles (tendremos esto después), ¿te has figurado de que se trataba mi llamada telefónica?

En caso de que pienses que inventé este ejemplo, no lo hice. La llamada fue de una amiga mía que, en ese momento, tenía en su casa a una mujer muy turbada. La mujer había sido golpeada por su novio borracho. La llamada fue para que ayudara en esta situación. Las energías de Cassiel —las de soledad, lágrimas, un consejo sabio y paciencia— todas encajan en esta situación. Como vamos a descubrir más adelante, la hora planetaria de Saturno también es importante. Saturno es el planeta de los retos y las pruebas. Esta mujer va a tener que hacer un esfuerzo consciente para mejorar su situación y salir del rechazo (los golpes se han estado dando durante dos años). Ella debe darse cuenta que el golpeador no va a cambiar y ella tendrá que "hacerlo maquinalmente", significando que ella va a tener que buscar asistencia legal como una orden de aprehensión para terminar con la situación. Dada la hora planetaria/angélica, es obvio que va a necesitar apoyo y ayuda de sus amistades y de las autoridades mientras atraviesa por esta transición en su vida.

Regresando a las demás correspondencias de este capítulo, descubrimos que el día que recibí la llamada era miércoles, regido por Mercurio (llamadas por teléfono, cartas, todo tipo de comunicación) y el ángel de este día es Rafael (las energías de sanación). La señora estaba alargando su mano para pedir que la situación se sanara; sin embargo, la influencia de Saturno hizo que su jornada fuera mucho más difícil.

Para hacer esto más interesante, vamos a considerar que estas señoras hicieron una cita para verme el próximo viernes a las 7:00 p.m. La puesta del Sol fue ese día a las 5:46 p.m. La salida del Sol del día siguiente fue a las 6:55 a.m. El tiempo total de oscuridad sería de 13 horas y 11 minutos o 791 minutos. Dividido entre 12, cada hora planetaria para la noche sería de 65.9 minutos de duración —redondeado a 66 minutos. La hora uno empieza a las 5:46 p.m. La hora dos empieza a las 6:52. La hora tres empieza a las 7:58. Estaba programado que llegaran a las 7:00 p.m., lo cual nos pone en la hora dos y probablemente se quedarán hasta la hora tres.

Las energías angélicas prominentes durante esas dos horas fueron Miguel y Uriel. Revisa el Capítulo 2 para los detalles sobre estos dos ángeles y piensa qué tipo de energías estaban presentes.

¿Por qué querría saber esta información antes de que llegaran? Primero, me dice qué tan combativa será la víctima, significando si está preparada (o no) para escuchar los hechos duramente o si debo suavizar la discusión. También me dice qué energías angélicas alinear antes de que crucen la puerta. Las horas planetarias correspondientes son el Sol y Venus. Ella se abrirá conmigo y mi magia, pero la influencia de Venus hace que ella esté dispuesta a "darle otra oportunidad". Si puedo impresionarla primero con los hechos (a través de la energía del Sol) y luego entrar al campo del amor propio y la necesidad de crecimiento y de cambio porque ella es amada por sus amistades, el universo y ella misma, podemos hacerla muy bien, cambiando la programación mental de "víctima" a la de "victoriosa".

Regresando al capítulo, vemos que el ángel del viernes es Ariel/Uriel y su visita era durante esa hora —buena señal. Ella además estará abierta para hablarle a los ángeles, o la magia en general, para que le ayude a entrar a un equilibrio. El viernes es un día de Venus, así que sobre todo, el ambiente necesita ser de amor y cuidado. Los colores de la habitación deben ser tonos pastel, la música debe ser suave, etc. En una observación final, el hecho de que la mujer haya decidido que es tiempo de hacer su movimiento cae en el ciclo de la estación de preplantado y preparación (febrero), explicando que la situación puede llegar a equilibrarse en mayo o junio (el tiempo del siguiente ciclo de la estación). Por supuesto, esto era sólo una suposición por mi parte. Para examinar la situación con más cuidado, le pediría su fecha, hora y lugar de nacimiento y haría una carta natal, además de una progresión astrológica. Para ayudarla en su recuperación y su autoestima, le recomendaría la autohipnosis y le ofrecería trabajar con ella algunas sesiones para ayudarla a reparar el daño y a manejar la basura que necesitaba expulsar para llevarla a un estilo de vida más feliz.

Después de nuestra reunión, la mujer dejó al abusivo un mes. Ella estaba abierta a la ayuda mágica, pero no a las sesiones de análisis. Ella no enfrentó el reto o siguió adelante en su vida y regresó con él. Dos meses después, él le estrelló la cabeza en la pared. Él ahora está cumpliendo un tiempo en la cárcel por violación a la libertad y ella está intentando volver a rehacer su vida. Como lo indicaba la primera hora planetaria, esta situación provocó muchas lágrimas.

Ética y magia

Mucha gente mágica no quiere trabajar con la energía angélica porque siente que los ángeles son perfectos y quizás la magia que quieren hacer puede parecer "mucho menos perfecta". Si esto fuera así, los magos no hubieran trabajado con los ángeles a lo largo de los siglos.

Los ángeles nos entienden mejor de lo que nosotros nos entendemos. Están muy conscientes de nuestros temperamentos y brotes de emoción, pero se esfuerzan para trabajar con nosotros y para nosotros en todos los aspectos posibles en nuestra vida.

No importa qué clase de magia estés trabajando, siempre debes conservar la ética en el frente de toda aventura. Pregúntate repetidamente cosas como "¿Estoy haciendo lo correcto?" "¿Estoy trabajando para el mejoramiento de todo en esta situación?" Hasta haz preguntas de "¿Me sentiré mejor después de haber hecho esto?" o "¿Ha sido justa mi evaluación de la situación?".

Los ángeles te ayudarán cuando intentes contestar algunas de estas preguntas. Siempre recuerda mantener la mente abierta y trabajar "sin dañar a nadie".

Diagrama de horas angélicas

Día Hora	Domingo	Lunes	Martes	Miércoles	Jueves	Viernes	Sábado
1	Miguel	Gabriel	Camael	Rafael	Sachiel	Uriel	Cassiel
2	Uriel	Cassiel	Miguel	Gabriel	Camael	Rafael	Sachiel
3	Rafael	Sachiel	Uriel	Cassiel	Miguel	Gabriel	Camael
4	Gabriel	Camael	Rafael	Sachiel	Uriel	Cassiel	Miguel
5	Cassiel	Miguel	Gabriel	Camael	Rafael	Sachiel	Uriel
6	Sachiel	Uriel	Cassiel	Miguel	Gabriel	Camael	Rafael
7	Camael	Rafael	Sachiel	Uriel	Cassiel	Miguel	Gabriel
8	Miguel	Gabriel	Camael	Rafael	Sachiel	Uriel	Cassiel
9	Uriel	Cassiel	Miguel	Gabriel	Camael	Rafael	Sachiel
10	Rafael	Sachiel	Uriel	Cassiel	Miguel	Gabriel	Camael
11	Gabriel	Camael	Rafael	Sachiel	Uriel	Cassiel	Miguel
12	Cassiel	Miguel	Gabriel	Camael	Rafael	Sachiel	Uriel

Noche Hora	Domingo	Lunes	Martes	Miércoles	Jueves	Viernes	Sábado
1	Sachiel	Uriel	Cassiel	Miguel	Gabriel	Camael	Rafael
2	Camael	Rafael	Sachiel	Uriel	Cassiel	Miguel	Gabriel
3	Miguel	Gabriel	Camael	Rafael	Sachiel	Uriel	Cassiel
4	Uriel	Cassiel	Miguel	Gabriel	Camael	Rafael	Sachiel
5	Rafael	Sachiel	Uriel	Cassiel	Miguel	Gabriel	Camael
6	Gabriel	Camael	Rafael	Sachiel	Uriel	Cassiel	Miguel
7	Cassiel	Miguel	Gabriel	Camael	Rafael	Sachiel	Uriel
8	Sachiel	Uriel	Cassiel	Miguel	Gabriel	Camael	Rafael
9	Camael	Rafael	Sachiel	Uriel	Cassiel	Miguel	Gabriel
10	Miguel	Gabriel	Camael	Rafael	Sachiel	Uriel	Cassiel
11	Uriel	Cassiel	Miguel	Gabriel	Camael	Rafael	Sachiel
12	Rafael	Sachiel	Uriel	Cassiel	Miguel	Gabriel	Camael

5

Los ángeles y la meditación

La meditación empieza con la relajación del cuerpo y la mente. Es así de simple. La meditación calma los nervios, elimina el estrés y sube el ánimo. Se necesita práctica. No considero que sea un "trabajo difícil", aunque pide algo precioso —tu tiempo.

Una vez que entras a un patrón de meditación, ya sea que lo programes antes de ir a dormir o cuando te levantes en la mañana, será tan natural como la respiración. Aunque no seas bueno para los patrones cotidianos y no puedas apegarte a un itinerario aunque tu vida dependa de ello, la meditación puede seguir siendo una opción. Si realmente quieres hacerlo, vas a encontrar el tiempo y el lugar.

Meditación angélica básica

Encuentra una habitación tranquila en tu casa o, si el clima es agradable, sal a sentarte cerca de un árbol o en tu patio. Escoge un momento en que todo a tu alrededor esté tranquilo. No quieres tener interrupciones mientras estés meditando. Aprende a cambiar el momento para que sea más conveniente para ti. Por ejemplo, los días de escuela, hago mi meditación en la mañana. Cuando tienen día libre los niños o durante el verano, medito por la noche, después de que se van a dormir.

Toma tres respiraciones profundas, relajando todo tu cuerpo con cada respiración. Encuentra tu centro (cerca de tu ombligo) y sigue relajándote. Imagina que tu cuerpo está conectado firmemente a la tierra —eres uno con el universo.

Toma otra respiración profunda y visualiza un ángel frente a ti. Este ángel tocará la parte superior de tu cabeza, enviando una energía relajante de sanación que baja a través de ti. Siente la energía desplazándose por tu cuerpo, sacando cualquier negatividad que esté atorada y se niegue a moverse. Muchas veces hago que mis pacientes de hipnoterapia visualicen esto como "una cosa negra asquerosa" saliendo por debajo de sus pies y hundiéndose en la tierra, donde es transmutada en energía positiva.

Ahora mucha gente menciona varias partes de su cuerpo para relajarse. Por ejemplo, "bajando de la parte superior de mi cabeza, relajando los músculos alrededor de mis ojos, mi nariz y mi boca. Bajando a través de mi cuello, mis hombros, los brazos y los antebrazos. Bajando por mi pecho, por mi espalda, dentro de los músculos de mi estómago, a través de mis caderas", etc.

Ahora visualiza otro ángel frente a ti. Éste trae pureza y alineación a tu cuerpo. Sigue el mismo procedimiento que antes, observando y sintiendo la energía que se desplaza de la parte superior de tu cabeza hacia abajo por tu cuerpo y saliendo por debajo de tus pies. Este ángel atrae el amor universal. Mucha gente siente un cosquilleo o tiene la sensación de flotar en este punto. Esto es normal.

El tercer ángel es responsable de ayudarte a alinear tus centros de los chakras (los siete vórtices de energía de tu cuerpo). Chakra significa "rueda" en sánscrito; muchas personas ven los chakras como discos giratorios o espirales de energía. También vamos a abrir un nuevo chakra, enlazado muchas veces con los asuntos angélicos y la conciencia cósmica, llamado el chakra del timo.[1] Para que no pienses que soy tan valiente de crear un nuevo chakra, olvídalo. No soy tan audaz. He descubierto que este chakra es muy útil cuando se trabaja con pacientes de cáncer.

Cuando el ángel te toca, cada vórtice se desplegará como un par de alas y vibrará con su color apropiado. Primero, abre el chakra de la corona (localizado en la parte superior de tu cabeza) y visualiza un par de alas blancas desplegándose y abriéndose, luego abre cada chakra con las alas del color como se enumera a continuación:

---

[1] El chakra del timo genera paz y amor. Está conectado con la glándula del timo, una parte importante del sistema inmunológico. Al despertar este chakra estimularás tu sistema inmunológico y ayuda para tratar el cáncer, el SIDA, la apoplejía y otros trastornos (*Ask Your Angels* por Daniel, Willie y Ramer, página 115).

Segundo chakra: En medio de la frente — violeta
Tercer chakra: Garganta — azul
Cuarto chakra: Timo (entre la garganta y el corazón) — rosa o aguamarina
Quinto chakra: Corazón — verde
Sexto chakra: Area del ombligo — amarillo
Séptimo chakra: Estómago — naranja
Octavo chakra: Ingles — rojo

Visualiza que el último ángel viene hacia ti. Cuando te toca este ángel, una burbuja de pura luz blanca rodeará tu cuerpo. Relájate y déjate llevar a la sensación de sentirte a salvo y seguro.

Cierra los centros de los chakras, empezando por las ingles y trabajando hacia arriba a la coronilla. Toma tres respiraciones profundas y arráigate y céntrate otra vez. Luego abre los ojos.

Es común que sientas como si te hubieras dormido, ya que entrarás al estado de actividad de ondas cerebrales alfa y con más práctica al estado theta. Casi siempre la iluminación espiritual sucede en el estado theta, donde las ondas cerebrales son muy lentas. Theta está cerca del estado delta del sueño.

Sigue la trayectoria del progreso de tu meditación en tu diario angélico. Después de un tiempo, puedes empezar a escuchar voces en tu cabeza durante este proceso inicial de meditación. Si las voces son suaves y de carácter positivo, puedes experimentar tus primeros mensajes de los ángeles.

Consejos de meditación

Recibo cientos de cartas de personas que tienen preguntas sobre el proceso de meditación. Aquí doy algunos consejos útiles.

En meditación, la práctica hace la perfección. Entre más practiques, mejor serás. De preferencia, todos deben meditar todos los días, ya sea que practiquen la magia o no. La meditación es saludable para tu espíritu, tu mente y tu cuerpo, tanto para adultos como para niños. Entrena a tus hijos desde muy chicos y su vida será más armoniosa y pacífica. Al enseñarles a meditar, les estás dando un regalo muy valioso — una herramienta para combatir las tensiones de la vida.

¿Si tu mente vaga, estás fastidiando la meditación? No. Sólo déjate ir. Con el tiempo podrás concentrarte períodos de tiempo más largos. Sigue practicando y no te preocupes si no puedes visualizar objetos o escenas durante mucho tiempo. No te aterres si te duermes. Recuerda, tu mente sigue las rutinas que le estableciste. Cuando cierras tus ojos y te mantienes quieto, tu cuerpo piensa que es hora de dormir. Te toma tiempo establecer un nuevo patrón. Con el tiempo, dejarás de dormirte. Si te duermes mientras estás en un patrón de meditación, eso significa que necesitas el descanso.

Si estás teniendo problemas para aprender a meditar, simplemente siéntate de quince a treinta minutos en una habitación en penumbra. No apagues las luces por completo, porque esta es una señal para dormir. Respira profundamente, pero no forzado. Intenta escuchar música suave que disfrutes. Rodéate con los colores verde o azul. Si éstos te molestan, intenta con colores neutros como beige, gris o blanco. Ten pensamientos amables y agradables. Imagina que flotas con la música. Después de unos días o semanas de practicar con este patrón, estarás listo para hacer secuencias de meditación más completas.

Practica mirar fijamente la flama de una vela o un objeto pequeño, como una pieza de cristal de plomo, suspendida del techo. No intentes mirarla con gran concentración. Obsérvala tranquilamente hasta que sientas que tus párpados se vuelven pesados naturalmente. No luches con el deseo de cerrar tus ojos. Deja que tus párpados se cierren lenta y serenamente.

Practica el uso de afirmaciones positivas diariamente, "Yo soy feliz y sano." "Estoy lleno de amor y paz." Asegúrate que dices tus afirmaciones positivamente. No uses palabras como "no," "no puedo," "no quiero," "no debo," "no podré," etc.

Intenta usar cintas de hipnosis pregrabadas. Elige cintas que atraigan tu nivel intelectual.

¿Qué son esas voces en mi cabeza?

No, no te estás volviendo loco. Mucha gente escucha o siente, esa "voz de sabiduría" cuando empieza a trabajar con la energía angélica. Al principio, puede ser una idea de lo que necesitas hacer, o algunas palabras, o una sensación de saber. Entre más trabajas con ángeles, te vuelves más abierto. Te encontrarás sintonizado con su consejo y su sabiduría.

Cuando empecé a escribir este libro, dije: "¿Cuál es el ángel que me va a ayudar con este proyecto?". Me relajé, pensando que probablemente podría escuchar algo en mi cabeza, pero nada. En cambio, miré mi escritorio. Alguien había dejado un billete de un dólar junto a mi computadora. En grandes letras mayúsculas, escrito justamente en el billete, estaba el nombre de Murphy. Vi ese dólar varias veces, queriendo ponerlo en mi bolsa, pero nunca había visto la palabra escrita a través antes.

Al principio, pensé, "algún estúpido escribió en ese billete". Lógicamente, esa es la respuesta correcta. También pensé que Murphy era un nombre bobo. No era bastante elaborado para un ángel, creo. Sin embargo, también sé que a los ángeles les gusta divertirse y jugar. Sin duda sería conveniente para mí tener de pareja a un ángel que se llamaba Murphy. En el mundo de una persona mágica, no existen las coincidencias; Murphy lo sería.

Al principio, sólo llamaba a Murphy cuando me atoraba. Después, encendería una vela cada mañana y le pediría a Murphy que me ayudara mientras escribía. A veces me llegaban destellos creativos cuando me atoraba en una idea. Durante la investigación, Murphy siempre me ayudó a encontrar un poco de información o una pieza de trivialidades que necesitaba. Nunca me decepcionó. No sé si Murphy y yo estaremos juntos para otro libro o si encontraré un "nuevo" ángel para el siguiente manuscrito, pero agradezco la asistencia y la energía que Murphy dirigió hacia mí.

Permítete estar abierto para escuchar la sabiduría y la guía de los ángeles. Escribe esos amables pensamientos en tu diario angélico, si puedes.

Conociendo a los Arcángeles en meditación

En el Capítulo 2, conociste a cuatro de los Arcángeles —Miguel, Gabriel, Rafael y Ariel/Uriel. Escoge qué ángel te gustaría conocer primero. Escogí a Rafael, el ángel de la sanación. Quizás quieras encender una vela del color que le corresponde a Rafael, que sería turquesa, azul pálido, rosa, etc. También podría ser buen idea escuchar un poco de música suave. Sigue la meditación básica del ángel que se dio previamente, pero en vez de cerrar los centros de los chakras y salir, permanece en tu estado alterado y pide en tu mente conocer al ángel Rafael. Es posible que hables con el ángel, escuches palabras de sabiduría, o simplemente te sientas cálido y cómodo en general. Puedes conocer a Rafael en un templo, en un bosque, junto a una fuente o en cualquier parte. Sólo deja que lleguen las visualizaciones. Cuando hayas terminado, cierra los centros de los chakras y termina igual que antes, recordando arraigarte y centrarte. No dejes de anotar tus experiencias en tu diario angélico. Conoce a los cuatro Arcángeles mencionados en el Capítulo 2 en las secuencias de meditación, registrando tus experiencias cada vez. Una vez que hayas encontrado a estos cuatro, estás listo para experimentar unas energías nuevas.

El Clan de los Siete Arcángeles

Este es el momento para que conozcas al resto del grupo. Aquí es donde las religiones Occidentales entran en un debate. ¿Quiénes son los otros tres ángeles en el Clan de los Siete?

No estoy a punto de decirte quién está realmente en el Clan de los Siete (a veces llamados los Siete Magníficos). Los Babilonios consideraban a los siete planetas como deidades y estas energías parecen ser el prototipo para el Clan de los siete. Sin embargo, me parece como si la divinidad nos diera las cuatro energías básicas del universo, que reconocemos como Miguel, Gabriel, Rafael y Uriel/Ariel. Cada persona es diferente y puede elegir las energías con las que quiere trabajar.

Gnósticos Cristianos	**Testamento de Salomón**	**Mitología Persa**
1. Miguel	1. Mikael	1. Justicia o Verdad
2. Gabriel	2. Gabriel	2. Orden Correcto
3. Rafael	3. Uriel	3. Obediencia
4. Uriel	4. Sabrael	4. Prosperidad
5. Barachiel	5. Arael	5. Piedad o Sabiduría
6. Sealtiel	6. Iaoth	6. Salud
7. Jehudiel	7. Adonael	7. Inmortalidad

Talismán Mágico	Tradición Musulmana	Cábala Judía
1. Zaphkiel	1. Gabriel	1. Methratton (Metatron)
2. Zadkiel	2. Miguel	2. Ratziel
3. Camael	3. Azrael	3. Tzadqiel
4. Rafael	4. Israfel	4. Khamael
5. Haniel		5. Mikhale
6. Michael		6. Haniel
7. Gabriel		7. Rafael
		8. Gabriel
		9. Methrattin

Los Príncipes Regentes de los Arcángeles de las Órdenes Celestiales	Libro de Tolbit	Enoch 1 (Enoch Etíope)
1. Metatron	1. Uriel	1. Uriel
2. Rafael	2. Rafael	2. Rafael
3. Miguel	3. Raguel	3. Raguel (Ruhiel, Ruahel)
4. Gabriel	4. Miguel	4. Miguel
5. Barbiel	5. Sariel (Seraqel)	5. Zerachiel (Araqael)
6. Jehudiel	6. Gabriel	6. Gabriel
7. Barachiel	7. Remiel (Jeremiel)	7. Remiel
8. Satán (antes de su caída)		

La Cábala no Revelada: Los Diez Sephiroth

1. Metatron: Kether (Corona)
2. Ratziel: Chokmah (Sabiduría)
3. Tzaphqiel: Binah (Entendimiento)
4. Tzadqiel: Chesed (Misericordia)
5. Khamael: Geburah (Fuerza)
6. Mikhael: Tiphereth (Belleza)
7. Haniel: Netzach (Victoria)
8. Rafael: Hod (Esplendor)
9. Gabriel: Yesod (Fundamento)
10. Metatron/Shekinah: Malkuth (Reino)

Vamos a conocer algunos de los ángeles prominentes. Recuerda, si no quieres llamar a una energía angélica por un nombre, puedes llamar mejor a la esencia de la energía.

Metatron (aspecto masculino); Shekinah (aspecto femenino)

(También Metratton, Mittron, Metaraon, Merraton.) En los escritos no bíblicos, Metatron es un super ángel. Sus nombres incluyen al rey de los ángeles, el príncipe del divino rostro, el ángel de las escrituras y muchos más. Él enlaza lo humano con lo divino. El significado de este nombre es en sí un misterio. Algunos piensan que el nombre viene del Latín *metator* ("guiar o medir"); otros piensan que solamente es una invención Judía.

Cuando se invoca, Metatron aparece como un pilar de fuego, tan deslumbrante como el Sol. En algunas fuentes se considera que es más poderoso que Miguel. Una gran tradición rodea a Metatron, incluyendo que puede ser un mortal (llamado Enoch) convertido en ángel que ahora funciona como el escriba celestial oficial, que guarda todos los secretos escritos y sigue la trayectoria de lo que están haciendo los humanos. Considéralo como el creador y el guardián de los registros Akásicos.

En la *Llave de Salomón*, por S. Liddell MacGregor Mathers (Weiser, Inc.), el Primer Pentáculo del Sol — "El Semblante del Shaddai el Todopoderoso, a Cuyo aspecto obedecen todas las criaturas y los Espíritus Angélicos reverencían arrodillados..." —es la representación de Metatron. Alrededor del disco está escrito: "Contempla Su Rostro y forma de La que todas las cosas se hicieron y a Quien obedecen todas las criaturas".

Aunque está apoyado con entusiasmo por los rabinos y los practicantes místicos ocultistas, Metatron es una espina del lado de los Cristianos. Metatron es el escritor de la verdad y da inspiración y conocimiento a aquellos humanos que se parecían mucho a él antes de su ascensión. Los Cristianos tienen un problema con los humanos que se convierten en ángeles y siguen refiriéndose a Enoch como Enoch —no hay un título angélico para él (Metatron). Aún peor, ellos asocian a Metatron con Satán, insinuando que Metatron es un malvado sediento de sangre que disfruta destruyendo lentamente a la gente desobediente. Gulp. Está de más decir que las discusiones entre los sacerdotes y los rabinos pasan silbando de un lado al otro como un juego de tenis difícil.

En otra tradición, el profeta Elijah se transformó en el hermano gemelo de Metatron, llamado Sandalphon. Su deber era reunir las oraciones de todos los creyentes (muy parecido a los Serafines del sistema de Nueve Coros). De esta fina red de energía él teje una guirnalda o un tapiz púrpura y rojo.

Sin embargo, lo más interesante de Metatron es la asociación con el Shekinah, la versión Hebrea del Sakti Hindú, que es el lado femenino de Dios en lo humano. La creación del mundo es tarea de Shekinah (según el Zohar). El propósito de la vida, entonces, es unir las dos mitades, masculina y femenina, para crear un universo balanceado. ¡Ah! ¡Un principio Pagano!

Shekinah se conoce como "gloria que emana de la divinidad" y representa la liberación. Muchos la ven como "el espíritu santo". Esto me entusiasma, ya que practico el arte mágico de la Asamblea India Norteamericana y no me acomoda usar la versión Cristianizada de este arte que no indica la deidad divina femenina. La asociación femenina del Espíritu Santo ayuda a equilibrar la sanación. En la tradición Judía, el Shekinah representa lo que está entre el creador y lo humano. En el Sabbath ella cubre su velo de divinidad sobre el conjunto de creyentes. Al final del día ella regresa a su lugar con/de la divinidad.

En un relato, cuando Adán y Eva perdieron la concesión del Jardín del Edén, el Shekinah permaneció. Para mí, esto indica que los humanos se dirigen a las ideas patriarcales y abandonan las energías de la Diosa. Otra tradición indica que ella selló su destino con Adán y Eva y abandonó con ellos el Jardín del Edén. El propósito del universo es reunir a Metatron (el Creador) y Shekinah (la Creadora). En Metatron y Shekinah vemos el concepto Pagano del Dios y la Diosa. Este podría ser el motivo por el que los Cristianos desdeñan a Metatron y Shekinah, ya que la mujer divina fue enterrada bajo los pies patriarcales. Se rumora que una de las tareas principales del Clan de los Siete es reintegrar las energías Shekinah a la humanidad, para que todo pueda estar en equilibrio y armonía.

En el Ritual Menor de Destierro que se dio previamente, notarás que incluyo la línea: "Shekinah desciende sobre mí ahora". Esto inserta el misterio femenino en una oración que de lo contrario tiene una tendencia masculina, trayendo el equilibrio. Me doy cuenta que algunos de ustedes que son más del tipo erudito tendrán un paro cardiaco repentino por esta adición; sin embargo, a mí me funciona.

Raziel

(También Ratziel, Akrasiel, Gallizur, Saraqael o Suriel.) El ángel de los misterios. En la tradición rabínica, Raziel escribió el Libro del Ángel Raziel, donde aparece todo el conocimiento celestial y terrenal para la lectura de la raza humana. El autor humano se mantiene desconocido; sin embargo, la leyenda dice que el texto fue modificado por Adán, Enoch, Noé y luego Salomón. Básicamente estamos hablando de un *grimoire*[2] —el megalibro de la magia.

Raziel busca y sabe todo, una especie de fisgón con compasión. Él me recuerda a un buen conserje de un hotel. Cuando

---

[2] Palabra francesa para designar un libro mágico.

se le invoca, aparece como una llama blanca brillante. Él domina a Hyyoth, mejor conocido como las cuatro bestias celestiales asociadas con la Shekinah femenina. Su tarea se centra en el sustento del universo y opera como los ángeles de fuego.

Remiel

(También Jeremiel). Él es el ángel de la "verdadera visión" permitiendo a quienes lo invocan descubrir la verdad —por supuesto, esto podrá ser a cualquier precio. Su animal tótem es el águila. Remiel y Uriel tienen atributos similares y parece que son el mismo en la leyenda. Este ángel particular también está a cargo del proceso de integración del alma a un nuevo cuerpo humano, si uno cree en la reencarnación.

Ojos angélicos

Una de las mejores maneras para trabajar con los ángeles es a través del uso de los "ojos angélicos" en meditación. Después de que hayas aprendido la técnica, estarás usándola en otros lugares. Los ojos angélicos te permiten verte a ti mismo de una manera diferente, o ver cómo afectan tus decisiones a otros o cómo concuerdas en alguna situación.

La meditación de ojos angélicos también puede ayudar a sintonizar tus energías psíquicas para mejorar la clarividencia, psicometría, sanación o trabajos de adivinación. Una vez que hayas aprendido y practicado la meditación, puedes entrar de inmediato en ese estado antes de trabajar.

Sigue la meditación angélica básica de la página 118, pero no cierres los chakras. Concéntrate en la alineación de tu esencia con la energía angélica. Puedes sentir una sensación acelerada, calor, hormigueo, etc. A cada uno le llega de diferente manera. Unas personas se sienten rodeadas por una sensación de asombro o de amor.

Piensa en tu pregunta, o la situación que necesitas aclarar. Puedes elegir algún tópico —tu carrera, un asunto de familia, la salud de un ser querido, mejorar tu imagen personal, etc. No intentes pensar con lógica. Simplemente relájate y deja que flote en tu mente.

En tu mente di lo siguiente:

Pido la ayuda de las energías angélicas en (menciona la situación).

Relájate. Puedes ver la respuesta de inmediato en tu mente o quizás te llegará un sentimiento de percepción, un destello de "conocimiento" o puede ser que no veas absolutamente nada. Sólo déjate flotar y no forces el asunto. A veces, las respuestas llegan después de que la meditación terminó.

Agradécele a los ángeles y cierra tu meditación de la manera acostumbrada. No olvides arraigarte y centrarte. Asegúrate de que registres tus experiencias en tu diario angélico.

¿Me escuchas?

Ya sea que estés sentado meditando o parado en medio de una calle concurrida, los ángeles siempre te escuchan cuando les hablas. Ellos viven con una regla básica en su interacción con los humanos —no pueden ayudarte a menos que les pidas su ayuda. El regalo de nuestro nivel de existencia es el libre albedrío. Aunque muchas veces asumimos la responsabilidad de interferir en las elecciones de nuestros semejantes (e ignoramos que está mal hacerlo), los ángeles no pueden, y no podrán, involucrarse en nuestra vida a menos que explícitamente les pidamos que lo hagan.

Aunque cada uno encarnamos en este plano para trabajar en ciertas áreas de nuestro ser, todos tenemos derecho al amor y a la armonía —estos son dones de la divinidad para todas las criaturas, los seres y los espíritus. Una vez que sepamos traer esta armonía a nuestra vida, los cambios se manifiestan casi de inmediato. Puede empezar con cosas leves y trabajar hacia fuera, como una flor en botón que se va abriendo por completo, o puede manifestarse con gran impacto desde el principio, como un petardo y seguir iluminando nuestro camino hasta que nuestra misión en esta vida se haya terminado.

Cualquier momento es bueno para hablarle a los seres angélicos. No tienes que estar en problemas para buscar su sabiduría; sin embargo, si las cosas no están estables, ellos están deseosos por ayudarte. Por ejemplo, el problema puede ser algo leve. Una cálida tarde de febrero salí con una amiga mía. Ella olvidó cargar gasolina en su coche. Cuando la aguja se deslizó por debajo de "V" ella se dio cuenta de su error. Mientras buscábamos una gasolinera, llamé a los ángeles en mi cabeza y les pedí que nos ayudaran a llegar a la gasolinera. Aunque nos encontrábamos atravesando un tráfico espantoso, finalmente nos deslizamos en una gasolinera. Una pequeña burbuja en la existencia del universo, pero era importante para nosotros. Los ángeles siempre escuchan.

Ángeles, meditación y poesía

Una manera interesante para encontrar ángeles en la meditación es leyendo un poema que te guste mucho, luego medita en la ambientación y la energía del poema. La poesía no tiene que ser de naturaleza angélica para que te ayude a encontrar a tus ángeles. Un poema excelente para empezar son las primeras líneas del "Kubla Khan" por Samuel Taylor Coleridge.

No dejes de seguir la trayectoria de tus meditaciones en tu diario angélico. Si usas la poesía, por lo menos anota el título, si no es que todo el poema. Quizás desees consultar después el poema.

Meditación de alineación angélica

Para esta meditación vas a necesitar un amigo que la dirija o grábala en una cinta. Te sugiero que la grabes varias veces hasta que captes la sensación de este tipo de meditación y te sientas bien escuchando tu voz. La meditación de la alineación angélica está diseñada específicamente para la gente mágica y aquellas personas que quieren cambiar su vida y su trabajo de magia con los ángeles. Cuando te prepares para la meditación, elige un lugar y un tiempo en que no te vayan a molestar. Puedes poner un poco de música suave de fondo si quieres. Yo no sé a ti, pero a mí me da frío durante la meditación, así que uso una manta para cubrir mis brazos, mi pecho y mis hombros. Quizás también quieras usar una.

Para que no pienses que inventé este procedimiento de alineación yo sola, déjame decirte que no lo hice. Me llegó la idea de un libro titulado *Commune with the Angels* por Jane M. Howard. Ella habla sobre la sintonización angélica en intercesión. Como la gente mágica aprende a alinearse con todo tipo de energías divinas, sólo di el salto en la sesión que sigue. El patrón de lenguaje en cualquier sesión de hipnosis debe ser modulado. La gramática en una sesión de hipnoterapia es un poco extraña, así que sugiero que practiques antes de hacer la grabación. Si un amigo te va a ayudar con esto, por favor dile que lea el texto varias veces y practique un poco antes de que empiecen.

Relajación

Primero me gustaría que tomaras tres respiraciones profundas de limpieza con los ojos abiertos. Luego quiero que te estires. Así es. Estira cada músculo. Ahora, cierra tus ojos y mientras los cierras, siente que empiezas a relajarte. Toma una respiración profunda y relájate. Y otra. Sólo siente cómo sale la tensión de tu cuerpo. Toma otra respiración profunda. Bien. Eso está muy bien. Te estás relajando más y más, relajando cada músculo de tu cuerpo desde la parte superior de tu cabeza hasta las puntas de tus dedos de los pies. Sólo relájate y empieza a notar qué cómodo te estás sintiendo. Te encuentras en una posición cómoda, así que simplemente relájate y disfruta esta sensación. Inhala y exhala y mientras exhalas libera cualquier tensión y cualquier estrés, sacándolo de tu cuerpo, tu mente y tus pensamientos; sólo suéltalo y relájate. Siente que esos pensamientos estresantes empiezan a disminuir más y más y más. Y a medida que te relajas vas tomando conciencia del Dios y la Diosa y estás consciente que el Dios y la Diosa enviaron a tu ángel guardián hacia ti. Siente la luz y la sanación de tu ángel guardián por todo tu alrededor. Relájate y suelta. Suelta y siente la sanación universal a tu alrededor. Observa qué cómodo se está empezando a sentir tu cuerpo.

Los ángeles sólo te van a ayudar si se los pides, así que en este momento, en tu mente, me gustaría que le pidieras su ayuda a los ángeles mientras experimentas la alineación angélica. Haz esto ahora. *(Espera quince segundos)*. Y ahora quisiera que expandieras tu mente y le pidieras a tu ángel guardián que esté contigo durante esta alineación angélica. Haz esto ahora. *(Espera quince segundos)*.

Toma una respiración profunda ahora. Suéltala. Y otra; suéltala. Relájate. Sólo escuchas el sonido de mi voz, ningún otro sonido alrededor te va a molestar. Sólo vas a escuchar el sonido de mi voz. Todos los demás *sonidos* serán lejanos. Inhala y deja que salga. Y otra vez. Una vez más ahora, dentro y fuera. Una respiración uniforme, relajante. Quisiera que imagines al ángel Rafael flotando sobre tu cabeza y que toca la parte superior de tu cabeza y envía energía de sanación hacia abajo por tu cuerpo. Rafael es el ángel de la sanación. Esta energía va a sacar de tu cuerpo toda la negatividad, la frustración, el temor y la preocupación. Empújala hacia abajo lentamente, abajo, abajo, pasando por tus ojos, relajando los músculos alrededor de tus ojos, tu nariz, baja pasando por tu boca, relajando tus mandíbulas y tu cuello. Y esta energía desplaza hacia abajo la infelicidad, el estrés y la negatividad y la saca de tu cuerpo. Baja por tus hombros, tus brazos, tus antebrazos, sale a través de tus manos, entra a tus dedos y sale de tu cuerpo por las puntas de tus dedos. La energía se desplaza hacia abajo por tu pecho, tu estómago, empujando toda la negatividad, el temor y la frustración fuera de tu cuerpo. Baja, baja, baja a través de tu pelvis, tus caderas, tus muslos, tus rodillas, tus pantorrillas, dentro de tus pies y sale por los dedos de tus pies. Todos los sentimientos indeseables están vaciándose de tu cuerpo.

Y ahora el ángel Miguel flota encima de ti. Visualiza su fuerza y su pureza revoloteando arriba de tu cabeza. El ángel Miguel va a tocar la parte superior de tu cabeza y cuando lo haga, enviará la fuerza del amor hacia abajo a través de tu cuerpo, infundiéndote con honor y dignidad, alejando cualquier bloqueo que estés experimentando. Ahora él toca la parte superior de tu cabeza. Siente su cálida energía propagándose hacia abajo a través de tu cuerpo, baja pasando por tu frente, tus ojos, baja y pasa tu nariz y tu boca, relajando tu mandíbula. Te sientes seguro y protegido, suelto y liberado, escuchando sólo el sonido de mi voz. Estás hundiéndote más profundamente en un estado de relajación. Esta energía te hace sentir muy cómodo mientras baja por tu cuello, tus hombros, tus brazos y tus antebrazos, dentro de tus manos y fuera por las puntas de tus dedos. Protegido y seguro, suelto y liberado. La energía baja por tu pecho, en tu espalda; siente la energía relajante bajando por tu espalda, en tus caderas, tu pelvis, en tus muslos, tus rodillas, suelto y liberado, en tus pantorrillas, protegido y seguro, baja a tus pies y sale por tus dedos.

Te sientes pesado, flotando; estás flotando en amor, paz y armonía angélicas. Y ahora el ángel Gabriel revolotea arriba de ti. Ella es el ángel del renacimiento y la transformación y cuando ella toca la parte superior de tu cabeza va a enviar una energía especial dentro de tu cuerpo —la energía del cambio. Ella va a tocarte y a darte el don de la felicidad y el equilibrio en tu vida. Ahora ella te toca; siente su suave energía que baja pasando por tu frente, pasando por tus ojos, nariz y boca. Escuchando sólo el sonido de mi voz. Esta agradable energía entra a tu cuello, pasa por tus hombros, entra a tus brazos, tus antebrazos, dentro de tus manos y sale por tus dedos. Protegido y seguro, suelto y liberado. Siente la energía de Gabriel fluyendo hacia abajo a través de tu pecho, bajando por tu espalda; una relajación tranquilizante baja por tus caderas, tu pelvis, baja dentro de tus rodillas, regenerando tu esencia, trayendo la armonía a tu vida y tu cuerpo, bajando por tus pantorrillas, baja, baja dentro de tus pies y de tus dedos.

Y ahora el ángel Uriel revolotea arriba de ti, esperando infundir en ti la sabiduría de la magia y la profecía. El ángel Uriel te concederá los ojos del espíritu, esos ojos angélicos te ayudarán en tu vida diaria. Ahora el ángel Uriel toca la parte superior de tu cabeza, enviando este don a cada molécula de tu cuerpo, cada parte de tu mente. Estás protegido y seguro. Baja, baja, esta energía viaja hasta el mismo centro de tu ser. Baja pasando por tu frente, tus ojos, dándote el don de la segunda visión, pasa por tu nariz, pasa por tu boca, dándote el don de la profecía, fusionándose en tu mente, infundiéndote la sabiduría de los ancianos, pasa por tu cuello y entra a tus hombros. Suelto y liberado. Protegido y seguro. Acepta estos dones que se te están otorgando. Baja en tus brazos, antebrazos y dentro de tus dedos. Baja a través de tu pecho, dándote compasión y una amorosa sanación, baja por tu espalda, baja, baja en tu pelvis, tus caderas, suelto y liberado, protegido y seguro, baja por tus muslos, tus rodillas, tus pantorrillas, baja en tus pies y en tus dedos.

Flotando; estás flotando en un vórtice de energía angélica. Siente la paz y la armonía del universo a tu alrededor. Y ahora tu ángel guardián te va a ayudar a alinear tu cuerpo espiritual, mental y físico. El ángel primero toca tu cuerpo físico. Siéntelo hormigueando, aumentando su calor y está en armonía con el universo. Y ahora tu ángel guardián toca tu cuerpo mental, alineándolo con tu cuerpo físico. Y ahora tu ángel guardián toca tu cuerpo espiritual. Es como una seda costosa, crujiendo sobre tus cuerpos mental y espiritual, llegando a una alineación con ambos, en armonía con el universo.

Limpieza de chakras

Y ahora quisiera que visualizaras una pequeña nube roja. Vas a inhalar y tu inhalación va a atraer hacia ti la nube roja. Y mientras exhalas, irás más profundamente, a un estado mental más profundo. Tu respiración alejará la nube roja. Vamos a atravesar el sistema de chakras con nubes de colores. Las inhalarás hacia ti, luego las alejarás. Hazlo a tu propio ritmo, no importa dónde nos encontremos en la secuencia. No vas a olvidar ninguno de los colores. Ahora inhala, atrayendo hacia ti la nube, más cerca, más cerca y exhala, alejando la nube roja. Y entras más profundo, más profundo, dentro de un estado mental más profundo.

Y ahora visualiza una nube naranja. Inhala la nube naranja, atrayéndola hacia ti, cerca, más cerca y exhala, alejando la nube naranja. Bien. Observa cómo se va. Y entrarás dos veces más profundamente que antes.

Y ahora inhala una nube amarilla. Inhálala, atrayendo la nube amarilla hacia ti, obsérvala acercándose, más cerca y ahora aléjala. Así es, obsérvala cómo se aleja. Sólo relájate y suéltala y vas a entrar tres veces más profundamente que antes, y ahora vas a entrar más y más profundamente.

Y ahora inhala la nube verde, atrayendo la nube verde hacia ti, más cerca, más cerca y exhala, alejando la nube verde. Obsérvala viajando suavemente alejándose de ti. Y ahora vas a entrar tres veces más profundamente que antes, relajándote.

Y ahora inhala una nube rosa, atrayendo la nube rosa hacia ti; así es, observa cómo se acerca hacia ti y exhala la nube rosa, alejándola de ti, entrando tres veces más profundamente que antes, más profundo, más profundo. Sintiéndote a salvo y seguro, suelto y liberado.

Y ahora inhala una nube azul, atrayendo la nube azul hacia ti, más cerca, más cerca y exhala la nube azul alejándola de ti, yendo tres veces más profundamente que antes. Relájate y suelta. Así es. Muy bien.

Y ahora inhala una nube violeta, atrayendo la nube violeta hacia ti, más cerca, más cerca y ahora aléjala; entrarás cinco veces más profundamente que antes, sintiéndote protegido y seguro, suelto y liberado.

Y ahora inhala una nube dorada, atrayendo la nube dorada hacia ti, más cerca, más cerca y ahora aléjala; entrarás cinco veces más profundamente que antes, sintiéndote protegido y seguro, suelto y liberado.

Profundizando

Y ahora una nube blanca se te acerca y en esta nube blanca está tu ángel guardián. Ahora estás listo, dice tu ángel guardián y el ángel toma tu mano y tú, mentalmente, das un paso en la nube y está flotando, flotando. Flotando en un hermoso universo lleno de amor y armonía y tu nube flota a un hermoso campo veraniego, deja que tu ángel guardián y tú entren a este campo veraniego lleno de flores y de amor. Este es un espacio sagrado hecho sólo para ti. Y cada vez que veas una flor sabrás que la Diosa está en tu vida y que los ángeles están dispuestos a ayudarte. Las flores huelen muy bien. Toma una respiración profunda y huele el aroma de las hermosas flores y mientras lo haces, entras diez veces más profundamente que antes.

Y ahora volteas hacia arriba al cielo azul y ves las pequeñas nubes, tan blancas como la nieve del camino. Y estas pequeñas nubes se mueven juntas y deletrean tu nombre en el cielo. Ve tu nombre en el cielo. Sí, ve tu nombre. Los ángeles están listos para hacer algo contigo; están deletreando tu nombre en las nubes. Ellos están felices y tú también. Y ahora una ráfaga de viento viene a través del campo y hace crujir tu ropa. Pasa cruzando por el cielo y se lleva tu nombre. Tu nombre se ha ido y tú estás protegido y seguro, suelto y liberado.

Y ahora tu ángel guardián te lleva de la mano. Te sientes tan bien y en paz. Estás cómodo, protegido y a salvo, y ahora vas a bajar caminando por este hermoso campo. Desciende suavemente, baja, baja, baja. Y hay diez colinas que vamos a bajar, baja la colina número diez, baja la colina número nueve, baja, baja, a salvo y seguro, en total armonía con cada paso que das, baja la colina número ocho, entras más y más profundamente, baja la colina siete, paseando más profundo, más profundo, baja la colina número seis, baja la colina número cinco, baja, baja, baja la colina número cuatro, baja la colina número tres, en total armonía, baja la colina número dos, baja, baja, baja la colina número uno. A salvo y seguro, diez veces más profundo que antes.

La alineación

El templo de la Diosa te espera. Obsérvalo en el borde del campo. Este es un lugar muy especial para ti. Flotas hacia el templo de la Diosa. Es tan tranquilo aquí. Lejos, a la distancia puedes escuchar los sonidos de los pájaros piando y el susurro de las hierbas en el campo. Bajas flotando por un camino, pasas por un arroyo de agua cristalina y burbujeante. Esta agua está bendita por la Diosa. Agáchate y bebe un poco de esta agua bendita. Esta agua limpia tu cuerpo de todas las dificultades pasadas y renueva tu alma. Es tan tranquilo y sereno aquí. Acércate al templo. Ve qué espléndido es. ¿Y ves ángeles? Sí, sí, están por todo el templo. Algunos están flotando, otros están cuidando los jardines del templo, unos están cosiendo, otros cuidan a los animales; los ves radiantes. Son los que resplandecen.

Las amplias puertas del templo están frente a ti. Son doradas y más altas y anchas que cualquier cosa que hayas visto y brillan con el sol, vibran; este es un lugar lleno de poder. Las puertas se abren y caminas a través de ellas, dentro del enorme Salón de los Ángeles. Es donde vas a conocer a la Diosa de los Ángeles y ella otorgará el don de la alineación angélica sobre ti. Volteas hacia arriba y la Diosa se te acerca. Ella es tan hermosa como la imaginabas. Su aura brilla tanto que difícilmente puedes enfocar su rostro atento. Ella estira una mano hacia ti, saludando. Ella sonríe y te besa en la frente. Tu aura resplandece con energía de sanación. Ahora la Diosa te hace una pregunta importante; debes contestarle en tu mente. "¿Estás preparado para recibir la alineación que va a cambiar tu vida para siempre?" *(Espera diez segundos).*

Ella inclina su cabeza y ángeles de todas partes del templo te rodean con su esencia amorosa y protectora. Uno trae un hermoso manto y se lo da a la Diosa. Luego, todos los ángeles se reúnen alrededor. Algunos se toman de las manos en un círculo alrededor de ti. Otros flotan arriba de tu cabeza. Todos se sienten muy felices por ti y están muy entusiasmados. La Diosa se sonríe contigo de un modo tranquilizador y pone el hermoso manto sobre tus hombros. Puedes sentir que su energía empieza a transmutar tu esencia. Te da comezón en tus omóplatos, pero no te atreves a rascarlos. Y tan pronto como empieza la comezón, se detiene.

La Diosa coloca sus manos sobre tus hombros. "A partir de este día y en adelante", ella dice: "tu vida estará en armonía con el universo. Vas a trabajar como uno de mis ángeles en la tierra. Operarás por el bien de todos. Otorgo el don de la armonía y el psiquismo sobre ti y nunca nadie podrá quitártelo, excepto yo. Sabe que perderás el don si intencionalmente trabajas la magia para dañar a otro por el simple placer de ello". Respóndele en tu mente que comprendes.

Ella presiona ligeramente en tus hombros y sientes que los vórtices de energía de tu cuerpo empiezan a alinearse. Primero el chakra inferior, que es de color rojo. Luego el chakra naranja en tu pelvis también se alinea. Tu cuerpo es tan armonioso. Ahora el chakra amarillo en tu ombligo. Moviéndose para alinearse con el universo. Y ahora el chakra verde en tu corazón. Siente cómo toda tu esencia se vuelve uno con el universo. Y ahora el chakra rosa, que trae el amor universal a tu cuerpo. Ahora el chakra azul en tu garganta, entrando suavemente en armonía. Ahora el chakra violeta en tu sien, donde se apoya el don de la segunda visión y sabiduría. Y finalmente, el chakra blanco resplandeciente de tu corona, vibrando en conjunto con los demás, trayéndote a una alineación total.

Y ahora la Diosa te pide que te arrodilles a sus pies. Lo haces. Ella se para por encima de ti sosteniendo una hermosa corona plateada. Los ángeles empiezan a decir suavemente: "Alinearse, alinearse, alinearse, alinearse." Y sus voces se hacen más fuertes. "Armonía, armonía, armonía, armonía." "¡AwwwwwwwwwwWWWWWWWWWWWWWWWW!" *(Empieza suavemente y aumenta el sonido unos segundos.)*

La Diosa coloca la corona sobre tu cabeza y ha ocurrido la alineación. Los ángeles te ponen de pie y te felicitan. Todos están muy felices. Te sientes diferente. Cambiado. Especial. Ahora puedes salir al mundo material y ayudar a otros, sintiéndote confiado, protegido y seguro.

La Diosa te quita tu manto y te guía a un espejo. Y ahí te ves transformado y hermoso. ¡Eres un ser brillante y tienes alas! Disfruta este lugar unos momentos y escucha porque la Diosa te da un mensaje especial. *(Espera cinco minutos.)*

El regreso/saliendo

Y ahora ya es tiempo de que regreses. Despídete de los ángeles. Puedes regresar a este templo en cualquier momento durante tus meditaciones personales. Siempre estará aquí. Tu ángel de la guarda y tú ahora salen del templo y regresan al campo. Quiero que te relajes un momento; sólo flota y relájate. Bien. Así es. Y ahora voy a contar del uno al cinco, cuando llegue al número cinco regresarás a la conciencia total y te sentirás vigorizado como si hubieras tenido un largo descanso. Regresarás sintiéndote totalmente despierto y muy bien. No tendrás efectos laterales con esta meditación.

Uno —empieza a regresar ahora. Dos —regresando; tres —recuerda que vas a estar totalmente despierto y sintiéndote muy bien. Cuatro —ya casi estás aquí; empieza a abrir tus ojos. Cinco —abre tus ojos ahora. Estás totalmente despierto, alerta y sintiéndote bien. Totalmente despierto.

Lo que acabas de experimentar es una sesión de hipnosis auténtica con los ángeles. Bebe una taza de té, come una galleta y guarda tus experiencias en tu diario angélico. Estoy segura que nunca lo olvidarás.

Descubriendo vidas pasadas

Los ángeles te van a ayudar a descubrir las experiencias de vidas pasadas que te puedan ser útiles en esta encarnación. Vas a seguir el mismo procedimiento que hiciste en la alineación angélica. Esto significa que vas a necesitar un lugar donde nadie te moleste, y una pareja (implícitamente alguien en quien confíes) o una grabadora. Recuerda, si usas la grabadora, ensaya la sesión varias veces hasta que sientas que estás listo para grabarla.

Empieza la sesión con la relajación, la limpieza de chakras y las secciones de profundización que se encuentran en la meditación de la alineación angélica. Recorre todo el camino dentro del templo angélico, dentro del Salón de los Ángeles. Continúa como sigue.

Y ahora te voy a hablar a ti y mientras te hablo, te vas a relajar más y más. Te vas a sentir protegido y seguro. Te sientes en absoluta armonía en el Salón de los Ángeles. Éste es un lugar seguro y protegido. Podrás observar cualquier escena que visualices de una manera impasible y objetiva, como si vieras un programa de imágenes. Y vas a recordar todo lo que veas.

Imagina que estás arriba de una escalera dorada. Estás vestido con las túnicas fluidas de un ángel. Tu mano está sobre la barandilla resplandeciente y mientras te preparas para descender puedes sentir el amor de los ángeles a tu alrededor. Mientras desciendes estas escaleras con alfombra azul, te relajas aún más profundamente. Voy a contar del cinco al uno y mientras lo hago, vas a poder salir de ti mismo para ver nuevos aspectos de tu ser. Empezamos en el cinco, ahora. Empieza a bajar suavemente por las escaleras y con cada escalón te vas a relajar más y más profundamente. Te sorprende qué maravilloso y ligero te sientes. Y ahora estamos en el cuatro y cada vez estás más en armonía con el universo con cada escalón; la alfombra se siente como nubes suaves de algodón. Baja, baja, baja, al tres, volteas hacia abajo a tus pies y ni siquiera están tocando los escalones, estás tan relajado, flotando hacia abajo, relajándote más profundamente, más profundamente. Baja a dos, puedes ver ahora el fondo de las escaleras abajo y flotas suavemente hacia él, baja, baja, relajándote en una sensación relajante, sin gravedad y ahora tus pies tocan el suelo con mucha suavidad. Estás completamente relajado y armonioso en todos los aspectos de tu ser. *(Espera quince segundos).*

Te ves parado en un gran patio circular. Es como un gran mirador con hermosas columnas blancas y toda clase de plantas encantadoras creciendo alrededor del perímetro. En el centro del patio hay una gran alberca redonda. El azulejo de la alberca es azul intenso, apacible. Nada perturba el agua de la alberca. Entra a la alberca, siente qué ligeros son tus pasos. Observa tu propio reflejo. Te sorprende qué hermoso eres cuando estás tan relajado. Mientras observas la alberca, las ondas del agua distorsionan tu imagen y ves un reflejo de ti mismo como eras hace cinco años; recuerdas lo que estabas haciendo entonces. La imagen es tan fuerte que intentas tocarla, pero cuando lo haces, perturbas el agua y cambia y desaparece. *(Pausa).*

Aparece otra imagen y te ves hace diez (o quince) años. Observa tu cabello, tu ropa. Recuerda lo que estabas haciendo entonces. *(Pausa).*

Vuelves a tocar el agua y la imagen cambia como eras en secundaria (o en primaria si todavía estás en secundaria). Vuelve a observar tu ropa. Tu cara. Tus zapatos. Tu cabello. ¿Qué recuerdos se muestran en la alberca? *(Pausa).*

El recuerdo te relaja aún más profundamente que antes. Vuelves a tocar el agua y la imagen se reemplaza y cambia y sabes que la alberca te está dejando ver los eventos que han modelado tu vida y tu ser como eres ahora. La imagen se vuelve a nublar y ahí estás en tu primer día de escuela. ¿Qué estás usando? ¿Cómo te sientes? *(Pausa).*

Vuelves a tocar el agua y la imagen cambia. Respira profundamente. Tan relajado, protegido y seguro. Estas imágenes te ayudan a relajarte; la alberca ahora se llena de colores suaves, giratorios y se empieza a formar otra imagen. Tocas el agua. La imagen viene de muy lejos. No es de tu vida presente. Observas la imagen a medida que las ondas se van suavizando. Observas este nuevo rostro alisarse en la alberca. Tocas tu nariz; hace lo mismo el reflejo, pero éste es el tú de otra vida. Quizás el rostro no sea el mismo. Vas a recordar todo lo que ves en la alberca y todas las impresiones que recibes.

(Asegúrate que dejes tiempo suficiente para responder cada una de las siguientes preguntas.)

¿Tu reflejo es de hombre o de mujer?

¿Qué tipo de ropa ves?

¿Parece que la persona está feliz o triste?

¿Hay algo que te atraiga de la imagen?

¿En que época piensas que está la imagen?

¿Cuál fue el suceso más importante en esa vida?

¿Cuál fue la realización más grandiosa?

¿El mayor desastre?

¿Qué cosa no se resolvió en esa vida que se está trayendo a la presente?

¿Qué talentos tuvo esa encarnación que pudieras tener acceso ahora?

Extiende la mano y atrae esas habilidades y talentos hacia ti ahora. Mientras observas la imagen estarás profundamente relajado.

¿Hay alguien en esa encarnación que ahora esté contigo en esta? Si es así, ¿quién es esa persona y cómo encaja en las lecciones de tu presente?

Mientras ves las imágenes que ahora se exhiben en la alberca, te das cuenta que más significados se te van a revelar en los próximos días. Descubrirás que sigues relajado, protegido y seguro. Extiende la mano y toca el agua. La imagen se nubla y te vuelves a ver, observando el reflejo de tu encarnación presente. Respira profundamente, relájate; estás cómodo, protegido y seguro. *(Pausa).*

Ahora estás observando el lugar donde estabas entre las vidas; de hecho, justo antes de esta. Exactamente antes de entrar a tu madre. ¿Qué lecciones estabas planeando trabajar en esta vida? ¿Qué resultados se suponía que debías intentar lograr? ¿Cuál es la señal para que empieces estos trabajos? ¿Recuerdas la señal que te dio el siguiente extraño que será importante en esta encarnación? ¿Hay algo que olvidaste y que necesitas recordar? *(Pausa).*

Vamos a salir de la alberca del recuerdo ahora. Vamos a regresar a los escalones y dentro del Salón de los Ángeles. Le sonreímos a los ángeles y les deseamos buena suerte. Caminas por el campo con tu ángel guardián. Toma unos momentos y ahora relájate. Relájate y flota. Vas a recordar todo lo que has experimentado y reunirás más percepción de esta encarnación y de otras, en los días por venir. Te vas a sentir más sano y más feliz, en armonía con el universo.

Concluye la meditación con el procedimiento de regreso/salida dado previamente. Como con la alineación angélica, es posible que quieras tomar una taza de té, relajarte y comer una o dos galletas. Escribe tus experiencias en tu diario angélico. Si trabajaste con un amigo, quizás quieras hablar sobre tus experiencias con él o ella.

6

Ángeles y rituales

Hay dos clases de rituales: el acto de honrar la divinidad y el acto de crear un cambio en el universo (llamado muchas veces ritual de trabajo). Honrar a la divinidad usualmente ocurre en las fiestas religiosas.

Todos los rituales son una serie de acciones, pensamientos y ejercicios diseñados para conmemorar a la divinidad en nuestra vida, además de sintonizarnos con las energías universales. El ritual de trabajo usualmente es más corto y se realiza con un propósito específico —por ejemplo, ayudar a un amigo a que sane después de una operación, o conseguir un nuevo empleo para ti. Los ángeles aman ambos tipos de rituales y están muy dispuestos a asistirte.

Algunos magos ceremoniales no trabajarán ninguna magia a menos que primero hayan hecho contacto con su ángel guardián. Ellos trabajan en equipo —humano y ángel. Tú también tienes la posibilidad de hacer esto, sin tener en cuenta tu creencia religiosa o práctica mágica. Estructuré este capítulo para ayudarte a que trabajes de ese modo. El espíritu que trabaja contigo en la magia puede ser tu ángel guardián, un ángel específico que tú llamas por su nombre para que te ayude en un tipo de trabajo particular o una esencia de energía positiva que no llamas por su nombre (por ejemplo, la esencia de sanación, prosperidad, etc.).

El formato básico del ritual del ángel

Hay varias modificaciones en el formato del ritual; para nuestro trabajo nos apegaremos a los procedimientos que fluyen bien con la magia del ángel. Tienes la libertad de cambiar el formato como lo desees. El propósito de mostrarte el siguiente resumen es para darte una idea de cómo lo hago. Por favor entiende que en el formato del ritual esta no es la última palabra, sino que simplemente es un ejemplo que puedes intentar.

Resumen del ritual del ángel

I. Apertura
  A. Arraiga y centra
  B. Dedica el altar
  C. Purifica la habitación
  D. Llama a tu ángel guardián
II. Trazo del círculo
  A. Traza el círculo
    1. Realiza el Ritual Menor de Destierro
    2. Traza el círculo angélico de forma libre
  B. Invoca las cuatro direcciones
  C. Sube tu frecuencia vibratoria
  D. Invoca las energías de la deidad/angélicas
  E. Menciona el trabajo
    1. Sanación
    2. Talismanes
    3. Trabajo psíquico
    4. Otro
  F. Realiza el trabajo
  G. Fusiónate con la energía angélica
    1. Canto
    2. Baile
    3. Visualización
    4. Salmodia
    5. Tambor
    6. Cascabeles/campanas
III. Cierre
  A. Despide las direcciones
  B. Agradece a los ángeles y la deidad
  C. Oración de cierre
  D. Quita el círculo (en contra de las manecillas del reloj)
  E. Arraiga y centra

Visión general del ritual

Una de las representaciones más sagradas de la vida es el ritual diseñado para honrar o trabajar con la deidad. Estos son momentos especiales, entre el Creador/Creadora y tú, donde te entregas para moverte conjuntamente con las energías universales.

Todas las partes del ritual son importantes. El ritual se convierte en una hermosa sinfonía donde cada movimiento se refleja sobre los que van antes y después de éste. Antes de empezar algún ritual necesitas planear lo que deseas lograr. ¿Tu ritual es para honrar a la divinidad y enlazarte con el universo, o deseas agregar algún tipo de trabajo para ayudar a alguien que sabes que lo necesita? El propósito del ritual dicta qué palabras vas a usar (si las hay), qué material necesitarás (quizás una vela específica) y cuánto durará.

Diseñé la forma del ritual angélico (ver página 153) para ayudarte a planear tus rituales. Tal vez quieras copiarlo para que los puedas usar muchas veces y crear una libreta sólo para tus rituales angélicos.

La apertura del ritual

La mayoría de los rituales empiezan con un procedimiento llamado arraigo y centrado. Éste puede ser contemplativo o meditativo. El arraigo y el centrado es cuando te alejas de tu vida activa y te preparas para invitar a la divinidad a tu corazón.

Algunas personas desean empezar con una oración o una salmodia. Otros pueden querer música suave, tambores o ellos mismos cantar. Puedes empezar recitando un poema, o simplemente cerrando tus ojos y visualizando paz y armonía perfectas en el universo. No importa cómo inicies tu ritual. Nadie tiene que aprobar lo que estás haciendo y no es asunto de nadie cómo lo hagas. He aquí un poema que me gusta:

En una hora sagrada toco el altar
Sé que mi amor por la Diosa no vacilará
Y el Dios se manifiesta para exaltarla a Ella.
Las energías positivas se funden, se unen
En mi templo sagrado de luz brillante.
Aire y tierra, agua y fuego
Observo la llama santa crecer más alta;
Y aquí cerca del trémulo resplandor
Prepara, una sinfonía de magia que crece.
Los ángeles revolotean, parpadeando la vela
con poderosas alas.
Para avivar la magia que mi Diosa trae.

Dedicación al altar y horas devotas

Usa la dedicación al altar en el ritual y en las horas devotas. Casi todas las religiones tienen tiempos u horas de oración, usualmente se dan en la mañana, a mediodía, al atardecer y en la medianoche. No necesitas planear mucho para diseñar las horas devotas. Algunas personas que conozco simplemente toman un descanso del itinerario de sus actividades, cierran sus ojos, se arraigan y se centran y se fusionan con la esencia divina. Me doy cuenta que todos tenemos vidas activas y a veces simplemente es imposible dejar todo, voltearte a una dirección de la brújula y agacharte arrodillado durante los próximos veinte minutos. También entiendo que no siempre estás cerca de tu altar durante tus horas devotas. Aunque te mostraré una dedicación al altar que puedes usar para el ritual y las horas devotas, tienes la libertad de cambiarlo como te convenga.

La devoción del altar angélico

Toma tres respiraciones profundas. Arraiga y centra. Enciende tus velas o lámparas de iluminación. Pon tus manos sobre el altar y di:

Como es arriba es abajo
Energías rodeen el resplandor de la Diosa.

En contra de las manecillas del reloj, toca cada una de las cuatro esquinas de tu altar cuatro veces.

Pon tus manos sobre el centro del altar y di:

Fuerzas angélicas en las alas de la paloma
Yo conjuro la armonía
La percepción, la voluntad y el amor.

Siente que tus manos generan poder sobre el altar. Cuando estés listo, quita tus manos y sella el altar haciendo primero el signo de la cruz de brazos iguales sobre el centro del altar, luego golpea el costado del altar cuatro veces con tus nudillos.

A partir de este punto puedes purificar la habitación o agregar cualquier tipo de acción inicial de ritual que desees, como purificar la sal y el agua, limpiar y consagrar las herramientas o los materiales, o simplemente avanzando en el ritual y purificando la habitación.

Forma del ritual angélico

Fecha del ritual:________ Fase de la Luna:____________
Día:_________________________ Hora:____________

Motivo del ritual:________________________________
____

Apertura: Poesía, música, canto, salmodia, visualización, tambor, otro____________________________________
Empezaré por:____________________________________
Dedicación al altar: Normal, otra_________________
____

Llamaré a mi ángel guardián por:__________________
____

Trazo del círculo que usaré_____________________
Direcciones que invocaré: (enumera los nombres que usarás o cómo lo harás)_______________________________
____

Invocaré a la deidad o llamaré las energías angélicas: (enumera a quién y cómo)____________________________
____

Las magias menores que emplearé:_________________
____

Materiales que voy a necesitar:___________________
____

Me voy a fusionar con la deidad por:______________
____

Despediré las direcciones por:___________________
____

Le agradeceré a los ángeles y a la deidad por:__________
____

Mi oración de cierre será:______________________
____

Llama a tu ángel guardián

El siguiente paso en el ritual es llamar a tu ángel guardián. Puedes usar los hechizos que aquí se proporcionan o puedes hacer los tuyos. Es tu elección.

Luz universal, círculo nocturno
Trae a tu paso a mi ángel guardián
Alas plateadas que sobre mí protegen
Toda energía negativa que ellas desvíen.
Entre este universo danzante me muevo
Mi vida muy a salvo, segura y tranquila.
De una arboleda encantada vengo
Entre los terrores de la Tierra otra vez camino.
Encantada siempre por la magia y la tradición
De la Tierra Estival que sé que antes se dio.
Elevo mis brazos en solemne juramento
Aumentar en la humanidad su espiritual crecimiento.
Juntos trabajamos, mi ángel y yo
Para enfocar la magia y detener el llanto del dolor,
Juntos nos movemos, así es como arriba abajo será
Fusionados en uno nuestro poder crecerá,
La Diosa sonríe por el trabajo que hemos hecho
Cuando ella voltea hacia abajo a verme, ella no ve uno, sino que ve dos.

Si consideras a la divinidad de naturaleza masculina, puedes sustituir *Dios* por *Diosa* y *él* por *ella*. He aquí otro hechizo que tal vez quieras intentar:

Ángel guardián aquí yo te invoco
Para vencer cualquier odio o pánico.
Ahora trabajamos juntos los dos
Como es mi voluntad, que así sea y será.

Trazo del círculo angélico

El punto de trazar un círculo mágico es darte un espacio de trabajo desprovisto de negatividad, para permitir que reúnas tu energía y la energía del universo en un área enfocada y que puedas incrementar tu frecuencia vibratoria con la meta de fusionarte con la divinidad y las fuerzas angélicas. Hay muchas maneras de trazar un círculo mágico, pero aquí vamos a concentrarnos en trazar únicamente el círculo angélico. Si prefieres trazar el círculo con otro método, usa ese procedimiento. Sin embargo, cuando trabajes en un ritual, recuerda que en lo posible, deben sintonizar entre sí la mayoría de las secciones. Por eso diseñé que cada elemento coincidiera en el ritual con el propósito principal —el de usar las fuerzas angélicas para tu trabajo.

Traza tres círculos angélicos de forma libre con tu mano dominante. Puedes empezar al norte o al este —tú escoge. Puedes caminar alrededor tres veces en círculo, señalando hacia fuera con tu mano dominante, y tu dedo índice apuntando ligeramente hacia el suelo o puedes escoger hacer sólo un círculo. Como tú quieras.

He aquí un trazo de círculo normal:

Yo te conjuro, Oh círculo angélico
Para que seas para mí
Un límite entre el mundo humano y el reino de los ángeles
Un sitio de reunión en paz, alegría, amor y confianza perfectas
Conteniendo el poder me elevaré en ti.
Invoco a los ángeles del este, del sur, del oeste y del norte
Para que me ayuden en la consagración de este círculo.
En nombre de las energías divinas y universales
Por eso te conjuro a ti, Oh gran círculo de poder.
Y las legiones de luz esperan mi llamado.
Que así sea.

Marca con tu pie en el piso y luego di:

Como es arriba es abajo
Este círculo está sellado.

La diferencia principal entre el trazo del círculo angélico y otros trazos de círculos tradicionales, es que tú haces este tipo de trazo con tu ángel guardián. Esto significa que trabajas en equipo; visualiza a tu ángel guardián trabajando junto a ti. Los detalles de la visualización dependen de ti. Puedes verte tomándose de las manos, o la mano del ángel guardián extendida sobre la tuya mientras trazas el círculo. Vas a necesitar determinar cuál funciona mejor y es más cómodo para ti.

Es buena idea aprender de memoria la dedicación al altar, el trazo del círculo y el llamado a las cuatro direcciones. Te saca un poco del ritual si tienes que consultar un libro todo el tiempo. Además, puedes estar tan ocupado leyendo que no te concentres en la visualización correcta de las energías. Cuando se trabaja en la dedicación al altar, debes estar visualizando una energía blanca y pura que rodea a tu altar y a ti. Cuando traces el círculo, debes visualizar una esfera de fuego azul o blanco, una luz resplandeciente que te envuelve a ti y la habitación como una burbuja. En el llamado de las cuatro direcciones necesitas descorrer el velo y permitir que las energías angélicas de esa dirección lo atraviesen para trabajar contigo.

Hay algunas reglas con el trazo del círculo. Básicamente, nunca salgas de un círculo trazado sin cortar primero una puerta. En un círculo angélico, simplemente párate en el perímetro y abre tus brazos, visualizando una apertura de la cortina. Crúzala, date la vuelta y cierra el círculo como lo abriste. Cuando quieras volver a entrar, sigue el mismo procedimiento.

Debes deshacer un círculo en una forma contraria a como lo levantaste. Esto significa que vas a caminar en contra de las manecillas del reloj, volviendo a dibujar un círculo angélico con tu mano. Cuando lo hagas muy, pero muy bien (esto requiere de práctica), simplemente puedes pararte en el centro y dar un aplauso con tus manos, visualizando que la energía del círculo se vuelve a hundir en la tierra.

He aquí otro trazo de círculo:

Ángeles del norte, que circule la estabilidad
Ángeles del este, que abunde la sabiduría
Ángeles del sur, que rodee la pasión
Ángeles del oeste, que se encuentre la transformación.
Circulo tres veces, la forma del plan
Invoco la luz a donde yo estoy.

Llamado a las direcciones

Las energías angélicas de las direcciones traen una energía protectora y armoniosa, además de que fortalecen los límites del círculo. Igual que con el trazo del círculo, hay muchos tipos de llamados a las direcciones practicados por muchas razones diferentes. Sin embargo, como estamos trabajando con las fuerzas angélicas, nos apegamos al llamado normal de las direcciones. Si quieres elaborar o usar tus propios llamados (invocaciones, mezclas), tienes la libertad de hacerlo.

Cuando se trabaja con las direcciones, estás tratando con un paso a otro reino. En este caso, es el angélico. Visualízalo como una puerta, una abertura, una separación en la cortina —no importa cómo, mientras entiendas el concepto de "abrir". Asimismo, cierra las direcciones al final del ritual;

lo más importante aquí es "cerrar". Cuando se invoca una dirección angélica puedes sentir calor, frío, calma, excitación, etc. Recuerda estas emociones para que entiendas lo que estas energías significan para ti y cuando las vuelvas a sentir, reconocerás lo que está sucediendo.

Siempre di tu dedicación del altar, el trazo del círculo y la invocación a la dirección, lentamente. No estás en una carrera; nadie va a ganar una medalla por ser el ritualista que habla más rápido. Toma tu tiempo. Goza las palabras, los pensamientos, y los sentimientos que pretendes impartir y las energías que estás manifestando y atrayendo hacia ti.

Por último, despide todas las energías angélicas exactamente como las invocaste. Como llamaste las energías angélicas, las saludas y las despides además de agradecerles por su tiempo y su energía.

A continuación vas a encontrar invocaciones para las direcciones para un ritual angélico. Cuando te paras en cada dirección, abre tus brazos para permitir que las energías angélicas entren al círculo.

Saludos, ángel guardián del este
Tu nombre es Rafael.
Sanador, protector, sustentador de los hijos de Gaia.
Ángel de amor, gozo y alegría;
Yo te invoco para que protejas este círculo y cuides este espacio sagrado.

Saludos, ángel guardián del sur
Miguel es tu nombre.
Aquel que trae el equilibrio a nuestro mundo.
Ángel de justicia, fuerza y protección.
Yo te invoco para que protejas este círculo y cuides este espacio sagrado.

Saludos, ángel guardián del oeste
Gabriel es tu nombre.
Tú que traes la transformación a los hijos del misterio.
Ángel de resurrección, misericordia y paz.
Yo te invoco para que protejas este círculo y cuides este espacio sagrado.

Saludos, ángel guardián del norte
Ariel es tu nombre.
Aquel que es el portador de los sueños y la profecía.
Ángel de la naturaleza, el psiquismo y la instrucción.
Yo te invoco para que protejas este círculo y cuides este espacio sagrado.

Para despedir, ve en sentido contrario a las manecillas del reloj, empezando con la fuerza angélica que llamaste al último. En este caso, ese sería Ariel:

Esencia angélica del norte
Ariel es tu nombre.
Te agradezco tus dones de la naturaleza, el psiquismo y la instrucción.
Retírate si debes hacerlo, permanece si lo deseas.
Saludos y hasta luego.

Esencia angélica del oeste
Gabriel es tu nombre.
Te agradezco tus dones de resurrección, misericordia y paz.
Retírate si debes hacerlo, permanece si lo deseas.
Saludos y hasta luego.

Esencia angélica del sur
Miguel es tu nombre.
Te agradezco tus dones de justicia, fuerza y protección.
Retírate si debes hacerlo, permanece si lo deseas.
Saludos y hasta luego.

Esencia angélica del este
Rafael es tu nombre.
Te agradezco tus dones de amor, gozo y alegría.
Retírate si debes hacerlo, permanece si lo deseas.
Saludos y hasta luego.

Cuando invocaste a las fuerzas angélicas, abriste tus brazos como si abrieras un portal. Para despedir, podrías intentar cerrar tus brazos e inclinar tu cabeza para representar el cierre y honores.

Recuerda, si realizas el Ritual Menor de Destierro no tienes que trazar el círculo e invocar en las direcciones, porque ya lo hiciste con el procedimiento del RMD. Sin embargo, conozco gente que le gusta hacer ambos, y eso no entorpece el ritual.

Elevando tu frecuencia vibratoria

La fuerza eléctrica de la presencia angélica en tu círculo puede incrementar tu campo energético, dejándolo que vibre a una frecuencia más elevada. Puedes asistir ayudando para que estas energías entren a tu cuerpo. Como somos criaturas de libre albedrío, primero debemos indicar nuestro deseo a los ángeles de que queremos hacer esto. También debemos arraigar y centrar antes de que inicie el procedimiento, para que no nos sintamos enfermos o temblorosos después de que haya terminado el ritual.

Puedes trabajar principalmente con tu ángel guardián o las energías de la dirección que hayas invocado, o puedes hacer ambas cosas. Esto requiere de práctica. Puedes tener una sensación de apresuramiento, fluctuaciones en la temperatura del cuerpo (demasiado caliente o frío), o sentir como si tus nervios se hubieran enchufado en una clavija de la luz. Visualiza tu frecuencia vibratoria transmutándose en luz blanca pura. Algunas personas visualizan que cada ángel de la dirección los toca ligeramente en el hombro, ayudándolos a elevar su patrón de energía. Otras personas visualizan a su ángel guardián abrazándolos. Es tu elección.

Invocando a la deidad/energías angélicas y nombrando el trabajo

Aquí es donde necesitas haber hecho tu tarea para el ritual. ¿Qué energías quieres invocar para tu trabajo? Primero, vas a necesitar invocar a la divinidad — tu visualización de Dios o Diosa. A continuación, vas a invocar las energías específicas necesarias para el trabajo que planeaste. Hablamos de esto en el Capítulo 2, pero para darte un breve recordatorio: Invocar significa llamar algo a tu círculo. Eso quiere decir que sólo quieres llamar cosas buenas, significando la divinidad y las energías angélicas positivas. Nunca es peligroso invocar seres de luz. Si vas a hacer una sanación, necesitarás concentrarte en estas energías. Puedes invocar una fuerza angélica por su nombre o simplemente solicitar la esencia de esa fuerza.

Puedes empezar con una invocación a la Diosa como esta:

Yo te saludo, Oh Diosa
Doncella, Madre y Hechicera
Tesoro del universo
Deidad de la flama eterna
Corona de los iluminados
Cetro de mi fe
Templo indestructible
Yo te invoco para
Que entres a mi cuerpo
Para trabajar la magia de esta noche.

O hacerla de la siguiente manera:

Para traer las energías de sanación a este trabajo
Yo te invoco, Madre Santa
Para que me envuelvas con la esencia de los seres angélicos
Para que yo pueda (declara el propósito de tu ritual).

Esta parte del ritual es muy importante, así que querrás asegurarte que hayas ensayado lo que vas a decir y por qué lo vas a decir. Como has visto, los trabajos mágicos permiten variantes. Nuevamente aquí, durante la invocación tienes una elección. Puedes atraer la esencia dentro de tu cuerpo o a tu alrededor con la intención de ayudarte. De cualquier modo está bien. Lo que sientas más cómodo hacer, es lo más importante. Recuerda, los ángeles no interferirán con tu libre albedrío, ni te darán alguna ayuda que no puedas manejar consciente o subconscientemente. Ellos son mucho mejores que nosotros para seguir las reglas universales.

Como puedes ver, combiné la invocación y el nombre del trabajo, pero puedes hacerlos por separado, en especial si estás planeando o invocando una deidad o una fuerza angélica muy fuertes. Por ejemplo, quizás quieres trabajar con Isis. Tal vez quieras invocarla a ella primero, atrayendo su esencia en tu cuerpo, luego afirmar el trabajo.

Huestes celestiales, reúnanse
Mientras atraigo hacia abajo la energía de la Madre.

Este es el momento para los ángeles:

Tierra y cielo, agua y fuego
Atraigo hacia mí el poder angélico.

Esta es otra manera de invocar las fuerzas angélicas:[1]

Yo te pido (nombre del ángel)*, que eres un ángel de luz y entregado al servicio del Dios y la Diosa, que estás arriba y ante todas las cosas, que desciendas a este círculo mágico.*

Tal vez te moleste invocar cualquier cosa. Puedo entenderlo. Después de un tiempo ya no te molestará, pero digamos que por ahora te aterra hacer algo incorrecto y dices de repente una sarta de palabras extrañas (no lo harás, pero de cualquier modo vamos a seguir la corriente). En ese caso, sólo invoca la luz.

Realizando el trabajo

Así es exactamente como suena. Si el trabajo es una oración enfocada, entonces que así sea. Si estás haciendo un talismán, preparando un broche angélico para un amigo, para fomentar la protección y la sanación, o si planeas hacer una meditación para incrementar tu psiquismo —aquí es donde lo debes hacer. Es conveniente tener todos tus materiales listos para que no tengas que estar entrando y saliendo del círculo. Cada vez que cortas una puerta en tu círculo de energía lo debilitas (a menos que hayas practicado y practicado y practicado).

Fusionándose con la energía angélica

Fusionarse con la energía angélica es una forma de elevar el poder. A esto lo llamamos el cono del poder, porque cuando enfocas las energías que están a tu disposición a un punto

---

[1] Términos de Donald Tyson en su libro *New Millennium Magick.*

parece un cono, luego envías hacia fuera la energía para provocar el cambio que deseas. Si elevas tu propio poder y no te fusionas con la divinidad o las fuerzas angélicas, probablemente te vas a sentir cansado. Esta no es para nada la idea de elevar el poder. Hay fuerzas a tu disposición, úsalas. Durante siglos la gente mágica ha estado "elevando la energía" por el canto, baile, visualización, salmodio, tambor, cascabeles, campanas, etc. Incluso hay una antigua práctica tradicional que usa una piedra blanca y una piedra negra y aplaudes con ellas. Este sonido pone a la persona en alfa (y con suerte, en tetha) donde ocurre la conexión con la divinidad y la esencia angélica. Vas a necesitar escoger el método que sea mejor para ti.

Un simple canto será suficiente:

En esta noche
En esta hora
Llamo a los ángeles
Para elevar el poder.

Es mejor si se canta en rima, pero si te acomoda hacerlo de otro modo, eso está bien. Algunas personas simplemente repiten el nombre del ángel o la deidad. A ellos les funciona, también puede hacerlo para ti.

Con cualquiera de estos métodos empiezas lenta y tranquilamente, luego elevas el ritmo y el volumen. Cuando alcances el máximo, libera la energía que has estado elevando, concentrándote directamente en el cambio pretendido que deseas hacer. Es así de sencillo.

Después de que hayas elevado la energía, quizás desees relajarte. La gente mágica muchas veces consume "pastel y cerveza" en el entorno del círculo. Esta es una comunión con la divinidad. Quizás prefieras tomar un vaso de jugo y algunas galletas o pan dulce. Los carbohidratos son muy buenos para ayudarte a arraigar tu energía. Si tienes cualquier exceso de energía, puedes colocar tus manos en el altar y sentir la energía pasando a éste o puedes colocar tus manos en el piso y hacer lo mismo.

Quizás también desees meditar en este momento. Simplemente siéntate y descansa, permitiendo que los ángeles te atiendan y te asistan para atraer a tu vida la paz y la tranquilidad.

Cierres

Ya repetimos las despedidas de las direcciones. Por favor recuerda pararte en el centro de tu círculo y agradecer a la deidad y a las fuerzas angélicas que te hayan asistido. No olvides tampoco a tu ángel guardián. Estoy segura que se apreciarán algunos agradecimientos. A mucha gente le gusta pronunciar una oración de cierre o una bendición en este momento. Levanta tu círculo, luego arraiga y centra.

Comunión con el ángel

En comunión honras la divinidad. Esa es la idea de la ceremonia. En la comunión con el ángel vas a honrar la divinidad y agradécele a los ángeles su asistencia. Puedes incorporar la comunión dentro del ritual, o puedes sostener un ritual de comunión por sí mismo. Por ejemplo, si trabajas la magia con frecuencia, dudo que cada vez vayas a usar la comunión. Toma cierto tiempo para que la realices. Yo hago la ceremonia una vez a la semana y no siempre es el mismo día debido a diversas actividades familiares.

Vas a necesitar una especie de pastel o de pan y una bebida alcohólica (como vino) o jugo. Actualmente la mayoría optamos por el jugo. Conserva el pan y el recipiente del jugo cubiertos antes de la ceremonia. Ten todo preparado antes de tu ritual para que no tengas que ir a buscarlo en un momento inoportuno.

Destapa el pan. Dobla con cuidado la cubierta y ponla del lado izquierdo de tu altar. Consagra y bendice el pan haciendo un pentagrama del destierro sobre éste, diciendo:

Desde arriba en los cielos y abajo en la tierra, invoco
a las huestes angélicas.
Agito en círculo las energías en sentido contrario
a las manecillas del reloj y destierro toda la
negatividad en este pan.
Agito en círculo las energías en el sentido de las manecillas
del reloj para generar paz, armonía y amor.
Invoco las bendiciones del Señor y la Señora,
que consagren este pan para la divina comunión.

Pon tus manos sobre el pan y siente la esencia de la divinidad vertiéndose a través de la parte superior de tu cabeza, bajando a través de tus manos y dentro del pan. Arranca un pedazo del pan (no lo cortes). Antes de comerlo, di:

Pongo este pan en mi cuerpo como un sacramento
para (nombre de la divinidad aquí).
Que durante todo este día y eternamente se me bendiga
con paz, armonía y amor.
Que así sea.

Destapa el jugo. Viértelo en una copa consagrada y bendita. Cubre el recipiente y ponlo del lado izquierdo de tu altar. Consagra y bendice la copa haciendo un pentagrama de destierro sobre ésta, diciendo:

Desde arriba en los cielos y abajo en la tierra, invoco
a las huestes angélicas.
Agito en círculo las energías en sentido contrario
a las manecillas del reloj y destierro toda la
negatividad en este líquido.

Agito en círculo las energías en el sentido de las manecillas del reloj para generar paz, armonía y amor.
Invoco las bendiciones del Señor y la Señora, que consagren este líquido para la divina comunión.

Pon tus manos sobre la copa y siente la esencia de la divinidad vertiéndose a través de la parte superior de tu cabeza, bajando a través de tus manos y dentro de la copa. Di:

Pongo este pan en mi cuerpo como un sacramento para (nombre de la divinidad aquí).
Que durante todo este día y eternamente se me bendiga con paz, armonía y amor.
Que así sea.

Bebe el contenido.

Dedica unos momentos en meditación, contemplando los dones de la divinidad.

Resumen

En este capítulo cubrimos el formato básico del ritual y revisamos los intrincados detalles implicados en el ritual angélico. Este es el momento para que empieces a practicar. Entre más hagas el ritual, mejor serás en ello. Esto no significa que los primeros trabajos que hagas no tendrán éxito, pero tendrás más fluidez y confianza con la práctica.

7

El periódico del ángel guardián

Sé una flama brillante ante mí,
Sé una estrella guía sobre mí,
Sé un sendero suave debajo de mí,
Hoy, esta noche y siempre.[1]

Pretender convencer a alguien que tiene un ángel guardián no es una

[1] *Carmina Gadelica Hymns and Incantations* por Alexander Carmichael, página 47.

tarea fácil. Nuestra sociedad existe en un reino material. Nuestra vida depende de los artículos materiales —alimento, techo, ropa, calor, agua corriente, etc. Rodeados por tantas necesidades terrenales, visiones y sonidos, fallamos al reconocer las sutilezas del universo —esas cosas que se sienten pero no se ven.

Yo vivo en un pequeño poblado rural, donde mis clientes normalmente no están abiertos a mis creencias místicas. Muchos de ellos han vivido en una prisión autoimpuesta casi toda su vida, complaciendo sólo sus necesidades y sus deseos físicos. Cuando empecé primero a mencionar ángeles guardianes durante mis sesiones, mis clientes me veían con una incredulidad total. ¿Una bruja que cree en ángeles? ¿A qué estaba llegando el mundo?

Empecé a incorporar mensajes angélicos en mis lecturas de Tarot a través de la carta de la Templanza. Es una elección lógica, ya que esta carta representa a un ángel alentando al consultante (la persona a quien se le hace la lectura) para mezclar y coincidir sus talentos con la situación, para tener paciencia con un asunto y aprender a buscar intervención divina. Muchos levantaron la ceja cuando incorporé un mensaje sobre el contacto con el ángel guardián del consultante.

La creencia en ángeles, como en la religión, se apoya totalmente en la experiencia personal. Aunque los testimonios de otros son interesantes, el lector no puede interactuar con ellos. Mas bien es como leer *La Noche Antes de Navidad* —"y que apareció ante mis ojos sorprendidos, pero... ocho renos diminutos". Tú lo lees, pero sabes que no lo crees. Aún así, lo amas igual.

Ningún libro, discusión, programa de televisión o película puede convencerte que los ángeles existen. Necesitas dar el paso inicial para invitarlos a tu vida, para reconocer su presencia con el fin de experimentar sus maravillosos dones y asistencia. He descubierto que al interactuar con los ángeles, mi vida se desenvuelve con más suavidad, las coincidencias se convierten en ocurrencias cotidianas y tengo un mejor panorama de la vida. No te puedo demostrar que ellos existen, pero puedo demostrar que mi vida es más plena y más armoniosa porque creo en ellos.

Los ángeles guardianes son como percibes que sean. Algunas personas ven a sus guardianes como guerreros, otros como hermosas y apacibles mujeres y otros como sabios ancianos con un proceder autoritario. Los diarios de la mística Alemana Mechtilde, conocida como Ancilla Domini, que murió en 1919, gozaron de una amplia circulación porque ella describió una relación visual con su ángel guardián y con muchos ángeles de la corte celestial durante su vida. Sus escritos nos dicen que los ángeles guardianes de aquellos que soportan un intenso sufrimiento en la tierra usan una corona y ropa carmesí. Los ángeles guardianes de las almas inocentes usan blanco. Los ángeles guardianes de los niños muchas veces van vestidos de azul.[2] Es bastante probable que Mechtilde haya percibido las auras alrededor de ciertas personas que corresponde con lo que los ocultistas conocen como colores aúricos.

Un guardián a mi lado

Igual que con otros conceptos místicos, muchas leyendas rodean a los ángeles guardianes. Algunas personas creen que sólo tenemos un ángel guardián junto a nosotros durante toda esta vida para ayudarnos a tomar decisiones importantes y protegernos. Otros creen que cada humano tiene miles de ángeles guardianes. Incluso otros sostienen la creencia de

[2] *Angel Power* por Janice T. Connell, página 100.

que, aunque tenemos un ángel asignado a nosotros, otros vienen en nuestra ayuda cuando estamos en intensas dificultades o cuando iniciamos diversos proyectos en que pueden asistirnos con su ayuda. A medida que uno progresa espiritualmente, pueden visitarnos diversos ángeles en los intervalos, ayudándonos a lo largo y enseñándonos lo que necesitamos saber. Por último, algunas personas creen que los ángeles son nuestro ser superior —esa parte de nosotros que es de naturaleza espiritual y está sintonizada con el universo.

Cuando la gente me ve como si hubiera perdido un tornillo porque les digo que le pidan a su ángel guardián que los guíe, sólo digo, "Inténtalo. ¿Qué puedes perder? Nadie te va a escuchar —excepto los ángeles."

Durante años, me han llegado muchas historias de ángeles. Por ejemplo, mientras escribía este capítulo, una Wiccan de Idaho me llamó, preguntándome por una organización que administro. Empezamos a charlar y le conté sobre este libro y mi trabajo con los ángeles.

"Sabes", dijo ella. "Tuve la experiencia más extraña anoche. Las cosas han andado mal por aquí. Unos cazadores furtivos casi me dispararon en mi propiedad. ¡Me apuntaron con una pistola y todo! Pensé que era mujer muerta, pero por alguna razón, justo cuando pensé que lo iba a recibir, bajaron sus armas, regresaron a su camioneta y se alejaron. Estaba tan molesta que caminé por el riachuelo. Me encanta mi propiedad y he tenido muchos problemas con cazadores furtivos. Me senté en la orilla del riachuelo y grité con todas mis fuerzas. Después de un rato, me dio mucho sueño y me recosté en la orilla. Me quedé adormilada. Una hora después, alguien empezó a sacudir mi hombro. Abriendo lentamente mis ojos, voltee a todos lados. Ahí estaba ella, parada exactamente arriba de mí —una belleza con cabello negro azabache y ojos verdes. Ella dijo: 'Despierta, despierta. Si te acuestas aquí toda la noche, te vas a morir de frío en tu sueño. Tienes que irte a casa ahora'. Luego, ella desapareció. Ella tenía razón, las noches de febrero pueden matarte aquí afuera".

Cuando le pregunté a la mujer sobre la belleza con cabello negro azabache, ella dijo: "La he visto desde que era una niña. Ella viste pieles y lleva un hacha de doble filo". Aunque esta no es una imagen suave y delicada normal de un ser celestial, esta fuerza es en verdad un ángel guardián. Ah, olvidé decirte cómo se gana la vida esta dama: ella maneja camiones y transporta explosivos. ¿Puedes pensar en algún guardián mejor para ella? Yo no.

Los ángeles son como percibes que sean. Son manos de ayuda, pensamientos amorosos y trozos de sabiduría planeados precisamente para ti. Ellos conocen tus energías átomo por átomo, célula por célula. Una buena amiga mía describe a su ángel guardián de esta manera: "Él tiene cuerpo de mortal, cabello negro largo y alas negras. No pienso en él de una manera sexual, pero él está ahí cuando lo necesito. Él es estable. Cuando extiendo la mano para tocarlo en mi mente, esas alas enormes me hacen sentir tan cómoda". Piensa en la palabra guardián, que significa protector y ayudante.

El ángel guardián de uno de mis clientes de hipnoterapia nos sorprendió a los dos al aparecer de pronto durante una sesión de regresión a una vida pasada. "Ahí estaba ella, parada en medio del campo. Al principio, no me di cuenta que ella era mi ángel guardián. Ella era una doncella Nativa Norteamericana con largas trenzas negras. Me encantaba su sonrisa traviesa en su rostro. Ella no tenía alas, pero de todos modos podía volar. Su vestido era café con un diseño adornado con cuentas rojas, amarillas y negras. Ella me dijo que había estado conmigo desde el día que nací. Me dio la impresión que era un antepasado mío. Ella puede sanar y dijo que estaría conmigo hasta el día que muera".

Haciéndose cargo

Cuando pretendes hacer contacto activamente con tu ángel guardián (o cualquier ángel), le estás declarando al universo, de una manera positiva, que estás preparado para cambiar tu vida. Estás deseando tomar la responsabilidad de tus propias acciones. No vas a echarle la culpa de tus problemas a tus padres, profesores, amistades, cónyuge, jefe, hijos, etc. "Estoy preparado para limpiar mi acción" es el lema con el que empezamos cuando contactamos a los ángeles. Estamos buscando la intervención divina en nuestra vida y estamos listos para cambiar e implantar en nosotros un equilibrio con el universo.

Las energías angélicas son amables. Se mueven tan rápida o lentamente como necesites personalmente. Su decisión sobre la forma de ayudarte no descansa en el respaldo punzante corporativo, dinero, sexo, celos de familia, o ambición general. Sus acciones son puras y dedicadas para elevar tu ser espiritual. Los ángeles son especiales porque no conservan órdenes del día ocultas.

Tu primera tarea al trabajar con tu ángel guardián es permitirte hacer un inventario de tu vida. Empieza despejando antiguos odios y tristezas. Déshazte de estas experiencias bruscas y asquerosas. Pídele a tu ángel guardián que irradie su luz en ellas, para que puedas tratar con un asunto a la vez. Los humanos llevan demasiadas cargas innecesarias. Muchas veces estos lazos psicológicos conducen a conductas disfuncionales. A medida que te sales de la prisión de la condena, tu panorama en la vida será más fresco, limpio y más excitante que antes.

Puedes empezar por escribir un ritual semanal para ti mismo. Modela las palabras para que coincidan con tu estilo de vida. No tiene que ser largo y complicado para llegar al punto y cambiar tu frecuencia vibratoria. Cuando proviene de tu corazón, es perfecto.

Conociendo a tu ángel guardián

Cómo escojas establecer el contacto con tu ángel guardián depende totalmente de ti. He aquí algunas ideas:

En meditación. Puedes conocer y comunicarte con tu ángel guardián en cualquier momento durante tu proceso de meditación.

En oración. Habla con tu ángel guardián. Dile lo que necesitas. He aquí una pequeña y estupenda oración, que es una variante de otra que se les enseña a los niños Católicos.

Angel de la Diosa, mi querido guardián;
A quien Su amor te compromete conmigo;
Entra este día (o noche), está a mi lado,
Para iluminar y cuidar, regir y guiar.

En una carta. Siéntate y escribe una carta a tu ángel guardián. Explícale por qué te gustaría tener contacto con él. No seas tímido. Nadie, salvo un ángel va a leer esta carta. Suéltate. Escribe como si desearas contarle tus pensamientos a tu mejor amigo. Cuando hayas terminado, lleva la carta a tu altar y quémala. Dispersa las cenizas al viento. Pronto oirás de tu ángel guardián.

En un aviso de ocasión. Ya hablé de esto en el libro. Sin embargo, quiero que sepas que los avisos de ocasión que escribí provocaron resultados antes de dos semanas.

En un poema u otra expresión artística. Una de las formas más agradables para comunicarte con tu ángel guardián es a través de tus talentos naturales. Esto incluye cualquier cosa que hagas bien —dibujo, pintura, costura, artesanía, poesía, escritura, etc.

Simplemente empieza a hablar. ¿Te sientes deprimido? ¿Solo? Háblale a tu ángel guardián. ¿Estás entusiasmado, feliz, encantado de estar vivo? Los ángeles guardianes disfrutan escuchar sobre las cosas grandiosas de tu vida y cómo sientes que vas progresando. También quieren escuchar los pensamientos serios que tienes. ¿Qué es la divinidad? ¿Cómo encajo en el universo? ¿Cuál es mi misión? ¿Tengo una, o varias? Al comprometerte en un diálogo con los ángeles estás permitiéndoles que se relacionen contigo. Puedes obtener destellos de percepción, sabias respuestas a tu pregunta vía esa tranquila vocecita en tu cabeza, imágenes de cosas, etc.

Hace poco, una amiga mía pasó por un divorcio desagradable. "Cuando las cosas se pusieron difíciles", ella dijo: "le hablé a mis ángeles". Ella tiene dos que sirven como guardaespaldas y puntos fuertes espirituales. "Ellos son grandes. Los siento cerca de mí todo el tiempo. Me siento tan feliz por haberlos conocido. Ellos me hacen sentir mucho mejor —más segura".

Lo único que se necesita es que abras tu corazón y tu mente. Toma un momento ahora y pídele a tu ángel guardián que se te presente. Estoy segura de que no te va a decepcionar.

Ayudando a establecer contacto

En la magia, aprendemos que el universo tiene correspondencias —artículos, lugares, imágenes visuales y no visuales— que están en simpatía entre sí. Discutamos algunas cosas que pueden ayudarte a conectarte con tu ángel guardián.

Estatuas

Al poner donde vives o trabajas, una estatua de un ángel, puede atraer las energías angélicas hacia ti. Una estatua es un recordatorio de que no estás solo en el universo y que las energías amorosas y protectoras siempre están cerca de ti. Faculta las estatuas con energía divina. La energía en la estatua constantemente se enfoca en transmutar las energías negativas en positivas.

Hago muchas lecturas de Tarot para mujeres violadas. Varias mujeres (y hombres también) vienen a mí al borde del divorcio, intentando hacer el movimiento correcto para sí mismos y sus hijos. Durante estas sesiones hablamos de asuntos mundanos —abogados locales que tienen buenos antecedentes, cómo deben conducirse estas mujeres en la corte, cómo tratar con los miembros de la familia y amistades que están a favor o en contra de su decisión de abandonar al abusador, y así sucesivamente. También hablamos de cosas espirituales, como de dónde pueden sacar fuerzas durante esta época difícil.

Siempre sugiero que compren la estatua de un ángel y la pongan en la habitación donde se presentan más discusiones. Les digo que la limpien, consagren y faculten para que proteja la habitación y transmute la energía negativa en energía positiva, amor y luz. Aunque no "resuelve" el problema, las señoras informan que la habitación tiene un ambiente más relajante y trae una resolución más rápida del problema —usualmente a través de que el abusador abandone la casa permanentemente. Cuando todos los fuegos artificiales cesan y mi paciente está avanzando en su vida, visito la casa y hago un ritual de limpieza apropiado.

Joyería

Uno de los regalos más agradables que le puedes dar a alguien es un broche de un ángel guardián. Varían desde los menos costosos ($15.00) hasta los más elaborados. Cuando tengo dinero extra, voy a una tienda local y compro una bolsa de estos broches. Cuando se lo pones a la persona dices: "Lo único que necesitas hacer es pedir y tu ángel te ayudará. Este pequeño broche te recuerda que se te ama y no estás solo en el universo. Que así sea."

En cuanto reciben el broche, mucha gente agarra su ropa y dice: "¡Ayúdame, ayúdame, ayúdame!", sacudiendo el broche y la blusa en sus manos. Todas estas personas han sido felices con la ayuda que recibieron.

Un viernes por la tarde hice una cena especial para mis hijos y mi padre (mi esposo, como es un hombre ocupado, tuvo que trabajar hasta tarde). Cenamos con la luz de las velas. Con el postre le dije a todos que les tenía un regalo especial. Metí mi mano a una bolsa y saqué un broche de ángel guardián para cada persona en la mesa. Cuando se lo puse a cada uno, les dije cuánto los quería y que en cualquier momento que estuvieran en problemas y no estuviera yo cerca para ayudarlos, ellos debían llamar a su ángel guardián. "Aunque yo esté ahí mismo", dije, "también le pueden hablar a su ángel guardián en su mente. Los ángeles los escucharán". Todos los niños pensaron que esta era una idea maravillosa. Cada noche dejan su broche en mi escritorio (para que no se pierda) y cada mañana se lo ponen antes de ir a la escuela. De esa manera, ellos llevan conscientemente mi energía y las energías de los ángeles a la escuela. Mi padre guarda su broche en su bolsillo. Cada noche pone su cambio en el vestidor, luego con cuidado pone el broche arriba. En la mañana, el ángel y el cambio entran a su bolsillo.

Trabajo artístico

Las pinturas de ángeles nos pueden ayudar a tener acceso a los reinos angélicos. Cuelga uno en tu altar o en la habitación donde casi siempre haces tus ejercicios de meditación. Tengo un amigo que lleva una copia de la pintura de un ángel en su cartera para paz y prosperidad.

Ropa de ángel

Esto no quiere decir que tienes que desfilar con ángeles prendidos por toda tu ropa, aunque podrías hacerlo si quieres. Cuando empiezas a trabajar con ángeles, te lo aviso ahora, hay cosas sobre tu apariencia personal que van a cambiar. Quizás tu gusto en la ropa o tal vez puedas cambiar tu cabello, incluso volverás a decorar tu casa. He descubierto que cuando se trabaja con las fuerzas angélicas la autoestima aumenta y te impulsa a la creatividad. Muchas veces, nuestro primer intento de cambio es personal. Te ves en el espejo y piensas, "¡Qué horror! ¡No puedo creer que me haya estado viendo así! ¿Qué puedo hacer para mejorar?" Así pues cambias algo en ti —y te gusta. Esto te anima a cambiar otra cosa y la creatividad sigue avanzando en otras áreas de nuestra vida. Puedes encontrarte mejorando tu apariencia personal y tu entorno para crear armonía. El acto de la creación y los resultados, impulsan a otros a hacer lo mismo.

Por ejemplo, unas conocidas que empezaron a trabajar con la magia angélica comenzaron a vestirse con prendas más sueltas (pero nada escandaloso). Estas chicas con clase eligieron coser un poco de su ropa y escogieron colores que sintieron más armoniosos con su ser. Observé que los hombres usaban su ropa de una manera más natural. Aquellos que eran ligeramente desaliñados empezaron a esmerarse en su apariencia. Tanto las mujeres como los hombres que empezaron a trabajar con la magia angélica han perdido el peso indeseable y se interesaron en programas de acondicionamiento físico. A los ángeles les gusta el individualismo y la creatividad y te ayudarán a encontrar tu propio espacio en el universo donde no te avergüences de ser tú mismo.

Después de que hayas hecho el primer contacto con tu ángel guardián, encontrarás muchos mensajes que llegan a través de ti. A veces un mensaje es subconsciente, luego surge después cuando se dispara por un suceso. Entre más trabajas con tu ángel guardián, recibirás más información e iluminación. Igual que con cualquier estudio espiritual, entre más practiques, mejor serás.

Bote de basura del ángel guardián

Si quieres, convierte este ejercicio en un ritual, incorporado a la hora matutina de oración una vez a la semana o realizado antes de dormir. Diseñé este ritual para ayudarte a despejar la mugre y las telarañas en tu vida, ya sea que lo percibas como una vieja herida o algo que te está sucediendo en este momento.

Vas a necesitar un bote, hojas de papel y un lápiz o pluma. Escoge un momento en que sepas que no se te va a molestar por lo menos durante una hora. Ve a tu altar angélico y realiza la dedicación angélica, incluyendo el ritual menor de destierro (ver página 59).

Arráigate y céntrate. Siéntate con tus hojas de papel y lápiz. Escribe todos los pensamientos y sucesos negativos que parece que no puedes liberar. Puedes escribir por qué todavía está contigo toda esta negatividad, o simplemente escribe "No sé por qué todavía estoy tratando con esto, pero duele", o cualquier cosa que estés sintiendo. Tal vez quieras poner una cinta de música tranquila, acelerar el CD o hasta tú mismo susurrar.

Dobla cada hoja de modo que puedas ver lo que escribiste ahí y colócala en tu bote de basura. Deja el bote de basura en el altar. Arraiga y centra. Terminaste esta sesión.

Cuando te sientas preparado para tratar con el bote de basura, continúa como sigue. Vas a necesitar un encendedor y un recipiente a prueba de incendio.

En tu altar angélico, haz tu dedicación al altar y el Ritual Menor de Destierro, luego toma uno de los papeles y sácalo del bote. No te aferres en ninguno en particular.

Lee el papel. Luego pídele a tu ángel guardián que te ayude a manejar esta cosa dura. Sostén el papel por una esquina como si oliera a ya sabes qué. Definitivamente ¿esto es algo de lo que te quieres deshacer, correcto?

Arraiga y centra. Visualiza a tu ángel guardián junto a ti, ayudándote a desechar la mugre de tu vida. Sostén el papel sobre el recipiente y di:

Yo te encomiendo a los ángeles. Yo transmuto todas las energías negativas adheridas a esta situación en energía positiva de amor que afirma la vida. ¡Ahora!

Quema el papel.

Arraiga y centra. Cuando se apague el fuego, regresa las cenizas a la tierra, diciendo:

Benditas seas Madre Tierra
Que absorbes el dolor y la tristeza
Y lo transmutas en energía positiva
Para el uso de todos tus hijos.

Terminaste por esta sesión. Espera unos días para hacer otra quema del bote de basura. Si quieres, puedes hacer un "día de bote de basura" una vez a la semana. Cuando tu bote esté vacío, puedes rellenarlo a medida que avanza la vida. Vas a descubrir que el número de papeles en tu bote va a descender cuando en tu vida trabajas con los ángeles. Llegará un día en que harás a un lado el bote de basura. Registra el éxito que tengas, en tu diario angélico. Por ejemplo, indica cómo te sientes después de que quemaste ese papel sobre tu ex esposo y el dolor que has experimentado desde la ruptura. O tal vez, perdiste a un familiar cercano o un amigo y nunca lo superaste realmente. Esa también es una cosa para el bote de basura.

A mucha gente le gusta decorar los botes de basura angélicos. Puede tener el diseño que quieras, aunque te recomiendo que sea agradable a la vista, para que en el momento que echas la basura al bote sepas que ya inició el proceso de transmutación. Si no estás en las artes y oficios, quizás quieras planear un día angélico para encontrar tu bote especial.

Ángeles y percepción

Cuando trabajas con tu ángel guardián, tu forma de percibir la vida cambiará. Por ejemplo, solía tener un jefe que no le permitía a sus empleados entrar a su oficina y decir: "Tengo un problema". Tenía que decir: "Tengo una situación que necesita corregirse". Después resumía la situación brevemente y ofrecía soluciones probables. Me tomó tiempo acostumbrarme a remodelar mi conducta. Aprendí a pensar primero en una situación y tomar en cuenta la razón probable de su existencia, seguido por varios pasos que se pueden tomar para resolverlos.

Descubrí que los ángeles ven nuestras experiencias del mismo modo. Cuando hablas con tu ángel guardián sobre dificultades que experimentas, necesitas pensar en ellos como situaciones, no problemas. Un problema significa que ya decidiste que el suceso es algo malo, cuando posiblemente podría ser una experiencia de aprendizaje, una situación que necesitaba suceder para ayudarte más en tu carrera u otro cambio de sucesos. Aunque pueda ser difícil tratarlos emocionalmente, a veces los problemas son realmente dones disfrazados.

Cuando algo te sucede, da un paso atrás y di: "¿Por qué sucedió esto en este momento de mi vida? ¿Qué está tratando de mostrarme esta experiencia?" Aprende a no aterrarte. El temor te impide pensar racionalmente sobre una situación. Maneja los buenos momentos del mismo modo. Por ejemplo, ¿y si conoces a alguien que es diferente a ti y pasan juntos una tarde? Sabes que es probable que nunca vuelvas a ver a esta persona. Quizás quieras revisar la experiencia y hacerle unas preguntas a tu ángel guardián. ¿Por qué conocí a esta persona? ¿Qué debo aprender de este día? Quizás no recibas una respuesta completísima de inmediato, pero finalmente las piezas caerán en su lugar.

A través de los años he sido iluminada, más de una vez, por mis clientes de Tarot. He aprendido que todos perciben el mundo de una manera diferente. Incluso las cosas que pensé que eran "normales" en la sociedad, no lo son. Tomemos una idea de amor como ejemplo. Para mí, el amor es protección, apoyo, honor y respeto. Pero descubrí que no toda la gente ve el amor del mismo modo que yo. Unos ven el dinero y el amor como entidades inseparables. Muchos clientes equiparan el sexo y el amor. Otros ven el amor como seguridad y protección en su vida. De hecho, cada humano tiene un criterio diferente para definir el amor, percibiendo de donde vienen los sentimientos amorosos y cómo necesita manifestarse el amor para ellos.

Cuando se trabaja cualquier clase de magia, necesitas estar consciente de tus propias percepciones. ¿Qué necesitas para sentirte amado? ¿Qué necesitas para sentirte seguro? ¿Cómo percibes el dinero? ¿Éxito? ¿Amistades? ¿Qué es más importante la calidad o la cantidad? En cuanto lo hayas pensado, quizás quieras cambiar tu pensamiento en ciertos asuntos. Quizás estableciste algunos bloqueos negativos, que no te permiten ver la imagen completa, o te atoraste en una rutina en vez de ver hacia delante.

Pídele a tu ángel guardián que te ayude a evaluar tus percepciones. ¿Qué cosas necesitas trabajar para traer armonía a tu entorno? ¿Qué puedes realzar? ¿Qué necesitas eliminar? ¿Le has permitido a otros que controlen tus percepciones y tu vida en general? Tu ángel guardián te ayudará a limpiar tu cerebro. Lo único que tienes que hacer es pedir.

Y no daña a nadie

El trabajo angélico te mantendrá alerta. La ayuda de los ángeles siempre se manifiesta para el mayor beneficio de todos los involucrados. Esta es una ventaja cuando se trabaja la magia con ellos y se comunica con el universo. Ninguno de nosotros realmente quiere lastimar a nadie cuando trabaja la magia. Tristemente, algunas personas dejan de estudiar magia porque temen cambiar el curso de los sucesos por accidente y puedan dañar a alguien en el proceso, aunque hayan pensado que lo que estaban haciendo pudiera ayudar a todos. Cuando se trabaja con ángeles, este interés es una cuestión discutible. Los estudiantes de magia que son propensos a mezclarse en los asuntos de otros no llegarán muy lejos si sólo se les enseña la magia angélica. Cuando estén preparados para aprender otras disciplinas, los ángeles lo sabrán y harán que avancen. Si nunca aprenden los valores y los principios necesarios para continuar su entrenamiento, a la larga los ángeles los cerrarán. La persona se dirigirá a otras búsquedas y nadie, incluyendo al estudiante o al maestro, saldrá lastimado por la experiencia.

He entrenado a varias personas en los últimos diez años y he llegado a la conclusión de que el primer tipo de magia que se le presenta al estudiante novato debe ser magia angélica y contacto con su ángel guardián. De este modo puedes trabajar con el estudiante y el ángel, tomando las mejores elecciones para entrenar a todos los interesados.

Diálogo del ángel guardián

Este ejercicio está diseñado para hacer que hables con tu ángel guardián. Vas a necesitar un poco de papel, una pluma o un lápiz (o tu computadora) y más o menos diez minutos de tu tiempo.

Crea dos personajes: un ángel guardián y el humano de quien es responsable el ángel. El humano no tienes que ser tú, si no lo quieres. Piensa en esto como una escena de una obra. Vas a permitirte hacer lo que quieras.

Cierras tus ojos. Toma una respiración profunda. Luego otra. Imagina que los dos personajes se sientan uno frente al otro. Tú eliges la escena. El humano y el ángel se sonríen entre sí. El ángel le da la mano al humano y se presenta.

Abre tus ojos. Escribe un diálogo que tiene lugar entre los dos personajes. No tienes que precisar en el papel quién está hablando, porque eso ya lo sabes. Después puedes regresar y poner una "A" junto a los pensamientos del ángel y una "H" para representar los pensamientos humanos. Sólo suéltate. Puedes ser tan original como quieras. Nadie lo va a saber, ¿correcto?

Después de diez minutos suelta tu lápiz y cierra tus ojos. Relájate y toma una o dos respiraciones profundas. Agradécele a tu ángel guardián que te haya ayudado en este ejercicio.

Veinticuatro horas después, lee tu diálogo. ¿Te hace sentir mejor el diálogo? ¿Hay ahí un mensaje para ti?

He aquí mi diálogo. El ser angélico es Murphy y el humano es Sherman.

Murphy: Hola, Sherman.

Sherman: Hola.

Murphy: ¿Cómo te puedo ayudar hoy?

Sherman: Estoy atorada con este manuscrito. Hay tanto que quiero poner sobre los ángeles, pero parece que me doy de topes en la pared.

Murphy: El piso de un hombre es el techo de otro.

Sherman: Entiendo eso, pero quiero mejorar la vida de las personas.

Murphy: Hasta ahora lo has hecho bastante bien. Les gustan tus otros libros. También les va a gustar este.

Sherman: *(gemido)* Necesito más material.

Murphy: No hay problema. Acabamos de hacer juntos el torbellino de ideas. Eso funcionó.

Sherman: Sí, así fue. Gracias por darme eso.

Murphy: Yo sé - ¿qué tal un cheque angélico?

Sherman: ¿Qué es eso?

Murphy: Ah, una idea que tenía para que a la gente le llegue prosperidad en su vida.

Sherman: ¿Cómo funciona?

Murphy: Fácil. Dibuja un cheque en una hoja de papel, bastante grande para que escribas en él. Va a ser un cheque del Primer Banco Angélico del Universo. ¿Entendiste?

Sherman: Sí. Creo que sí. ¿Y qué haces con el cheque?

Murphy: Llenarlo, por supuesto. Puedes anotar la cantidad de dinero que necesitas o puedes conseguir salud, paz, sinceridad. Cualquier cosa que quieras. El Primer Banco Angélico es ilimitado y no discrimina. Si eres más moderno, puedes hacerte una tarjeta de crédito — ¡ja, ja, ja!

Sherman: ¡Hey! ¡Qué buena idea! ¡Lo voy a intentar! Gracias, Murphy.

Murphy: *(sonrisa)* Para eso son los ángeles.

Gracias a Murphy, a continuación aparece la muestra de un cheque del ángel guardián.

Tu ángel guardián y la magia

Antes de que llegaras al plano terrenal, eras el centro de atención. Había una gran reunión por ti. Tu ángel guardián no se eligió girando la ruleta, o sacando números de un sombrero dorado. Los ángeles guardianes y los humanos están emparejados de una manera más cuidadosa. Ves, el universo sabe que eres una persona muy especial. Eres parte de un grupo reducido de personas que desea llegar más allá del reino material y pretende manifestar luz, amor y alegría espiritual en el plano físico a través del don de la magia. Por cierto, esto requiere un ángel guardián muy especial.

Toda tu vida, tu ángel te ha estado susurrando en sueños, sensaciones, coincidencias, visiones e impulsos, intentando ayudarte a recordar tus tareas aquí en la Tierra. Tu ángel guardián no es una superstición o fantasía. Si no me crees, pídele que te lo demuestre y sé específico en lo que necesitas para creer. Mi comentario fue: "Necesito campanas y silbatos". Y eso recibí exactamente. Pegándome en la cabeza no pudo haber sido más claro.

Tu ángel guardián, lo sepas o no, ha sido reconocido como una energía de suma importancia en la magia Occidental durante varios siglos. Se cree que todo es posible cuando se charla con su ángel guardián, ya que este ser es un guía individual en muchos niveles de la existencia. Aunque tu ángel guardián te enlaza a la divinidad, no es la divinidad, ni se mantendrá como un intermediario en tu comunicación directa con Dios/a (como un sacerdote en una confesional en la religión Católica).

Aquellos que actualmente enseñan magia te hacen un pésimo servicio al decir que los ángeles (y en particular tu ángel guardián) pertenecen a una secta religiosa y como ellos no creen en esa secta, entonces no existen los ángeles. Bu. Silbido. Al cortar a los ángeles te cuelgas la etiqueta de un sistema de creencias que le corresponde a otra persona. No me importa lo que te digan, en cuanto hayas trabajado con tu ángel guardián en un ritual, no hay nada igual. Cerrar la fuente de este poder deliberadamente es aislarte de un método de aprendizaje y de ayuda a otros. Cada vez que veo que una persona mágica hace una rabieta porque creo en los ángeles y trabajo con ellos, veo a un pequeño mago malcriado que no llegará más allá del reino de la posibilidad y tristemente sé que esta persona nunca llegará a ser un verdadero adepto.

Con tu ángel guardián a cuestas, te vuelves excesivamente eficiente en las acciones mágicas. Las cosas que eran difíciles o requerían más trabajo ahora se pueden lograr con facilidad. El ángel guardián te ayuda a aprender y a adquirir percepción en cualquier situación y por ello adquirir armonía en tu vida. El ángel guardián ayuda a eliminar los bloqueos psíquicos y mentales llevando al éxito. Tu ángel guardián es mensajero e instrumento de la luz divina.

No puedes manipular a los ángeles. Ellos tienen órdenes que van más allá de tu comprensión y siguen las reglas del cosmos. Por eso son ángeles. Les puedes pedir ayuda, puedes buscar su guía, puedes trabajar con ellos, pero no puedes decirles qué hacer, cuándo hacerlo y cómo debe hacerse. Ese no es tu territorio. Se puede manipular a los espíritus, pero a los ángeles no (si realmente son ángeles).

Ángeles falsos

Mientras navegaba en America Online® una noche leí el mensaje de alguien que insistía en que los ángeles eran falsos. Qué oximorón, pensé. Más bien me recordaba a la gente que decía que las Brujas eran malas. Qué chistoso. Las verdaderas Brujas no son sirvientes de Satán (ellas no creen en ese cuate). Las verdaderas Brujas hacen un juramento de proteger y servir a la humanidad. Aquí vi lo mismo. Un verdadero ángel no lo sería, no podría ser falso. Simplemente eso no existe.

Esta "cosa" de la que hablaba la persona les decía que bebieran veneno. Ahora, yo te pregunto, ¿qué ángel, qué ser de luz, le diría a esta pobre persona que bebiera veneno? Ninguno. Ningún ángel verdadero podría abrigar tal idea. Después de la historia de esta persona, varias personas agregaron mensajes —sí, sí, ellos dijeron, hay ángeles falsos. Mi primera reacción fue: "¿En dónde tienen la cabeza estas personas?" En los reinos angélicos no, eso es seguro.

Hay muchos aficionados en los mundos espiritual, nueva era y oculto. Esta persona y aquellos que estaban de acuerdo con él, eran aficionados. No habían hecho un estudio verdadero en el tema de los ángeles, pero estaban dispuestos a hacer algo tonto (o concordaban con una acción alocada) porque ellos mismos lo pensaron. Todos debemos aprender a tomar la responsabilidad de nuestras propias acciones y no generar excusas en fundamentos trémulos. Sí, hay maldad en el mundo —todo el mundo sabe eso— pero no se manifiesta con los ángeles.

Ángeles guardianes y la receptividad

Cuando trabajes con tu ángel guardián, tienes que aprender a dejar de pensar que las cosas suceden por coincidencia. En realidad, no creo que exista tal coincidencia. Casi todas las cosas suceden por un motivo y simplemente estamos demasiado cerrados y bloqueados para darnos cuenta. Para trabajar con los ángeles, debes aceptar desde el principio, que necesitas ser receptivo a todo tipo de comunicaciones. Los ángeles pueden ser muy sutiles, en especial si no prestas atención a ellos casi todo el tiempo. Si intentaste contactar a tu ángel guardián y no confías en la voz serena en tu cabeza o estás seguro que los ángeles no te pueden hablar de ese modo, está bien. Puedes usar otros medios para recibir mensajes.

Cuando leemos cosas, tenemos el hábito de creerles. No estoy diciendo que esto siempre sea bueno, sino que las situaciones y la información impresa parece penetrar fácilmente en nuestros pensamientos porque nuestro cerebro está en el mundo físico; es algo que podemos tocar y ver (por así decirlo). En el caso de los medios de comunicación —radio, libros, televisión, películas— podemos ver, escuchar y tocar.

Al usar nuestros sentidos físicos ponemos impresiones en nuestra mente y pensamos que esto es realidad.

Hay varias técnicas sencillas que la gente mágica ha estado usando durante mucho tiempo para obtener respuestas inmediatas a problemas grandes y pequeños. Todas son muy fáciles y empiezan con el mismo tipo de palabrería:

Querido ángel guardián,
Deja que la tercera canción, después de esta, tenga un mensaje para mí en relación con (menciona tu asunto).

Espera esa canción y estoy segura que te va a iluminar. Esto también funciona en la televisión:

Querido ángel guardián,
Se me agotan las ideas. Deja que una palabra o una frase, o tal vez una imagen o algo provoque mi creatividad y me envíe a una buena dirección para este proyecto mientras veo este programa de televisión.

Las películas:

Querido ángel guardián,
No sé que película ver esta noche. Llévame a la película que me dé mucha información o la aportación adecuada que me va a ayudar.

Quién sabe, quizá tu ángel guardián sienta que necesites iluminarte y te mande la comedia más ruidosa que hayas visto. Un libro/revista/periódico.

Querido ángel guardián,
Este es mi problema/petición (menciona tu asunto, sé específico). *Abriré este libro y deja que las hojas se abran donde deban. Por favor llévame a la frase indicada que me pueda ayudar.*

En la red de la computadora:

Querido ángel guardián,
Necesito información en lo siguiente (menciona específicamente lo que necesitas). *Por favor guíame a la persona o al área correcta en la red que me ayude a recibir mi respuesta.*

Estar abierto a lo desconocido deja que tu mente esté abierta a las energías de los ángeles. Entre más receptivo seas, más rápido obtendrás información, más espiritual te volverás, más fuerte será tu fe (¿no te sientes cansado todavía?) y así sucesivamente. El siguiente paso es aprender a ser receptivo a los mensajes que recibas. Los ángeles nunca envían mensajes negativos o ponen pensamientos malignos en tu cabeza —entonces no podrán ser ángeles.

Equipo de ángeles

Se piensa que a medida que llegamos a niveles cada vez más elevados de espiritualidad en la vida, se nos asignan ángeles adicionales para ayudar a nuestro ángel guardián, como una especie de equipo especializado elegido para cada persona específica que llega más allá de la rutina ordinaria de la existencia humana. Este equipo es atraído desde cualquiera de los Nueve Coros (ver Capítulo 2). Cuando trabajas magia con los ángeles, de inmediato se te asigna este equipo de jugadores para ayudarte a manifestar energías positivas que están más allá de lo que podrías hacer solo. Aunque algunos creyentes de ángeles piensan que no puedes tener acceso a los diversos grupos de ángeles a menos que tengas más de un humano presente. No estoy de acuerdo. Sin embargo, al trabajar con ángeles en grupos de humanos es benéfico para la conciencia humana y no niegan el poder de muchas mentes juntas. Primero, tienes que aprender a trabajar con los ángeles por ti mismo, para que tengas confianza. También necesitas limpiar tu propia vida, hacerla más hospitalaria a la energía angélica, antes de poder trabajar con otras personas. Sabrás cuando estás listo.

Los ángeles y el fiasco de los impuestos

Mi padre trabajó fielmente durante muchos años. Al año siguiente de su jubilación, vino conmigo con un dilema. Parece que quien le preparaba sus impuestos murió antes de que llenara sus formas de impuestos. Mi esposo sugirió un negocio en particular, pero dijo que no sabía qué tan buenos eran. Entonces mi padre fue, llevando sus papeles. Él regresó unas horas después, bastante agitado. El contador le dijo que tendría que pagar $2,000 más en su devolución. Pensé que esto era extraño, pero no supe realmente qué hacer sobre ello. No soy un genio matemático.

Tomé unos instantes de mi día ajetreado y tranquilamente le pedí a mi ángel guardián que ayudara a mi padre. Pensé que no era justo que se le penalizara sólo porque finalmente había alcanzado la edad dorada de la jubilación. Cuando abrí mis ojos, el teléfono sonó. Era una amiga con la que no había hablado hacía tres meses, invitándome a comer con ella. Impulsivamente, le pregunté si sabía de alguien confiable que pudiera ayudar a los ciudadanos ancianos con sus impuestos. Ella de inmediato me dio el nombre y el número de una persona de confianza y hasta ofreció llamarla por mí y hacer los arreglos no sólo de los impuestos de mi padre, sino también los míos. En veinticuatro horas los impuestos de mi padre fueron calculados correctamente, ahorrándole más de la cantidad de $2,000. Además, la persona que me recomendó mi amiga encontró un error adicional, hecho por el primer contador, ahorrándole aún más dinero.

Cuando mi padre regresó a la oficina del señor, era todo sonrisas. Me dijo sobre la reunión y lo bien que iba. Le sonreí y dije: "¡Eso es grandioso!".

Dio un paso atrás por un momento y puso una mirada extraña. "¿Tú supiste todo el tiempo que esto funcionaría verdad? ¡Te apuesto que mis noticias no te sorprenden!".

Lo miré cuidadosamente y dije: "Los ángeles nunca dejan de sorprenderme".

8

Los ángeles y el elemento aire

Aire, fuego, agua, tierra —estos elementos de la creación funcionan como una parte integral de nuestro plano de existencia. Ya sea que estemos o no conscientes de su presencia, nuestras energías se mezclan con estos elementos sagrados todos los días. Necesitamos aire para que llene nuestros pulmones y que nos traiga lluvia para tener cosechas sanas. Usamos el fuego para calentar nuestra agua para bañarnos y calentar nuestra casa cuando las temperaturas exteriores caen en picada. Necesitamos el agua no sólo para sostener nuestro cuerpo sino para proveer alimento para las plantas y animales. Construimos nuestra casa en la Tierra y disfrutamos los frutos de su suelo. Para mantener nuestro mundo funcionando adecuadamente a través de la estructura de estos elementos, ¿no es algo maravilloso que se haya asignado un ángel a cada elemento?

Si estos ángeles están tan ocupados con sus tareas elementales, ¿tendrán algún interés en trabajar contigo? ¡Por supuesto! Los ángeles de los elementos saben qué tan importantes son la interacción humana y la magia con el cosmos y estarán encantados si decides trabajar la magia con ellos o pides su ayuda. Al estudiar y trabajar con el aire, el fuego, el agua y la tierra, de una manera natural atraes el equilibrio y la armonía en tu vida. Te vuelves más consciente del mundo físico a tu alrededor y de cuánto cuidado requiere ese mundo. Estos ángeles elementales ansían que tú aproveches los dones de los elementos.

Cuando trabajes con estos ángeles (o cualquier ángel), ten presente lo siguiente:

Se llama a los ángeles (no los citas o les ordenas).

Trabaja sólo con fines positivos —los ángeles no harán cosas que no se deben.

Puedes llamar la esencia de la energía, no el nombre angélico, si quieres.

Siempre trabaja con tu ángel guardián.

Sé creativo con tu trabajo mágico.

No dejes de reconocer la esencia del elemento, además de la fuerza angélica.

Me gusta usar el elemento aire en la magia porque no puedes verlo, pero sabes que está ahí; una especie de testamento para las cosas invisibles. Usado durante siglos en aplicaciones mágicas, este elemento puede ser un amigo o un terror de la humanidad. Poderoso, rápido, fuerte e invisible, desplaza cosas rápidamente, arrastra la negatividad y marca el comienzo de un nuevo enfoque en todas las cosas. Los ángeles del aire se mueven del mismo modo. Siendo criaturas fuertes y autoritarias, aseguran la pureza y la paz con el aliento de la divinidad. Al trabajar con este elemento y sus ángeles, puedes lograr todo tipo de beneficios mágicos.

El aire representa al intelecto, la comunicación, el conocimiento, la concentración, la habilidad para saber y entender los misterios, el movimiento (usualmente rápido), la revelación de los secretos, telepatía, recuerdo, hipnosis, estados alterados de conciencia y sabiduría.

La respiración regulada también es muy importante en la magia. Los mensajes de los ángeles llegan a ti más fácilmente si tienes un estado mental y un cuerpo relajados y esto significa una respiración lenta y uniforme. Una manera de mejorar tu respiración es meditando todos los días. Recuerda, las habilidades de una buena meditación forman una persona feliz, equilibrada y pacífica.

Meditación de los ángeles del aire

Elige un momento en que no te molesten. Vas a necesitar por lo menos quince minutos. Ponte en una posición cómoda sentada o acostada. Intenta no cruzar tus brazos y piernas, ya que esto puede interrumpir el flujo de energía en tu cuerpo.

Respira profundamente por lo menos tres veces. Inhala y exhala; agradable y lentamente. Arraiga y centra.

Cierra tus ojos y relájate; suelta todo.

Relájate. Imagina que una brisa de verano va bajando por tu cuerpo de la cabeza a los pies. Deja que elimine las experiencias negativas del día, dejándote una sensación de protección y seguridad.

Visualízate protegido por una burbuja dorada de luz. Permítete sentirte cálido y amado. Invoca a tu ángel guardián para que te ayude en esta meditación.

Visualiza diversas cosas asociadas con el elemento del aire, como una pluma, sauces balanceándose suavemente o hierbas de verano ondeando. Deja que este elemento te rodee. Siente la paz y la armonía del universo extendiéndose y envolviéndote.

Ahora visualiza al ángel del aire. Si no puedes ver nada de inmediato, no te preocupes de que no lo estés haciendo bien. Todos perciben el mundo de una manera diferente, así que lo que veas está bien para ti. Pídele al ángel del aire que te traiga los dones del aire a tu vida.

Sigue relajándote; muévete si quieres. Cuando estés listo para salir de tu estado alterado, toma tres respiraciones profundas, atrayendo felicidad y energía a tu cuerpo. Abre tus ojos y di: "Estoy totalmente despierto y alerta."

Arraiga y centra. Sigue de cerca tu progreso en tu diario angélico. Repite esta meditación cada vez que quieras.

Correspondencias elementales del aire

La energía del aire es descriptiva en la naturaleza. He aquí una selección de correspondencias para asistirte cuando se trabaja con el elemento del aire y los ángeles del aire.

Signos astrológicos: Géminis, Libra, Acuario.

Colores: Amarillo, dorado, los colores suaves del amanecer.

Hierbas: Hinojo, lúpulo, mejorana, perejil, salvia, menta, eneldo, albahaca, orégano.

Metales: Estaño y cobre.

Instrumentos musicales: Instrumentos de viento.

Lugares: Áreas elevadas como montañas, torres y aviones; bibliotecas, agencias de viajes, oficinas de psiquiatra / psicólogo / hipnoterapeuta o lugares de sanación mental (como reuniones de personas que piensen igual), escuelas, playas.

Rituales y peticiones: Sanación mental, estudios adivinatorios y esotéricos, conocer la verdad de un asunto, eliminar la negatividad, recuperación de propiedad o gente perdida o robada, viaje seguro a cualquier parte.

Aromas: Flores muy aromáticas incluyendo las rosas (de preferencia blancas, rosas o amarillas), aceites esenciales (en especial lavanda o lirio de los valles).

Sentido: Oído.

Deportes: Esquí en nieve, carrera, arquería, paracaidismo, salto en bungee, vuelo en planeador.

Piedras: Citrino, ágata musgosa, cuarzo rosa, cuarzo.

Tiempo: El amanecer.

Tipos de Magia: Adivinación, superación personal, mente, viento.

Visualizaciones: Plumas, humo, incienso, hojas flotando.

Ángeles que generalmente se asocian con el aire

Ángeles del aire (general): Chasan, Casmarón, Cherub, Iahmel.

Ángeles de las alturas: Barachiel, Gabriel, Gediel.

Ángel de los anuncios: Siruchi (Persa).

Ángeles de las aves: Arael, Anpiel.

Ángeles de las nubes: General, sin nombre (creados el primer día de la creación).

Ángel de la comunicación y la protección: Ambriel.

Ángel del amanecer: Hlm hml.

Ángel de las palomas: Alphun.

Ángel de los sueños: Gabriel.

Ángel del libre albedrío: Tabris.

Ángel de la gracia: Ananchel.

Ángeles de los huracanes: Zamiel, Zaafiel.

Ángel de los logros intelectuales: Akriel.

Ángel de los inventos: Liwet.

Ángel del recuerdo y la tolerancia: Mupiel.

Ángel de la moderación: Baglis.

Ángel de los vientos de mediodía: Nariel.

Ángel del viento del norte: Cahiroum.

Ángel de la sabiduría, el conocimiento y el aprendizaje puros: Dina.

Ángel de los filósofos y la meditación: Iahhel.

Ángel de los pensamientos positivos: Vohumanah.

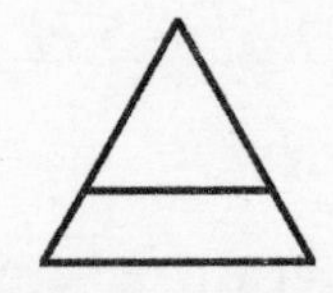

Símbolo del elemento aire

Ángeles de las oraciones: Akatriel, Metatrón, Rafael, Sandalphon, Miguel.

Ángel protector de las bibliotecas, los archivos y los lugares de aprendizaje: Harahel.

Ángel de la pureza: Taharial (limpia los pensamientos y el entorno).

Ángel de los secretos y el conocimiento oculto: Satarel.

Ángel del cielo: Sahaqiel.

Ángeles de las tormentas: Zakkiel, Zaamael.

Ángeles de los rayos: Ramiel, Uriel.

Ángel de la verdad: Armait (también, armonía, bondad y sabiduría).

Ángel de los buscadores de la verdad: Haamiah.

Ángel del crepúsculo: Aftiel.

Ángeles de los torbellinos: Rashiel, Zavael.

Ángeles del viento: Moriel, Ruhiel, Rujiel, Ben Nez.

Ángel que inspira la escritura: Ecanus.

Ángeles de los cuatro vientos

Los ángeles de los cuatro vientos son Rafael (este), Miguel (sur), Gabriel (oeste) y Uriel/Ariel (norte). Ya hablamos de estos ángeles al detalle (ver Capítulo 2), pero hablemos de los vientos y cómo se mezclan con el estudio mágico.

Cuando se trabaja con los ángeles de los cuatro vientos, cerciórate de que estés viendo hacia la dirección correcta para saludarlos. Por ejemplo, para llamar a los ángeles del viento del este, con tu cuerpo viendo hacia el este, abre tus brazos y habla claramente. A los ángeles del viento no les gustan los humanos que hablan entre dientes. Los ángeles de los cuatro vientos son enérgicos y quieren que aprendas a estar orgulloso de ti y te mantengas firme.

Para encontrar los mejores momentos para trabajar con estos ángeles, quizás quieras comprar una manga de viento. Aunque el canal del clima en televisión por cable es una gran guía, tal vez vivas en un valle o cuenca y la dirección puede ser diferente. Hasta puedes decorar tu manga de viento con ángeles si sabes manejar bien la aguja y el hilo. Cuando lo cuelgues, pídele a los ángeles de los cuatro vientos que vigilen tu propiedad y tengan a tu familia protegida del daño. Cerciórate que tu manga de viento sea visible desde una ventana, a menos que quieras salir corriendo a colgarla cada vez que quieras usar a los ángeles de los cuatro vientos. (Yo no sé a ti, pero a mí no me pescarás afuera cuando está a veinte bajo cero).

Si no puedes tener una manga de viento, no te preocupes. Toma una clavija y amárrale una tira de tela, luego entiérrala bastante profundamente en la tierra para que no se vuele, pero bastante alta para que la veas desde una ventana. Usa una tira amarilla o blanca y borda o pinta símbolos mágicos en la tela que correspondan a los ángeles de los cuatro vientos.

Ángeles del viento del Este

Cuando piensas en los ángeles del viento del este, piensa en las brisas primaverales y el frío invierno quitando sus garras heladas de la tierra. Esta es una ráfaga de aire ligeramente perfumada y cálida que da cosquillas en la nariz y hace que la lenta sangre cante a través de tus venas o ese estremecimiento que te llega cuando aprendes algo nuevo o captas correctamente un concepto. Los ángeles del viento del este traen promesas, nuevas aventuras, inicios excitantes y la esperanza de que mañana será un día mejor. A estos ángeles

les encanta trabajar con gente que tiene ideas grandiosas y está dispuesta a ponerlas en acción. Ellos guían a los inspiradores y a los cuáqueros del universo. Si tienes un proyecto humanitario, pide la guía de los ángeles del viento del este.

Estos ángeles son muy buenos en la comunicación multitudinaria a nivel personal. Como ángeles de las amistades, ellos pueden llevar tus mensajes a una familia completa (ya sea por conexión de sangre, alma o mental). Invoca a los ángeles del viento del este para encontrar cosas o personas perdidas, para encontrar la verdad "real" de un asunto y darte un impulso intelectual o una ventaja en el entrenamiento mental.

Los ángeles del viento del este se concentran en la expansión. Adoran las afirmaciones positivas. Antes de escribir o practicar una afirmación, invoca a estos ángeles para que lleven tus mensajes a la fuente divina.

Pídele ayuda a estos ángeles en cualquier clase de comunicación, incluyendo llamadas telefónicas, cartas, documentos y contratos importantes, faxes, correo electrónico, televisión, periódicos, revistas, ¡incluso en Internet! Estos ángeles trabajan mejor cuando el viento sopla del este.

La magia de la salida del sol está bajo los auspicios de los ángeles del viento del este. Puedes componer un ritual angélico para el amanecer que incluya un rito de purificación. Otras magias asociadas con el amanecer son el estudio, el empleo, ruptura de adicciones de todo tipo, viajes, liberación de culpa y celos, mente alerta y éxito en los negocios.

Invocación

Saludo a los ángeles del viento del este
Cálidas energías de la mañana prometedora
Vientos de acción y comunicación
Entren aquí a este espacio sagrado
Y denle su fuerza a mi magia.

Ángeles del viento del Sur

Piensa en la intensa fragancia de los días veraniegos, las tardes acaloradas y los deliciosos esplendores del atardecer, cuando el aire besa tu frente y las noches te llenan de un ardiente deseo. Piensa en el aire picante y pesado y tienes a los ángeles del viento del sur —criaturas musculosas y compasivas que queman el alma con iluminación divina. Estos ángeles robustos aman la toma de decisiones firme y las búsquedas de creatividad. De todos los ángeles de los cuatro vientos, son los que más aman la risa. Les gustan las bromas y las diversiones, los pasatiempos y un entorno libre de tensiones. Definitivamente son los ángeles de la diversión buena y limpia.

Los ángeles del viento del sur también están asociados con el fuego. Las magias que incluyen velas, piras, linternas, fogatas y flamas en general están bien atendidas por estos ángeles. Naturalmente, ellos trabajan mejor cuando el viento sopla del sur.

Los artistas, músicos, bailarines y los que están involucrados en deportes combativos de dos, son los preferidos de los ángeles del viento del sur. Ellos también disfrutan cualquier tipo de aventura de cocina, desde parrilla al aire libre hasta la elaborada cocina Francesa. Definitivamente, los ángeles de la audacia trabajan ayudándote en la transformación, el éxito, el refinamiento y la purificación.

La magia del mediodía está bajo los auspicios de los ángeles del viento del sur. Este es un momento excelente para realizar un ritual para renovar la fuerza. Otras magias que caen bajo las correspondencias del mediodía son protección, dinero, valor y éxito general.

Invocación

Saludo a los ángeles del viento del sur
Energías ardientes de la creatividad del mediodía
Vientos de alegría y compasión
Entren aquí a este espacio sagrado
Y denle su deseo a mi trabajo.

Ángeles del viento del Oeste

Piensa en el olor penetrante de las hojas otoñales y la bruma al atardecer, moviéndose sigilosamente a través del fresco anochecer. Este es el momento del encanto crepuscular, cuando las corrientes de aire fresco bailan a través del follaje vibrante del otoño. Piensa en la energía fresca y movediza; seres que pueden ondular a través de cualquier situación, por extraña que sea —éstos son los ángeles del viento del oeste. Cuando la sanación espiritual y la transformación del alma se necesitan, vas a encontrar a estos ángeles.

Los ángeles del viento del oeste están asociados con el elemento del agua. Las magias que implican intuición, emociones, amor, espiritualidad y sanación son de su responsabilidad. Como guardianes de los cuidadores, votos matrimoniales y almas gemelas, los ángeles del oeste se interesan en el flujo suave de la vida y el torrente estable de la armonía. Naturalmente, los vientos que soplan del oeste asisten en el trabajo mágico del elemento agua. Los ángeles del oeste aman los rituales religiosos de todo tipo y dan su energía chispeante y vibraciones de limpieza a tus esfuerzos mágicos.

Estos ángeles cuidan las puertas de la muerte y asistirán a cualquier funeral para asegurarse que tanto los vivos como los muertos encuentren consuelo. Llama a estos ángeles cuando hayas perdido a una mascota o a un ser querido, ya que proporcionan consuelo y sanación mientras el espíritu y el humano manejan la transformación de la muerte.

Las magias del atardecer son un momento maravilloso para realizar rituales de transformación personal. Otras correlaciones del atardecer son la transformación de hábitos y patrones negativos, ruptura de adicciones, viaje al interior del ser para encontrar respuestas de preguntas importantes, pérdida de peso y transformación de la pena.

Invocación

Saludo a los ángeles del viento del oeste
Energías frescas del encanto crepuscular
Vientos de sanación y transformación
Entren aquí a este espacio sagrado
Y denle su flujo suave a mi magia.

Ángeles del viento del Norte

Piensa en las poderosas fauces de una ventisca invernal y los chasquidos de las torres congeladas de hielo brillante. Las duras y gélidas ráfagas de aire glacial e inhóspito atravesando por los huecos desolados y solitarios a medianoche —éstos son los ángeles del viento del norte, con músculos de hierro y la presencia de gigantes arrolladores.

Los ángeles del viento del norte son destructivos de una manera positiva —este es un viento severo inhóspito que desintegrará cualquier situación de negatividad. Ellos se deleitan desgarrando el coraje del planeta, destruyendo esas energías que pretenden dañar el universo. Estos ángeles fríos se preocupan por la protección y el equilibrio y aunque se les asocia con el elemento tierra, ellos no encuentran divertidas las magias de fertilidad o prosperidad. Los encontrarás en situaciones combativas donde están intentando hacer lo que es correcto, o defendiéndote de la maldad.

Son excelentes en situaciones de la corte, son guardianes de los oficiales de policía y del servicio armado personal, estos ángeles no se tragan los cuentos y molerán la injusticia debajo de sus poderosos talones. Su hora es la medianoche.

Las magias de medianoche son excelentes para los ritos de psiquismo y espiritualidad. Otras magias asociadas con la medianoche son las que implican sueños, meditaciones, belleza, purificación, amistad, estabilidad y fertilidad en todas las cosas.

Invocación

Saludo a los ángeles del viento del norte
Energías glaciales de protección de medianoche
Vientos de equilibrio y justicia
Entren aquí a este espacio sagrado
Y denle su fuerza de hierro a este trabajo.

Campanas de ángel guardián

Una idea maravillosa para una actividad familiar es conducir un ritual implicando la colocación de campanas del ángel guardián fuera de tu casa. Cada persona bendice una campana que pueda aguantar el clima por lo menos el transcurso completo de un año. Tú eliges el día que piensas que es el más propicio para esta actividad. Por ejemplo, todo el mundo puede hacerlo en el Equinoccio de Primavera o en Pascuas, o se puede hacer en el cumpleaños de cada persona. El suave tintineo de las campanas atraviesa las estaciones, recordándote que tus ángeles guardianes siempre están cerca.

Lleva la(s) campana(s) a tu altar angélico. Límpialas, conságralas y facúltalas para que repiquen una verdadera armonía, paz y salud en tu vida. Pídele a tu ángel guardián que las bendiga.

Lleva la(s) campana(s) al exterior y cuélgalas en un árbol de tu jardín o en los aleros de tu porche posterior.

Arraiga y centra. Llama a los ángeles de los cuatro vientos y pídeles que bendigan la(s) campana(s).

Ceremonia de las luces angélicas

Puedes realizar esta ceremonia en cualquier época del año. Si eres Cristiano, quizás quieras realizarla cerca de Navidad. Si eres Wiccan, puedes elegir la Candelaria (febrero 2) o Natividad (diciembre 21). Los que profesan la creencia Judía pueden preferir Hanukah. Sin embargo, si quieres hacer las cosas al aire libre, entonces el momento ideal sería el Solsticio de Verano.

Materiales:

Veinte bolsas de papel tamaño refrigerio
Veinte veladoras votivas
Arena/ arena para gato no inflamable (por lo menos una taza para cada bolsa)
Un par de tijeras
El molde de un ángel (ver la siguiente página)

Dibuja el molde de un ángel en cada bolsa de papel, luego corta el ángel. Pon una taza de arena/arena para gato en el fondo de cada bolsa. Coloca la vela arriba de la arena. Arregla las bolsas de modo que formen un camino al altar —diez de cada lado.

El tema de esta ceremonia es aprender a caminar con los ángeles. El oficiante de la ceremonia entra primero, encendiendo cada vela, luego encendiendo las velas iluminadoras en el altar. Cada vez que enciende una vela él/ella dice:

Molde de la bolsa de ángel

Ángel guardián, toma mi mano, estoy preparado.
Ángeles del aire, que crean palabras y pensamientos
Propagando el dulce aire de la sabiduría con cada vela que enciendo
Camino con ustedes en el sendero de la luz
Salgo de la oscuridad y entro a la irradiación del espíritu
Yo ahora guío el camino.

Cada persona luego la sigue, diciendo:

Ángel guardián, toma mi mano, estoy preparado.
Ángeles del aire, que crean palabras y pensamientos
Propagando el dulce aire de la sabiduría con cada paso que doy
Camino con ustedes en el sendero de la luz
Salgo de la oscuridad y entro a la irradiación del espíritu.

Detente en cada serie de velas y pide algún tipo de ayuda o di algo que lleve una expresión de honor y gozo. Por ejemplo, podrías decir: "Solicito sabiduría," "Le agradezco a la Diosa por mi salud," etc. No es necesario que digas las peticiones o las palabras de honor en voz alta. Los únicos que necesitan escuchar son la divinidad y los ángeles. Cuando cada persona llega al altar, realiza una especie de oración, luego se hace a un lado.

Cuando todos terminaron, el oficiante de la ceremonia regresa por el camino, apagando cada vela. Al final del camino, dice:

Ángel guardián, gracias por caminar conmigo.
Ángeles del aire, permanezcan si lo desean, retírense si deben hacerlo.
Que siempre camine con ustedes en el sendero de la luz
Saliendo de la oscuridad y entrando a la irradiación del espíritu.
Saludos y hasta luego.

La persona le entrega las velas angélicas a los que participaron en la ceremonia, para que puedan llevarlas a casa y usarlas en sus altares.

Almohada angélica de los sueños

¿Estás teniendo problemas para recordar tus sueños? Cose tres lados de una tela cuadrada pequeña y llénala con cebada y pétalos de rosa. Cósela; si quieres ponle un listón. Pon la bolsita debajo de tu almohada. Dibuja el pentagrama de destierro en tu almohada para eliminar cualquier negatividad. Antes de ir a dormir, coloca una libreta y una pluma (o una grabadora) junto a tu cama. Di lo siguiente antes de cerrar tus ojos:

Ángeles de los sueños, ángeles del aire
Ángel Gabriel, la más hermosa y justa
Ángeles que me cuidan con amabilidad y cuidado.
De los sueños que ahora atrape y sostenga cerca
Deseo recordar lo que más necesito saber.

Cuando te despiertes, inmediatamente escribe cualquier cosa que puedas recordar sobre tu sueño. Si no lo puedes interpretar de inmediato, no te preocupes. Uno o dos días después revisa tus anotaciones. Puede tardar un poco para que el significado entre a tu mente consciente.

Ángeles y los servicios en línea

¿Alguna vez has entrado a una conversación y alguien realmente desagradable está ahí, perturbando la conferencia? He aquí una pequeña cancioncilla que inventé una noche y funcionó de maravilla para cambiar el ambiente.

Tengo el poder en mi mano
Subo mi brazo, resisto a mi enemigo
Velocidad del viento, cambio del viento
Armonía estoy a punto de enviar
Los ángeles cantan, giro vertiginosamente
¡Y lanzo la energía hacia arriba y hacia fuera!

Al experimentarlo, he descubierto que funciona de maravilla cuando estás bajo tensión o simplemente tratando con gente mala y malintencionada, aunque no seas un monstruo de la brigada de niños como yo. ¡Seguro que facilita navegar en Internet!

Enviando mensajes angélicos

A través de los años, he recibido muchos mensajes angélicos de gente amable y generosa que lee mis libros. Invariablemente, estas cartas y regalos llegan cuando menos los espero, de personas que ni siquiera conozco, en días que pienso que mi vida se fue por el caño. Estoy muy agradecida por estos actos de amabilidad fortuitos. Si escuchas que un amigo o un conocido tuvo un día malo, o algún otro suceso infeliz, ¿por qué no le envías una nota angélica? No tienes que tener alas grandes para ello. Estará bien un poema corto como este:

Una pequeña nota para que sepas
Que me gusta tu trabajo, tu amabilidad se muestra.
Así que sal y toma una respiración profunda
Y pide que todas tus necesidades sean resueltas.
Sé que los ángeles te van a escuchar
Y eso es porque yo se los pedí.
Que el amor y la luz vuelen hacia tu camino

Que tu espíritu se eleve durante todo el día.
Que tus problemas vuelen en un ala y una oración
Que todos tus días sean soleados y hermosos.

Si no te gusta la poesía, escribe una nota breve, haciéndole saber a la persona que cambió tu día. Tengo una caja especial de papeles para las notas y un rollo de estampillas que guardo en mi escritorio, sólo para darle a alguien una sonrisa cuando creo que la necesita. No cuesta mucho y propaga armonía y alegría.

Los ángeles y el elemento fuego

El fuego —nos seduce con su calor tentador, pero revela unos colmillos brillantes si nos aventuramos muy cerca. Es un elemento de comodidad y de caos, merma el aire que respiramos y consume cualquier cosa que se interpone en su camino.

El fuego — elemento sagrado de templos y salones, debe estar controlado para que exista en armonía con los humanos. Sin embargo, en la magia, desatamos su furia, desde la suave llama vacilante de una vela mágica hasta la fuerza de una erupción volcánica, para lograr fines positivos. Igual que el mismo elemento, los ángeles de fuego son impetuosos y de forma y semblante exquisitos. Siendo valientes y audaces, disfrutan cualquier cosa vigorosa y apasionante.

Los ángeles del fuego pretenden asistir a los humanos en la pasión de la creatividad. El elemento fuego representa purificación, valor, voluntad para triunfar, el ser superior, refinamiento, las artes y transformación. Se puede considerar como un Sol benévolo durante una tarde suave de verano, o el calor abrasador de un desierto inhóspito. El fuego es apasionado y así son sus ángeles.

Los ángeles y la creatividad

Para hacer un cambio en tu vida, primero tienes que desear el cambio. No solamente debes querer hacer las cosas de diferente manera, sino desearlo tan profundamente que difícilmente puedas soportarlo. Necesitas preparar tu mente consciente y hacer que se entere que vas a hacer este cambio, a pesar de los bloqueos que subconscientemente pones en su lugar. Invocar a los ángeles para que te ayuden lo facilita, pero tienes que hacer tu parte también. Desgraciadamente, el cambio no sucede sólo porque lo quieras con toda tu alma.

Entre más te esfuerces hacia la creatividad o cualquier meta, se vuelve más efímero. Para mantener un flujo creativo constante, debes ver las cosas de una manera diferente todo el tiempo. La armonía total no incrementa la creatividad. Necesitamos que se calme el caos de la vida hasta que surja un pensamiento del pandemonio, transformado de un concepto confuso a una idea reluciente. Sin embargo, lo principal en este proceso es la habilidad para relajarte y ser paciente —una pareja que no siempre baila bien junta. Es difícil ser creativo, paciente y relajado cuando los que nos rodean no entienden el proceso creativo. Ellos pretenden definir y controlar la creatividad a través de plazos, reglas inútiles o esnobs eruditos.

Cuando estoy escribiendo y parece que no puedo avanzar (no, no se desarrolla en mi cerebro y en mi computadora automáticamente), cierro todo y voy a mi habitación. "¿Vas a consultarlo con la almohada?", es el comentario normal que escucho de mi esposo.

"No, sólo voy a descansar un rato". En ese punto me relajo y hago el Ritual Menor de Destierro en mi mente. Luego hago una oración en mi altar, en mi cabeza. A partir de ahí, me dejo a la deriva, liberando el estrés de mi cuerpo. Tengo dos líneas de defensa para no estar perturbada. Primero, mi esposo aborda a los niños antes de que puedan molestarme. Si se le escurren, mi protector (él es un protector grande —pienso que él tiene un crecimiento hormonal extraño) los saca de la habitación.

Cuando todo está calmado, a veces le hablo a mi ángel guardián en una especie de comunicación en sueños. Otras veces, respiro profundamente y cierro mis ojos, sintiéndome cómoda y segura. Este método me permite alejarme de los que asfixian la creatividad como el temor ("No puedo adquirir esto". "¿Y si fracaso?") y la autocrítica ("A quién pienso que estoy engañando, no puedo hacerlo". "Mi trabajo no es tan bueno ya que esto y lo otro"). Y la crítica de otros ("¿Para qué estás haciendo eso? No eres nada buena en eso". "Deja de perder tu tiempo"). También desencadena la necesidad de concentrarme en el tema con tanta intensidad que sólo salgo frustrada. Una vez que supero esto, la musa creativa entra en funciones.

Por ejemplo, cuando supero el frustrante manejo de un capítulo (ya sea ficción o no), ahí voy, totalmente absorta en el proceso creativo. No tengo idea de qué hora es o qué está saliendo en la televisión en la habitación de junto. Aplazaré viajes al baño (no es broma) y la Diosa va a ayudar a la persona que me llama por teléfono para charlar.

Sin embargo, tienes que aceptar el hecho de que la creatividad requiere períodos improductivos. Durante este tiempo puedes hacer otras cosas, como (gulp) limpiar el baño. Lavar esos trastes, concentrarte en el lavado de ropa, cortar el césped, cambiar el aceite, hacer encargos o cuadrar tu chequera. A veces tomo un descanso y veo una revista, veo mi película favorita, salgo a caminar o llamo a un amigo —cualquier cosa para sacar mi mente del proyecto. También trabajo en pequeños proyectos creativos en la casa, como volver a pintar la habitación. (Me tomó de octubre a marzo volver a pintar mi comedor). Hacía un poco cada vez. Lijaba hoy esta ventana. Le daba otra mano mañana. Esperaba una o dos semanas y le daba la segunda mano, etc. Es una forma descansada de alejarme de la computadora y entrar a un proyecto que se llevaba mi cerebro muy lejos de mi obra.

A los ángeles del fuego les encanta ayudar en el proceso creativo. Invócalos cuando estés tratando con inhibidores de la creatividad —temor, autocrítica, crítica de otros y momentos de frustración. A los ángeles de fuego les encanta reír y jugar, así que puedes recibir un poco de ayuda sorpresiva, como una invitación a nadar, o la oportunidad de ver una película que pensaste que estaba totalmente vendida. Te di el ejemplo de escribir, porque eso es lo que hago; sin embargo, el tema es la creatividad general. Por ejemplo, puedes ser un genio arreglando coches clásicos; puedes pintar, bailar, esculpir, escribir software de computación, etc. La creatividad puede ser en todas las facetas de la vida, si tan sólo te abres a ello.

Visualización del ángel de fuego

Arraiga y centra. Cierra tus ojos y toma tres respiraciones profundas. Si te sientes tembloroso, respira profundamente varias veces más. Relájate. Nadie va a fugarse con tu proyecto y hacer que esto triunfe mientras tomas unos momentos para estar seguro en el proceso creativo.

Visualízate en un campo de verano abierto, con el sol de mediodía arriba de ti. Un ángel con alas iridiscentes aparece ante ti, ofreciendo llevarte a un lugar en donde las ideas son ilimitadas. Sin embargo, hay una condición. Debes cavar un hoyo y enterrar todas tus dudas, temores y críticas. Tú estás de acuerdo y sigues adelante.

Repentinamente, la tierra tiembla y de tu negatividad enterrada surge un árbol dorado de conocimiento. El ángel te felicita y te dice que el árbol va a ayudar a otro viajero muy pronto. El ángel toma tu mano y tú vuelas en el cielo azul, sintiendo que el aire se arremolina a tu alrededor en ondas suaves. Así se siente ser libre.

En poco tiempo va a ser el momento de aterrizar. El ángel elige un claro rodeado por un bosque de suprema belleza. En el centro del claro hay un fuego abrazador. El ángel da instrucciones de que te relajes cerca del fuego, prometiendo que las imágenes y las ideas que buscas se pueden encontrar dentro de las flamas danzantes; él o ella te dicen que vas a recordar todas las imágenes e ideas. Relájate y observa en las flamas. No te presiones, deja que las imágenes lleguen a tu mente.

Cuando hayas terminado, deja que el ángel vuelva a tomar tu mano y vuela de regreso al claro veraniego. Relájate bajo la sombra del árbol dorado del conocimiento. Cuando estés listo para regresar a un estado de vigilia, cuenta del uno al cinco y abre tus ojos.

Graba tus impresiones en tu diario angélico, en una hoja de papel o una tarjeta. Si recibes buenas ideas, úsalas. Si nada te salta de inmediato, no te preocupes. Lleva contigo la tarjeta varios días, consultándola ocasionalmente.

Entre más practiques esta meditación, más fácilmente fluirá la creatividad. Es necesario que creas que los ángeles te van a ayudar y confía en que la germinación de ideas es un proceso creciente —casi todas las grandes ideas necesitan tiempo para infiltrarse en tu subconsciente antes de que se manifiesten en tu mente consciente. Si la información en las tarjetas no te ayuda, ponlas en una caja y revísalas un mes después. Te puedes llevar una agradable sorpresa de lo que escribiste. He tenido épocas en que tuve ideas que no aplicaban con el proyecto actual, pero unos meses después, encajaban perfectamente en lo que le está sucediendo a otra persona.

Correspondencias elementales del fuego

La energía del fuego es de naturaleza descriptiva. He aquí una selección de correspondencias para que te ayuden cuando trabajes con el elemento fuego y los ángeles de fuego.

Signos astrológicos: Aries, Leo, Sagitario.

Colores: Rojo, naranja, siena tostada.

Hierbas y flores: Girasoles, caléndula, pimienta de cayena, ajo, cebolla, ruda, laurel, retama.

Metales: Oro, latón.

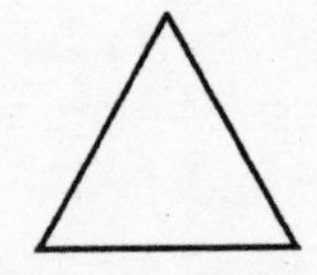

Símbolo del elemento fuego

Instrumentos musicales: Instrumentos de cuerda.

Lugares: Desiertos, volcanes, hornos, chimeneas, campos deportivos, aguas termales, saunas, playas, pabellones, salones de belleza, estudios de baile, estudios de cine, escenarios de teatro, recámaras.

Rituales y peticiones: Creatividad, pasión sexual, valor, fuerza, energía, autoridad, destierro, resonancia, cánceres destructivos.

Aromas: Fragancias altamente estimulantes como bugambilias, cítrico, lila, pachulí, clavo, mirra, nuez moscada.

Sentido: Vista.

Deportes: Caza, buena puntería, fútbol americano, fútbol, triatlón, box, kickboxing, artes marciales.

Piedras: Jaspe rojo, sanguinaria.

Tiempo: Mediodía.

Tipos de magia: Protección, búsquedas creativas, vela, tormenta, estrella.

Visualización: Cualquier clase de magia, objetos calientes, estrellas, cometas.

Ángeles que generalmente se asocian con el fuego

Ángel de la zarza ardiente: Zagzagel.

Ángeles de cometas: Zikiel o Ziquiel, Akhibel.

Ángeles de las constelaciones: Kakabel (Kochbiel), Rahtiel.

Ángel de la creatividad y de la imaginación vívida: Samandriel.

Ángeles del disco Solar: Chur (Persia antigua), Galgaliel.

Ángel de la buena causa: Nemamiah (ángel guerrero).

Ángeles del fuego: Nathaniel (Nathanel), Arel, Atuniel, Jehoel, Ardarel, Gabriel, Seraph.

Ángel de la flama: El Auria, un nombre equivalente a Ouriel (Uriel).

Ángel inspirador del arte y la belleza: Hael.

Ángeles de la luz: Isaac, Gabriel, Jesús, Mihr (religión Parsi), Parvagigar (Árabe).

Ángel de la luz del día: Shamshiel.

Ángeles de las luces (general): Rafael como regente del Sol, Uriel, Shamshiel.

Ángel del amor, la pasión, romance y almas gemelas: Anael.

Ángeles de la canción: Uriel, Radueriel, Israfel, Shemiel, Metatrón.

Ángeles del éxito y la buena fortuna: Barakiel.

Ángeles de la estrella del norte: Abathur, Muzania, Arhum Hii.

Ángeles de las estrellas: Kakabel, Kohabiel.

Ángel de la estrella del amor: Anael.

Ángeles de la estrella del norte: Abathur, Muzania, Arhum Hii y cuatro ángeles en la tradición Mandea.

Ángel de los rayos del Sol: Schachlil.

Magia de la vela y ángeles

Una de las magias menores más populares es la magia de la vela. Las velas son románticas, consoladoras, coloridas y no son amenazadoras. Las velas son fáciles de usar y no atraen mucha atención. Nadie piensa dos veces si quieres encender velas —después de todo, se suma al ambiente de cualquier casa y crea vibraciones de seguridad.

La magia de la vela es simple. Las velas absorben tu poder personal rápidamente, liberan el poder sin tener que revolotear sobre ellas, vienen en una variedad de colores para hacer las correspondencias mágicas fáciles y son un recordatorio inmediato de que estás haciendo algo para mejorar tu vida. Estás trabajando para cimentar la idea en tu mente de que quieres que algo cambie en tu vida. Las velas también son señales para los ángeles de que estás listo para trabajar. A los ángeles les encanta la magia de las velas.

Apagada, una vela representa el elemento de la tierra, pero cuando la flama conmueve la mecha se convierte en un vehículo de los cuatro elementos. Su humo ondulante está asociado con el aire; su cera que se derrite corresponde al agua; la flama danzante está asociada con el elemento fuego; la misma vela representa la tierra. Aunque hay épocas en la historia en que la quema de velas se consideraba inaceptable y maligna, las velas generalmente han sido aceptadas como una forma de práctica religiosa y honradas por varios cientos de años, así que no dudes en trabajar con ellas.

"Encender una vela" para alguien, representa el respeto que se tiene por esa persona y sus necesidades, un deseo en tu interior por ayudar a alguien, una respuesta activa a la necesidad de la persona, un sentido del honor en uno mismo y las propias creencias y un acto de fe.

Si dejas de pensar en ello, estas son razones bastante serias. El simple acto de encender una vela trae más acción positiva a la jugada de lo que puede pensar la mayoría de la gente. Como nadie va a saber que lo estás haciendo (con tal que no chismorrees en todo tu edificio), nadie se va a reír de ti.

Las velas también son fáciles de trabajar porque necesitan poco tiempo para "vestirse" y facultarlas. El vestido quiere decir, frotar una capa ligera de aceite aromático o agua bendita en ellas. Antes de que empieces, pídele a tu ángel guardián que te ayude. Afirma tu deseo claramente así que no hay una comunicación mezclada. Nosotros los humanos tenemos el mal hábito de no decir lo que realmente queremos, o peor, no comprender en primer lugar lo que queremos realmente. Sí, nuestros ángeles guardianes son buenos para lograr descubrir lo que nuestra mente está rumiando, pero necesitamos ser claros con nosotros mismos, de modo que podamos enfocarnos con más precisión. Por supuesto, la honestidad en todo siempre es la mejor política.

Para atraer las cosas hacia ti, empieza desde arriba de la vela y frota el aceite hacia abajo hasta el centro de la misma, luego frota el aceite desde el fondo de la vela hacia arriba hasta el centro de ella. Para alejar las cosas de ti, haz lo opuesto: empieza en el centro hacia arriba. Luego empieza del centro hacia abajo. Si el fabricante vació tu vela en una copa de cristal, usa el agua bendita en vez de aceite en el exterior de la copa y deja que seque, o dibuja un pentagrama de destierro sobre la parte superior de la vela con un leve rastro de aceite. También puedes dibujar un pentagrama de destierro en agua bendita en la parte de abajo de la copa o recipiente de cristal.

Sostén firmemente la vela en tus manos (o mano, como te acomode) y deja que tu energía circule alrededor de la vela. Visualiza a tu ángel guardián sosteniendo la vela contigo. Piensa en tu deseo e implántalo en la vela. A unas personas les gusta sostener la vela apretada mientras hacen esto; otras simplemente dejan que sus pensamientos fluyan en la vela. Haz lo que más te acomode.

La magia de la vela y el símbolo trabajan bien juntos. Talla tus símbolos en la vela antes de encenderla. Puedes poner tu símbolo personal en ella, el símbolo de tu ángel guardián o un ángel elemental, una correspondencia astrológica, o el símbolo de tu deseo. Usa la punta de una aguja de zurcir caliente o una uña para tallar tus sellos y símbolos. (Para más información sobre sellos y símbolos, ver Capítulo 14).

Aunque puedes usar cualquier clase de candelabro, te sugiero latón. Los candelabros de madera son propensos a incendiarse y los candelabros de cristal pueden (y lo hacen) romperse, creando también peligro de incendio. Un buen candelabro antiguo de latón en una charola de metal es la manera más segura de seguir adelante, aunque te aconsejo no dejar una vela encendida si no estás cerca del área.

Cuando enciendes tu vela, intenta no usar un cerillo. A los ángeles no les gusta mucho el azufre. Usa mejor un encendedor. Concéntrate en tu deseo; puedes decirlo en voz alta si quieres (y conserva tus palabras positivas), luego baja la flama en la mecha.

También es un arte apagar las velas. La tradición sostiene que no se debe soplar una vela porque estás apagando la luz de la divinidad con tu propio aliento (algo así como escupir en el rostro de la divinidad). Mucha gente mágica usa apagavelas. No son costosos y vienen en una variedad de estilos que se acomodan a tu gusto. Al apagar la vela apretando la mecha o con un apagavelas, estás sellando el poder de tu intención además de mostrar honor a la divinidad. También, una teoría dice que al soplar la flama, sin querer dispersas la magia que trabajaste tanto para realizarla.

Limita tu enfoque a una intención por vela. Al concentrarse en una variedad de situaciones no estás enfocándote en una sola dirección, lo cual debilita tu trabajo de magia. Enciendo una vela en honor a mi ángel guardián mientras trabajo otras magias con velas. Las velas usadas sólo para honrar a tu guardián se pueden volver a encender. Sin embargo, es mejor dejar que las velas usadas para circunstancias específicas se quemen por completo. Si no puedes quedarte todo el día mientras se quema una vela, mejor usa una pequeña. Que sea más grande no es mejor en la magia de la vela. En emergencias, con una vela de cumpleaños tienes.

El número de velas que usas en una aplicación mágica tampoco es de gran importancia. Sí, sé que se necesita encender en una sesión velas de varios colores en algunas actividades mágicas, pero muchas veces vas a encontrar que esto no es necesario para las magias sencillas. Efectivamente se pueden usar varias velas en el ritual, pero como una simple acción de honor o una petición específica, con una sola vela tienes. No necesitas encender tu salón como en la película Carrie. ¡Definitivamente eso es un riesgo de incendio!

Por último, si no puedes adquirir la vela del color que quieres, usa una blanca. El blanco es el color para todos los propósitos en cualquier clase de magia, debido a su relación con la pureza y la divinidad.

Cartas a los ángeles

Esta es una magia sencilla que puede tener un efecto intenso en tu vida. Escribe tus necesidades en una carta al ángel que hayas elegido, luego quema la carta, pidiéndole a los ángeles del fuego transmitir tu mensaje a su receptor deseado. Esto también funciona para la comunicación humana. Digamos que realmente quieres saber de alguien, pero no tienes el valor para llamar. Escribe una carta para él o ella (cerciórate que sea positiva), luego pídele a tu ángel guardián que haga contacto con el ángel guardián de la otra persona y le envíe tu mensaje. También debes indicar que, si no es el momento adecuado para comunicarse en sus senderos espirituales, el mensaje se detendrá hasta que sea el momento apropiado. Recuerda, siempre debes pensar en tus motivos y en los resultados de tu acción en otros. Contactar a alguien porque quieres buscar venganza no funcionará a través de los ángeles.

Ángeles y liberación

Todos tenemos momentos en que sentimos que nos pasó un tractor encima. En esos momentos necesitamos poder. Intenta esta pequeña invocación en tu altar la siguiente vez que ya hayas recibido todo y no puedas más.

Tomo el poder en mis manos
Del aire y el fuego, el agua y la tierra.
El poder de los ángeles y de la divinidad
Se mueve y vibra, la energía está en mí.
Yo construyo, yo creo, yo traigo a la forma
Yo elevo con poder una tormenta de energía
Le doy forma, construyo el poder fundamental
Desde mi interior florece la flor perfecta
De fuerza
De sanación
Yo reino.

10

Los ángeles y el elemento agua

El agua, igual que nuestras emociones, se encrespa, repiquetea, cae y ondula a través de nuestra vida. Siempre está en movimiento, nos sostiene y nos muestra cómo fluir a través de las dificultades o estrella los bloqueos mentales. Puede ahogar nuestra tristeza o elevarnos en una oleada de placer. El agua, como la emoción, siempre está cambiando.

El agua nutre y limpia. Es el elemento sagrado de la purificación. Los ángeles del agua tienen una cara y forma agradables. Estos ángeles pueden verse suaves y femeninos, pero no dejes que te engañen —su energía corre profundamente y es fuerte. Estos ángeles buscan la armonía en el universo a través de la sanación y la transformación interna.

Los ángeles del agua se pueden ver en las corrientes ondulantes de un torrente profundo o en las ondas suaves de la orilla de un río. Constantemente se mueven a través de nuestra vida, trayendo sanación donde se necesite. La magia del agua se realiza con cualquier cosa que fluya, como el mar, la neblina, los riachuelos, ríos, recipientes sagrados con líquido o espejos.

Los ángeles y la autoestima

Rara vez notamos que estamos sufriendo por la pobre autoestima. Otros pueden notarlo o pensar que nuestra conducta es irracional, pero navegamos alegremente, hundiéndonos más y más profundamente. Si tenemos suerte, un suceso o una persona nos hace un llamado para que despertemos y trabajemos para cambiar las cosas. Si no corremos con tanta suerte, a la larga llegaremos a tocar fondo.

La causa principal de la baja autoestima radica en la programación negativa. ¿Cómo se inicia la programación negativa? ¿La pescamos como la gripe? En realidad, a veces lo hacemos. La gente negativa tiende a jalarte hacia abajo a su porquería. Los ángeles del agua ayudarán a eliminar a esa gente, si se los pides y si eso es realmente lo que quieres. A veces necesitamos hacer un inventario de dónde estamos y qué estamos haciendo —no simplemente preocuparnos por ello de pasada, sino observar estrechamente a la gente en nuestra vida. ¿Por qué estoy cerca de esta persona? ¿Es una influencia sana y positiva para mí? ¿Cómo me siento cuando estoy cerca de esta persona? ¿Por qué me preocupa lo que piense esta persona?

Los humanos tenemos el mal hábito de juzgarnos injustamente. Un acto de condena puede ser alimentado por los celos, los pensamientos egoístas o el temor. Aprende a ver estos juicios injustos con claridad, deja que se alejen de ti.

También necesitamos asumir la responsabilidad de nuestra propia programación negativa. La autocrítica es algo bueno, si te mantiene haciendo cosas buenas para ti mismo y para otros, pero es fatal si inhibe tu creatividad, reprime tu personalidad o crea temores y fobias. Si tenemos una percepción pobre de nosotros mismos, eso es lo que vamos a proyectar.

La baja autoestima puede acercarse sigilosamente cuando menos lo esperas. Una llamada de atención inmerecida del jefe, un comentario brusco de otra persona importante, perder un contrato por el que estuviste trabajando día y noche, reprobar la mitad del trimestre para subir tus calificaciones, o una llamada que te despierta cuando tu amigo filma el cumpleaños de tu madre y te dice que la persona pasada de peso con el cabello horrendo y ojeras debajo de los ojos eres tú —todo esto se puede relacionar con problemas de autoestima.

En este planeta, todos padecemos de baja autoestima en uno u otro momento —por eso hacemos tantas cosas tontas. Presumimos, economizamos esfuerzos, tomamos decisiones sin considerar su impacto en otros (o el planeta), o nos sentimos atraídos por gente con un carácter de baja moral sólo porque son populares. Aunque no podemos estar en la cima del mundo todos los días, podemos alcanzar felizmente un término medio cambiando nuestros patrones de vida para fluir en armonía con la esencia del universo. ¿A quién vas a llamar? A los ángeles del agua, naturalmente.

Primero, necesitas deshacerte de todos los comentarios negativos que has estado diciendo de ti mismo y tirar toda la basura desagradable que la gente ha estado vaciando en tus oídos desde que llegaste a este planeta. Seguro, has escuchado esto antes, ¿pero no sabías que el trabajo de la autoestima es algo progresivo? Como humanos, muchas veces queremos tener las cosas en la categoría de "una vez y listo" para que podamos seguir adelante con nuevas cosas. Como un coche que te encanta, tu autoestima necesita mantenimiento. La autoestima también es como tu jardín, porque crece si se le cuida bien. No te estoy animando para que seas un egocéntrico, pero al sentirte bien en tu interior te permite tratar a otros con respeto y educación. Los ángeles, si todavía no lo has adivinado, aprecian los buenos modales y harán todo lo que puedan para ayudarte si aprendes a cultivarlos.

Pídele a los ángeles del agua que te ayuden a reprogramar los comentarios que haces de ti mismo. Escucha tus pensamientos y cambia el parloteo negativo de tu cabeza en un diálogo positivo. Si estás teniendo problemas al hacer esto, elige algunos pasajes favoritos de un libro de iluminación y repite uno o dos cuando la danza de los pensamientos negativos se atraviese en tu espacio.

Mejora tu imagen personal. Cambia tu cabello, ropa, postura, etc. No tienes que convertirte en la Cenicienta o el Príncipe Azul de la noche a la mañana y esto no requiere de cuarenta tarjetas de crédito y un fajo de cuentas en tu bolsa porque esta vez vas a escoger lo que es para ti. No te preocupes por la última moda; eso es para la gente insípida con una baja autoestima y que disfruta juzgando a los demás porque su temor les impide verse a sí mismos. Tu ser superior sabe qué clase de accesorios físicos subirán tu autoestima e incrementarán tu espiritualidad. Pídele a los ángeles del agua que te ayuden a elegir tu ropa, muebles, etc., que sea grata a tu energía o que incrementen tus sentimientos de valor propio. Toma tu tiempo y disfruta el proceso.

Come correctamente y haz ejercicio. Esto no significa que tienes que estar contando las calorías o que compres un equipo de gimnasio costoso, sino que tienes que aprender a cuidar de tu cuerpo. Es el único vehículo que tienes en esta vida y te va a dar buen servicio si lo cuidas.

Trabaja en tu confianza en ti mismo. Encuentra cosas que te guste hacer, aunque sólo sea caminar en el parque y dedícales tiempo para hacerlas. No necesitas tener algo material que te muestre tu tiempo, sino sólo sentirte bien en cómo lo usas. Si piensas que no eres bueno en nada, pídele a los ángeles del agua que te ayuden a encontrar algo para estimular la confianza en ti mismo. Te puede sorprender y agradar las oportunidades que te van a llegar. Intenta evitar conscientemente meterte en una rutina. Si ves que las cosas se repiten, haz un esfuerzo para cambiar la rutina.

El pizarrón del ángel

Para elevar tu autoestima, quizás quieras crear un pizarrón angélico. A los niños les gusta particularmente esta actividad porque les permite ser creativos.

Materiales:

Una hoja de papel rayado y un lápiz o pluma
Cartulina (varios colores)
Molde de alas de ángel (ver la figura siguiente)
Tijeras
Una tabla para cartel (cualquier color)
Cinta adhesiva o pegamento
Una pluma negra
Cosas de artes manuales (lentejuelas, encaje, listones, etc.)

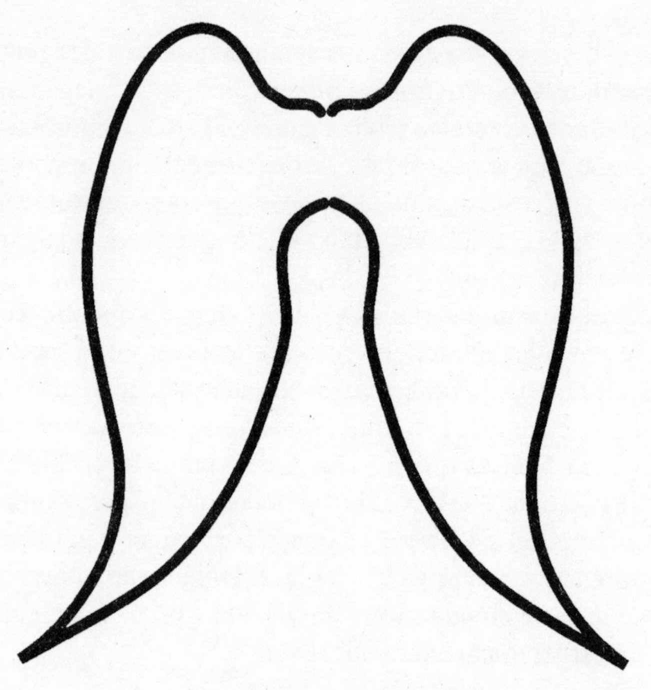

Molde de alas de ángel

Arraiga y centra. Respira profundamente tres veces (o más si tuviste un día pesado). Escribe en tu papel todas las cosas positivas que te gustaría atraer a tu vida o cosas que quieras cambiar o mejorar en ti.

Elige qué correspondencias coinciden con tus deseos. Revisa los nombres de los ángeles, el tiempo, colores, etc. Apunta estas anotaciones junto a cada deseo.

Corta las alas de ángel con la cartulina para cada deseo, empatando los colores del papel con los colores de tu lista.

En el frente de cada par de alas escribe el deseo. Atrás, dibuja los sellos apropiados, nombre del ángel, etc. Si no quieres detallarlo, no es necesario hacerlo. Adorna las alas si quieres.

Escribe tu nombre con letras grandes a través de la parte superior de la tabla para cartel. Pega en la tabla con pegamento o cinta adhesiva las alas que hiciste. Cuélgala en tu recámara o en el refrigerador de la cocina. Cada vez que se manifieste un deseo, quita las alas y dale las gracias a los ángeles. Quema las alas y dispersa las cenizas en el viento. Recompénsate con algo especial, como ese CD que realmente querías o quizás un nuevo par de zapatos. El mismo día que hagas algo especial para ti, haz algo especial por otra persona —un acto de amabilidad al azar.

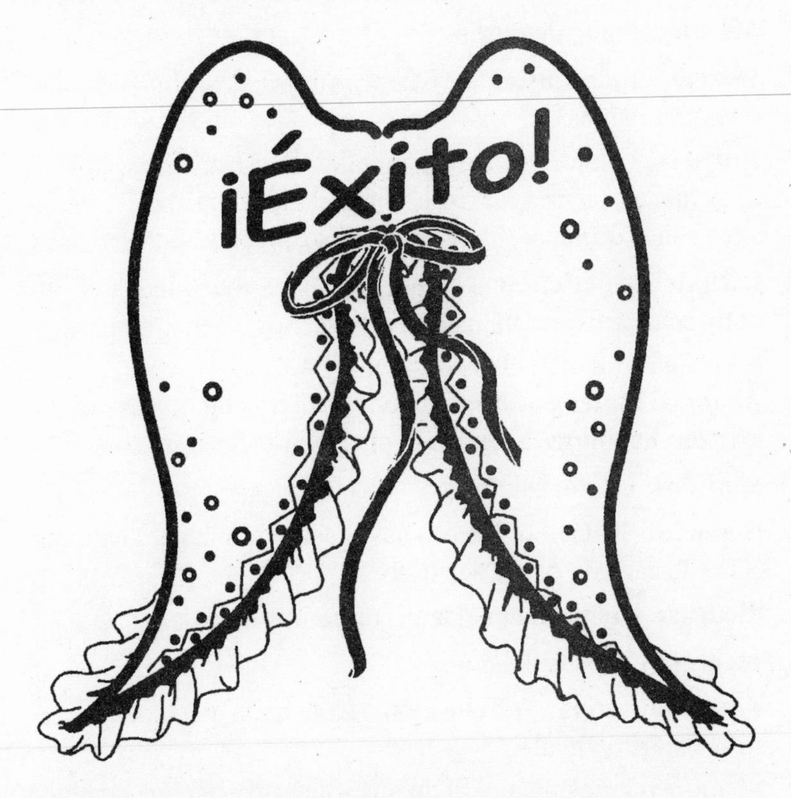

Muestra de las alas de ángel adornadas

Correspondencias del elemento agua

La energía del agua es de naturaleza receptiva. He aquí una selección de correspondencias para que te ayuden cuando trabajes con el elemento agua y los ángeles del agua.

Signos astrológicos: Cáncer, Escorpión, Piscis.

Colores: Azul, aguamarina, turquesa; los colores de un atardecer apagado.

Hierbas y flores: Algas marinas, cactus, nenúfares, lechuga, manzana, tomillo, vainilla, milenrama, sándalo.

Metales: Plata, mercurio.

Instrumentos musicales: Cuencos musicales, címbalos, metales resonantes.

Lugares: El mar, riachuelos, muelles, ríos, estanques, cauces, manantiales, fuentes, albercas, regaderas, tinas, jacuzzis, gimnasios, baños de vapor, lugares brumosos, barcos, botes, balsas.

Rituales y peticiones: Sanación física, búsquedas adivinatorias, purificación, psiquismo, sueños, sueño, amistades, asuntos familiares, liberación de pena.

Aromas: Flores y aceites esenciales de fragancia suave como manzanilla, mirra, huele de noche, jacinto, iris, jazmín.

Sentidos: Gusto, psiquismo.

Deportes: Natación, buceo, navegación, patinaje, cualquier clase de carrera, ballet acuático.

Piedras: Amatista, lapizlázuli, turmalina azul.

Tiempo: Crepúsculo.

Tipos de magia: Adivinación, superación personal, sanación, espiritualidad.

Visualizaciones: Conchas de mar, olas, un estanque resplandeciente, niebla.

Ángeles que generalmente se asocian con el agua

Ángel de los animales acuáticos: Manakel.

Ángeles de las iniciaciones wiccan y los bautizos: Rafael, Barpharanges.

Ángel de la belleza: Camael, que también preside el gozo y la felicidad (oración Esenia: "Camael, ángel de gozo, desciende a la tierra y embellece todas las cosas").

Ángel de la profecía del nacimiento y la concepción: Gabriel.

Ángel del parto y la leche materna: Ardousius.

Ángeles de la compasión: Rachmiel, Rafael.

Ángeles de las profundidades: Tamiel, Rampel, Rahab.

Ángeles sobre los peces: Gagiel, Arariel, Azareel.

Ángeles sobre las aves de corral silvestres: Trgiaob.

Ángel de la gratitud: Shemael.

Ángeles del granizo: Bardiel (Baradiel, Barchiel), Nuriel, Yurkami.

Ángel de la sanación del cuerpo, la mente y el espíritu: Shekinah.

Ángel de los poderes intuitivos: Sachiel.

Ángel para superar los celos: Balthial.

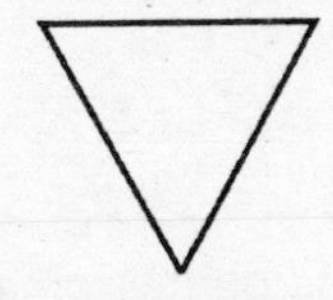

Símbolo del Elemento Agua

Ángel de la liberación y la independencia: Colopatiron (abre las puertas de la prisión).

Ángeles de la longevidad: Mumiah, Scheiah, Rehail.

Ángeles del amor: Rafael, Rahmiel, Theliel, Donquel, Anael, Liwet, Mihr.

Ángeles de la misericordia: Miguel, Gabriel, Rhamiel, Rachmiel, Zadkiel.

Ángel de la paz y el equilibrio: Gavreel.

Ángel del amor platónico y la amistad: Mihr.

Ángel de los pensamientos positivos y amorosos: Hahaiah.

Ángel protector de los viajes por agua: Elemiah.

Ángeles de la lluvia: Matarel, Mathariel, Ridia, Matriel (se dicen en secuencia de canto); también Zalbesael (Zelebsel), Dara (Persa).

Ángeles del Río Jordán: Silmai, Nibdai.

Ángeles de los ríos: Trsiel, Rampel, Dara (Persa).

Ángel de los cauces: Nahaliel.

Ángel de la ciencia y la medicina: Mumiah.

Ángel del mar: Rahab.

Ángel de las lluvias: Zaa'fiel.

Ángeles de la nieve: Shalgiel, Miguel.

Ángel de las aguas: Phul.

Ángel de los insectos de agua: Shakziel.

Aguas angélicas

Las costumbres tradicionales en toda América incluyen varias recetas de agua bendita. Estas combinaciones de agua, un chorrito de alcohol y hierbas pulverizadas se colaban por una manta de cielo y se usa como lavado de pisos, o se rocía alrededor en un esfuerzo por limpiar y/o sanar personas, lugares y cosas. La fórmula básica es:

8 onzas de agua de manantial

1/4 de onza de alcohol de caña

selección de hierbas

Para pulverizar tus propias hierbas vas a necesitar un mortero y mano de mortero, o puedes comprar los aceites esenciales y evitar la molestia de moler y colar a través de manta de cielo.

Lavado de piso angélico general: Glicina y madreselva. Invoca a los ángeles de las luces.

Agua de paz angélica: Jazmín y lavanda. Invoca a Itqal, el ángel del afecto que trabaja para la armonía humana.

Agua bendita angélica: Olíbano y mirra. Invoca a Gabriel, el ángel de las aguas bautismales.

Agua sanadora angélica: Eucalipto y pino. Invoca a Rafael, el ángel de la sanación.

Agua de destierro angélica: Clavo y angélica. Invoca a Miguel o a Uriel, los ángeles exterminadores.

Agua de purificación angélica: Lila y pino. Invoca a Gabriel y a Miguel.

Consagra y faculta esta agua en tu altar angélico del mismo modo que aprendiste a hacer agua bendita (ver Capítulo 2 para un procedimiento simple).

Los ángeles que limpian el hogar

Ángeles bendigan esta casa
Desde el sitio para quedarse
Desde las vigas y las paredes
De un lado al otro
Del ático al sótano
De los cimientos a la cima
Cimientos y cima.

No estoy bromeando, los ángeles van a ayudar a limpiar tu casa, física y psíquicamente. Recuerda cuando mamá y la abuela limpiaban la casa cada seis meses —tú sabes, ¿la limpieza de primavera y de otoño? Casi todos quedamos atrapados en el procedimiento. Las manos ociosas eran manos desperdiciadas y todo eso. En lo personal, yo pienso que sólo querían que los niños trabajáramos para que ellas tuvieran compañía y pudieran gritar órdenes —la mentalidad de "encargado". Sin embargo, como solía decir mi abuela, ser pobres no es ser sucios. Ve allá y limpia esas persianas —¡ugh!

En vez de despertar una mañana y decir: "Creo que voy a limpiar hoy", planea hacer tu limpieza de casa. Consulta los reportes del clima y escoge un día que sea soleado. Antes de ir a la cama la noche anterior, bebe un poco de té de manzanilla. Haz una lista de lo que quieres arreglar. No te excedas, puedes limpiar otros días.

Casi toda la gente mágica hace una limpieza general de su casa tanto física como psíquicamente dos veces al año. Ya sabes qué material necesitas para la limpieza física, pero ¿y las cosas psíquicas? Eso es fácil. Haz alguna de las aguas anteriores y compra aceite de clavo. Elige un incienso que te guste (revisa las correspondencias mágicas en el Capítulo 4).

Compra una vela blanca o una vela votiva en su recipiente para cada habitación de la casa.

Igual que con el equipo de limpieza físico, intenta elegir productos que sean seguros para el medio ambiente y cómprate una cubeta y esponjas nuevas, una escoba nueva o trapeador o lo que sea. Luego compra, por lo menos para una habitación de la casa, un "bonito ángel" —algo especial (no tiene que costar mucho) que te va a recordar que los ángeles están contigo durante toda la temporada.

El día de limpieza angélico (a los niños les encanta esto, por cierto; facilita el trabajo), empieza tu mañana con una oración en el altar. Pídele a los ángeles que este día te ayuden a limpiar, que impidan que te canses demasiado y bendigan tu casa. Salgan todos a tomar un desayuno angélico. Si no tienes mucho dinero, estará bien un restaurante de comida rápida. La idea es salir de la casa, disfrutar el sol y respirar el aire fresco.

Limpia físicamente cada habitación. Luego abre las ventanas e imagina que los ángeles del aire vienen a la habitación y eliminan toda la negatividad. Cierra las ventanas y rocía por la habitación tu agua preparada en dirección a las manecillas del reloj. Pídele a los ángeles del agua que limpien y bendigan la habitación. Pasa la vela por toda la habitación en dirección de las manecillas del reloj. Si tienes una vela votiva en una copa, ponla en una superficie segura y deja que se termine. Por último, toma una pizca de sal (ya sé que acabas de limpiar) y rocíala por la habitación en dirección a las manecillas del reloj, pidiéndole a los ángeles de la tierra que limpien y bendigan la habitación. Si te gustan los cristales, puedes cargar uno y llevarlo por toda la habitación (es menos sucio), luego déjalo junto a la vela encendida.

La última tarea es sellar todas las puertas y las ventanas. Introduce tu dedo en el aceite de clavo y dibuja un pentáculo arriba y debajo de cada ventana, además de arriba y en la puerta. No seas desperdiciado, no necesitas mucho. Pídele a los ángeles del espíritu que cuiden y protejan tu casa de toda la negatividad.

A mediodía, haz otra oración en el altar agradeciendo a los ángeles por todo lo que has hecho hasta ese momento y por su continua fuerza mientras limpias. Quizás quieras planear comer en el campo para salirte del trabajo de limpieza o hacer un sándwich y comer afuera, debajo de tu árbol favorito.

Al atardecer, repite la oración en el altar. Planea una cena sencilla que te guste. Seamos sinceros, casi nadie quiere cocinar una gran cena después de limpiar todo el día. Piensa en pedir una pizza o comida China angélicas, algo que no tenga que cocinarse en absoluto. Antes de dormir o a media noche, agradécele a los ángeles su ayuda en la limpieza y la protección de tu casa.

Una caja de ángeles

Probablemente te tome tiempo completar este proyecto, pero vale la pena. Es un gran regalo para los niños y también para los adultos, o puedes usarlo para ti.

Materiales:

Cartulina en varios colores
Un marcador negro
Una lista de "buenos pensamientos"
Una caja
Pegamento/pintura/varios materiales de artes manuales (lentejuelas, listón, brillos)
Hojas de plástico laminado
Aparato para hacer agujeros
Estambre
Una estampa chica de un ángel

Corta la cartulina en piezas de dos por tres pulgadas. Si eres creativo, quizás quieras cortar el papel con la forma de ángeles o puedes usar una estampa de un ángel y copiarla en cada pieza de papel.

Con el marcador negro, escribe un buen pensamiento en cada hoja de papel.

Enmica las piezas de papel.

Haz un agujero en cada hoja de papel.

Pasa un pedazo chico de estambre a través del agujero. Amarra las puntas para hacer un lazo.

Adorna la caja.

Escribe lo siguiente en una hoja bonita de papel pergamino:

Tienes en tus manos una caja de ángel
Bendecida con el amor y los pensamientos de la Diosa.
Cuando te estés sintiendo deprimido y triste
O quieres que los ángeles hablen contigo
Abre la caja y lee el mensaje
Cuélgalo donde veas sus bendiciones.
Al final del día
Agradécele a los ángeles que te hayan ayudado.
Regresa el mensaje a la caja.
Duerme con pensamientos dulces y agradables.

Cuerda de frustración angélica

Tengo que darle las gracias a mi amiga Annie por todas las horas que pasó conmigo en mis sesiones de hipnosis. Cuando Annie llegó por primera vez conmigo ella estaba molesta por un intenso dolor en su hombro izquierdo. Antes de eso, ella se lastimó en el trabajo hace bastante tiempo, pero cuando entramos a la psique de Annie aparecieron muchos otros asuntos, incluyendo antiguas heridas que nunca se habían tratado correctamente, además de asuntos emocionales. El dolor empezó a calmarse conforme empezamos a trabajar a través de cada asunto, hasta que finalmente, ella tuvo pleno control sin dolor de su brazo. Durante este proceso empleamos tanto a su ángel guardián como a los ángeles de la sanación para acelerar la recuperación.

Cuando estaba mejor el brazo, su pierna empezó a actuar. Su médico le recomendó que trabajara en su diabetes (que en ese momento no necesitaba medicamentos). Durante las semanas de la terapia física con su médico, trabajé con su mente. Finalmente también redujimos sus problemas en la pierna.

Durante una sesión pedí hablar con el ser superior de Annie. "¿Qué necesita Annie?" pregunté.

"Necesita tantas cosas," llegó la respuesta.

"Dime algunas". Esperé pacientemente con un momento de silencio.

"Ella está toda hecha nudos. Necesita relajarse".

"¿Puedes ayudarme a que Annie se relaje esta semana?".

"Sí, pero ella no me escucha muy bien".

Pensé durante un minuto. "Vamos a hacer esto. ¿Cuál es el color predilecto de Annie?".

"Azul".

"Bueno. ¿A Annie le gustan las cosas bonitas?".

"Claro que sí".

"Le voy a hacer a Annie una cuerda muy bonita —azul. Voy a ponerle muchos nudos. Cuando Annie se sienta estresada, quiero que ella desate uno de los nudos. ¿Me puedes ayudar con esto Annie?".

"Sí".

Después de la sesión, le recordé a Annie lo de la cuerda. Se la di la siguiente semana. En mi tiempo libre había limpiado, consagrado y facultado la cuerda, pidiéndole al ángel guardián de Annie y a los ángeles del agua su ayuda para resolver el estrés en la vida de Annie.

Annie no se molestó en usar la cuerda la primera semana. "Estaba ocupada", señaló ausentemente. Sabía que parte de Annie lo estaba rechazando y quería aferrarse a esos nudos. Le sonreí educadamente y le dije que lo intentara la siguiente semana.

La siguiente sesión descubrí que Annie todavía no había usado la cuerda. Ella se aferraba enérgicamente a esos antiguos hábitos, temiendo que si los soltaba, su familia ya no la necesitaría o amaría. Tomó varias sesiones para trabajar esto con Annie, pero finalmente desató esos nudos y se liberó de un patrón negativo.

Más adelante, Annie colgó la cuerda sin nudos en su lámpara junto a su cama para recordar los dones de sanación de los ángeles.

Ceremonia de cumpleaños angélica

A los ángeles les encanta celebrar los cumpleaños, en especial cuando lo haces de una manera espiritual. Tu cumpleaños fue el día que elegiste entrar al plano de la tierra y empezar tus lecciones de esta vida. Todo fue diseñado específicamente para ti —tu entorno, tus padres, tu cuerpo y el momento de tu nacimiento. Todo encaja dentro de un gran plan del universo. Nadie, en la faz de esta tierra no ha sido provisto de esta manera. Por lo tanto, cada uno de nosotros, a pesar de las circunstancias, es una persona verdaderamente especial.

Si sabes la hora exacta de tu nacimiento, mucho mejor, pero si no, no te preocupes. Sabe que el momento que elegiste para esta ceremonia privada está bien y así debe ser. Al planear tu ceremonia, toma en cuenta tus colores favoritos y qué te apasiona solamente a ti. Quizás quieras poner algo especial en tu altar, tal vez un regalo para ti, o encontrar un fragmento de poesía o un pasaje predilecto que te gustaría leer durante la ceremonia. Medita en todas las cosas buenas que te hayan sucedido este año y formula metas para ti, para aplicarlas el próximo año. Escribe estas metas en una hoja de papel y ponlas en el altar.

Cuando estés listo, arraiga y centra, luego enciende tus velas o lámparas iluminadoras. Traza tu círculo angélico e invoca a los ángeles de los puntos cardinales. Esta es una ceremonia de reverencia, en realidad no es necesario decir ninguna palabra, pero si tienes preparado tu pasaje, léelo ahora. Quizás quieras agradecerle a la divinidad y a los ángeles por la vida que has tenido y la vida que pretendes vivir. Puedes pedir su ayuda, guía y sabiduría para el próximo año. A mucha gente le gusta relajarse y meditar durante la ceremonia de cumpleaños. Cuando hayas terminado, limpia y consagra un recipiente con agua y unge tu cuerpo, saludando a la divinidad. Por último, despide los puntos cardinales y levanta el círculo.

Ángeles y coraje

En realidad a nadie le gusta estar enojado. Hace años, una amiga me dijo que hiciera lo siguiente y desde entonces me ha funcionado. Lleva en tu bolsa o bolsillo algunas bolsitas de sal (como la que encuentras en los restaurantes de comida rápida). Escribe el nombre de tu ángel favorito en cada bolsita además de un símbolo de tu elección. Itqal es una buena elección, ya que este ángel trabaja para la armonía entre las personas en desacuerdo. Cuando estés enfrentando gente enojada, abre la bolsita y pon un poco en tu lengua. Tira el resto al piso o sobre tu hombro. Visualiza que el enojo cae o se transmuta en energía positiva. La sal en tu lengua te ayuda a recordar tus propios sentimientos de enojo y te va a ayudar a tener esos sentimientos bajo control.

Las emociones tienen una duración aproximada de diez segundos —en serio. Si puedes sostener ese pensamiento negativo y transmutarlo en algo positivo durante diez segundos, tendrás mucha ventaja en el juego.

Cuando estás tratando con gente difícil, de inmediato llama a tu ángel guardián para que te ayude. Controla tu temperamento. No discutas si el asunto realmente no es importante para ti. Durante el enfrentamiento, conserva la voz baja y sigue bajándola. Eso va a ayudar a quitar la exaltación del ambiente. No hagas peticiones vagas a la gente. Sé directo y ve al grano. Intenta descubrir el verdadero asunto. A veces las discusiones saltan porque, literalmente, no estás en la misma longitud de onda que la otra persona.

Si alguien te aborda verbalmente y te amenaza por nada y no entiendes qué está pasando, pídele a tu ángel guardián que interprete lo que realmente está sucediendo. Toma una respiración profunda y abre tus oídos. La respuesta que necesitas vendrá a ti tan rápido como la necesites. A veces las amenazas vienen de la gente porque se siente deprimida o insegura en la vida o en un asunto en particular. Están en un aprieto, así que consiguen a alguien que se siente igual que ellos (a la miseria le encanta estar acompañada), ellos dejarán que vuelen las acusaciones infundadas y las amenazas vacías. No te aterres. Mejor manténte calmado y medita tranquilamente por qué está sucediendo esto y cómo puedes trabajarlo. A veces no hay nada que puedas hacer en este momento, sino escuchar.

Ángeles e igualdad

Los ángeles son muy buenos para ayudarte a hacer "todas las cosas iguales". ¿Alguna vez has sentido que alguien tiene una especie de poder sobre ti y tu vida y no te gusta? Los ángeles te ayudarán a equilibrar las cosas si se los pides. Vas a necesitar una vela blanca pequeña en forma de cilindro, una cacerola común para cocinar y un poco de hielo. Derrite la parte inferior de la vela para que se mantenga firme en la cacerola. Pon bastante hielo alrededor de la vela. Arraiga y centra, invocando a tu ángel guardián y a los ángeles del agua. Pídeles que apaguen, de una manera positiva, el control que otros tienen sobre tu vida. A medida que se derrite el hielo, visualiza los bloqueos y la frialdad alejándose de tu vida. Cuando la flama de la vela llegue al hielo (o al agua), va a chisporrotear. Observa cómo chisporrotea, sabiendo que tu libertad está cerca. Después de que se haya apagado la vela, vierte el agua en un hoyo en la tierra o agrégala a un cuerpo de agua de vida. Entierra la vela. Recuerda agradecer a los ángeles del agua por su ayuda.

Esta pequeña magia funciona bien en cualquier tipo de bloqueo en tu vida, ya sea otra persona, circunstancia, un bloqueo en la creatividad, salud, etc. Elige el color de la vela que sea más apropiado para la situación, además de la hora angélica más adecuada que aplique en tu circunstancia.

He aquí un pasaje para neutralizar que puedes usar si deseas:

Ángeles del agua
Queridos amigos
Preciadas huestes de la luz
Vengan a mí
Proyecten los bloqueos de mi vida en las aguas de la transformación
Quemen los bloqueos de mi vida en las flamas de la armonía
En nombre de Dios y la Diosa/ el Padre, el Hijo y el Espíritu Santo
Que así sea.

Ángeles y la sanación

Casi todos los problemas de salud son resultado de la tensión, un accidente o una condición heredada. Algunos médicos e investigadores sienten que el estrés es la causa principal de muchas enfermedades físicas y mentales. Entre más te encuentres bajo estrés, más predispuesto estás a la enfermedad. La mala salud provocada por un accidente es bastante más sencilla. Te lastimaste y ahora tienes un problema. Las enfermedades debidas a una condición heredada pueden manifestarse en el nacimiento, durante épocas de tensión, aparecer a una edad avanzada o no aparecer nunca. En todos estos casos tu actitud mental puede crear o romper la sanación o el proceso de remisión.

Cada vez que hablamos de la sanación y la magia nunca insinuamos que la magia "haga todo". Se debe buscar al médico cuando se necesite, seguir un patrón de buena nutrición, reducir los estimulantes (como la cafeína), dominar las situaciones estresantes y los patrones negativos en tu vida y programar actividades periódicas en tu tiempo libre. Sin embargo, no nos daña pedirle su ayuda a los ángeles y pueden ayudar a que el proceso de sanación se acelere.

Este hecho llegó a enfocarse con un suceso desafortunado que experimentó uno de mis clientes.

"¿Qué pasa?", le pregunté a Amanda cuando apareció de improviso en mi puerta principal, acompañada por una racha gélida invernal y unos cuantos copos de nieve errantes.

"No lo vas a creer", dijo ella, quitándose su abrigo y acompañándome a la mesa del comedor.

Le serví una taza de té y observé cómo el frío y el estrés agotaban visiblemente su rostro. "¿Cuál es la noticia?", le pregunté.

"¡Mi mejor amigo se dio un balazo anoche!".

"¡No!".

Ella movió la cabeza tristemente. "Pero todavía vive y quizás pueda resistir. ¿Qué puedo hacer?".

Discutimos la situación y decidí que era imprescindible que ella se pusiera en contacto con el ángel guardián de su amigo en oración o en meditación. Después de eso ella llamó al hospital para saber qué se le permitía poner en la habitación de su amigo. El día siguiente se fue de compras. Encontró un pequeño ángel para colgarlo sobre su cama, además de un ángel guardián en broche para ponerlo en su camisón del hospital. Cada noche ella encendía una vela blanca, entonando las siguientes salmodias de la Asamblea que le di a ella y terminó con la oración de Gabriel.

Tú que recuperaste la salud y la Diosa
Yo te guiaré otra vez a la Doncella, a la Madre
y a la Hechicera
Por lo tanto que te ayude enseguida nuestra Diosa
Y que te bendigan, así como las rosquillas y la cerveza
Que Arcadia le ofreció a sus seguidores antes de dejarlos.
Por consiguiente que te ayude
Doncella, Madre y Hechicera.
Que así sea.

Y estas señales deben seguir a aquellos que creyeron
en mi nombre
Ellas lanzarán los demonios y hablarán en nuevas lenguas
Y si beben algo mortífero, no los dañará
Impondrán las manos sobre el enfermo
Y se recuperarán
En nombre del Padre, el Hijo y el Espíritu Santo.

Dios te salve María, llena eres de gracia, Dios es contigo.
Bendita seas entre las mujeres y bendito sea el fruto de tu vientre, el Consorte y el Hijo.
Santa Diosa, Madre de la Tierra
Trabaja tu misterio para tus hijos
Ahora y en la hora de nuestra necesidad.
Que así sea.

En menos de dos semanas su amigo estaba fuera de cuidados intensivos y en camino de la recuperación. No puedo describirte la sorpresa de los doctores. Por supuesto, el amigo tuvo que trabajar asuntos mentales y físicos los meses siguientes, pero no puedo pensar en algo más conmovedor que Amanda, que llegó más allá del papel de una amiga afligida y decidió hacer algo sobre la desafortunada situación de la mejor manera que supo. Su amigo se recuperó por completo. Hasta la fecha, él sigue usando su broche de ángel guardián orgullosamente en su saco.

Sonrisas angelicales

Es cierto. La sonrisa puede alterar la eficiencia del sistema inmunológico.[1] Cuando en una investigación los sujetos fueron entrenados a sonreír, su fisiología cambió de inmediato. Las hormonas se alteraron drásticamente en su cuerpo. Te guste o no, debes practicar sonreír con frecuencia todos los días. Al hacer esto vas a alterar la química de tu sangre. Practica dar a otras personas estas sonrisas angélicas. Simplemente llama primero a tu ángel guardián, luego sonríe, enviando energía de amor a otras personas. No sólo te estás

[1] "The power of your own thinking to strengthen your inmune system" por Paul Pearsal, Dr. en Medicina, *Going Bonkers Magazine*, Marzo 1995, página 22.

manteniendo sano al sonreír, sino que tus amigos, familia y asociados van a recibir los beneficios de tu energía positiva y la de tu ángel guardián.

Cuando trabajo con algún paciente en hipnoterapia, siempre le doy la recomendación de una "sonrisa" para ayudar a acelerar el proceso de sanación. Siempre funciona.

Invocación angélica para las iniciaciones Wiccan y los bautismos

La ceremonia de la iniciación wiccan/bautismo se practicó antes que cualquier estructura religiosa que actualmente se encuentre en nuestro planeta. De hecho, es una práctica pagana. He aquí una bendición Celta multiusos para cualquier niño:

Derramo la gracia de la divinidad en este niño
Para darle a él/ella la virtud y el crecimiento
Para darle a él/ella la fuerza y la guía
Para darle a él/ella la estabilidad económica
y las posesiones
Que sienta y razone libre de astucia
Sabiduría angélica que siempre
Él/ella pueda marcar una pauta en este mundo
Y que encuentre su misión en la vida.
Que así sea.

11

Los ángeles y el elemento tierra

La Tierra es nuestra casa. Si la Tierra no existiera, si tuviéramos un hábitat diferente, seríamos unos seres totalmente diferentes. Como elemento de fuerza y sustentador, la tierra comparte libremente sus misterios, debemos estar abiertos para aceptarlos.

La Tierra, el fundamento sagrado de nuestro ser, nos

provee sustento. Su corazón late a un ritmo estable. Los ángeles de la tierra son pilares de estabilidad. Están ahí para que nos apoyemos cuando necesitemos fuerza y resistencia. Los expertos en el misterio de la vida y la magia, nos hablan todos los días a través de la flora y la fauna del planeta.

Los ángeles de la tierra, pacientes y amables, se preocupan principalmente de la supervivencia del planeta y la iluminación de su población humana. Los ángeles de la tierra encuentran interés en la fertilidad, nutrición, ciclos estacionales, estabilidad y prosperidad.

Bolsa encantada angélica

Este es un proyecto divertido para toda la familia y es un regalo maravilloso para un amigo especial. Encuentra (o haz, si tus dedos son ágiles) una pequeña bolsa de tela que te guste. Puede estar adornada o no. De un trozo de fieltro, corta un par de alas de ángel y cóselas en la bolsa. Usa las correspondencias de color en el Capítulo 4 para personalizar la bolsa.

Sostén la bolsa sobre tu altar angélico y pídele a los ángeles que bendigan y consagren la bolsa. Si es para un amigo, no dejes de especificar para quién está destinada la bolsa. Pide que, en los próximos días, encuentres cosas especiales para ponerlas en la bolsa.

En los próximos días busca cosas para ponerlas dentro de la bolsa angélica —una pluma, una piedra bonita, una baratija de un almacén, cuentas decorativas, etc. Pon la bolsa encima del altar. Coloca cada artículo que hayas reunido arriba de la bolsa. Cuando hayas terminado tu colección, pídele a los ángeles que bendigan y le confieran poder a cada artículo. Mételos en la bolsa. Sosténla cerca de tu corazón y llénala de buenos deseos. En tu mente ve cómo resplandece.

Cuando hayas terminado, agradécele a los ángeles su ayuda y dale la bolsa a tu amigo, o si es para ti, ponla en tu bolsa o bolsillo. La regla de la bolsa angélica es que nunca le enseñes a nadie su contenido. Son personales, sólo para el dueño.

Correspondencias del elemento tierra

La energía de la tierra es de naturaleza receptiva. He aquí una selección de correspondencias para que te ayuden cuando trabajes con el elemento y los ángeles de la tierra.

Signos astrológicos: Tauro, Virgo, Capricornio.

Colores: Verde y café.

Hierbas y plantas: Musgo, helechos, árboles, flores de paja, cubierta del suelo, cipreses, mimosa, muérdago, acebo.

Metales: Hierro, plomo.

Instrumentos musicales: Tambores, todos los instrumentos de percusión.

Lugares: Bosques, jardines, cuevas, parques, granjas, mercados, cocinas, viveros, cavernas, cualquier negocio subterráneo, sótanos, minas.

Rituales y peticiones: Estabilidad, crecimiento, prosperidad, fertilidad, arraigo, encontrar empleo, encontrar una casa, caridades.

Aromas: Fragancias fuertes incluyendo el pino, almizcle, baya de laurel, olíbano, pachulí, madreselva, mirra.

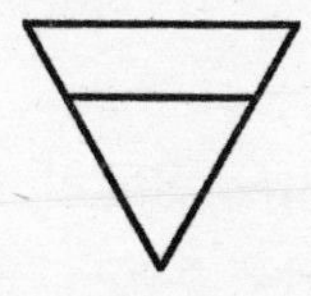

Símbolo del Elemento Tierra

Sentido: Tacto.

Deportes: Todos los deportes de invierno.

Piedras: Jade, cuarzo, obsidiana.

Tiempo: Medianoche.

Tipos de magia: Superación personal, magia de los nudos, jardinería, magia de la piedra, matrimonio y magias criminales.

Visualizaciones: Piedras, árboles, sal, polvo, barro, trigo, maíz.

Los ángeles que generalmente se asocian con la tierra

Ángel de la abundancia: Barbelo (mujer — bondad, fe e integridad además de éxito y abundancia).

Ángel de la agricultura: Risnuch.

Ángel de la alquimia y la mineralogía: Och.

Ángeles de las bestias domesticables: Thegri (Thuriel), Mtniel, Jehiel, Hayyal.

Ángel del comercio: Anauel (éxito, comercio, prosperidad; protección para los que poseen o quieren iniciar su propio negocio).

Ángel del desierto: Sin nombre.

Ángel de los animales domésticos: Hariel (encargado de proteger los perros, gatos, otras mascotas y ganado).

Ángel del crepúsculo: Suphlatus.

Ángeles de los terremotos: Sui'el, Rashiel.

Ángel de los agricultores: Sofiel.

Ángeles de la fertilidad: Samandriel, Yushamin.

Ángel del alimento: Manna.

Ángel de los jardines: Cathetel (aumenta el crecimiento y la producción de vegetales y frutos y asiste en su conservación saludable).

Ángel de la nutrición: Isda.

Ángel de los bosques: Zuphlas.

Ángel de la realización: Anahita (mujer —protectora de los que cuidan la naturaleza y conservan fructífera la tierra).

Ángeles de los frutos y los árboles frutales: Teiaiel o Isiaiel, Adad (Asirio Babilonio).

Ángel de las hierbas: Sin nombre.

Ángeles de las colinas: Sin nombre (aunque muchas veces se piensa en las hadas y los devas).

Ángel de las montañas: Mehabiah.

Ángel de las plantas: Sachluph.

Ángel protector de los niños pequeños y los cachorros: Afriel.

Ángel de las bestias domesticables: Behemiel.

Ángel de los árboles: Maktiel, Zuphlas.

Ángeles de los vegetales: Sealiah, Sofiel.

Ángeles de las bestias salvajes: Mtniel, Jehiel, Hayyel (también ayudará a detener la extinción de los animales salvajes).

Ángel de las aves salvajes: Trgiaob.

Ángel de las cosas horripilantes: Trgiaob.

Ángel de la jungla: Orifiel (protege la jungla y a los que la cuidan).

Ángeles de Gaia: Miguel, Jehoel, Metatrón, Sar ha-Olam, Mammón.

Para encontrar una casa nueva con magia angélica

Donde vivimos nos afecta profundamente. Nuestra casa representa nuestra protección y seguridad en la vida. Naturalmente, cuando las circunstancias requieren que encontremos (por accidente o designio) una nueva casa, la elección donde vivamos es muy importante. Sin que importe si te estás mudando por gusto o por necesidad, el trabajo de magia para tu nueva casa sigue el mismo procedimiento.

Escribe todo lo que necesitas y quieres con respecto al lugar para vivir. ¿Quieres una casa grande, un departamento pequeño, en la ciudad, en el campo, cerca de tu trabajo, cerca de una buena escuela? ¿Qué clase de casa o departamento quieres? —victoriano, iglú, en desnivel. ¿Quieres cuidar un jardín o no? Toma tu tiempo y ojea algunas revistas o boletines de bienes raíces. ¿Necesitas aparatos? Si es así, ¿cuáles? Pasa algunos días formando en tu mente exactamente en qué clase de entorno deseas vivir. Cuando pienses que sabes, revisa tu lista para asegurarte que tienes todo lo que sientes que es necesario.

Luego, encuentra una pequeña casa de madera. Muchas de éstas se venden como adornos para el árbol cerca de Navidad, pero si no es la estación, busca en las jugueterías o tiendas de artes manuales. Con pintura blanca escribe casa de (tu nombre; yo escribiría casa de Silver) en la casita. Deja suficiente espacio para poner el número de la casa.

Revisa tus correspondencias y determina qué momento sería mejor para trabajar tu casa. Elige los colores apropiados de vela, día, hora, etc. Por lo que has aprendido hasta ahora, elige un ángel específico que te ayude o simplemente pídele a los ángeles de la tierra que te ayuden.

Empieza con una devoción al altar. Limpia, consagra y bendice tu casita. Sostén la casa en tus manos y pídele a tus ángeles elegidos que te ayuden a encontrar un lugar adecuado para ti. Establece la casa arriba de la lista que escribiste y déjala en tu altar.

Cuando encuentres la casa o el departamento correctos, pinta el número de tu elección en la casita de madera. Haz otra oración en el altar. Sostén la casa en tus manos y pídele a los ángeles elegidos que te ayuden a procurar la casa que encontraste, si es adecuada para ti. (A veces puedes pensar que encontraste la casa correcta, pero no tiene todos los detalles. Siempre deja un mecanismo de escape para que la magia funcione a tu favor, si la casa o el departamento no es adecuado para ti).

Cuando definitivamente encuentres el lugar correcto y te encuentres inmerso en las transacciones financieras, otra vez ve a tu altar y pide la asistencia de los ángeles. Ten presente que estás buscando una transacción suave, legal y honorable. No dejes de indicar esto, además de darte esa ruta de escape por si algo está mal con tu elección.

Cuando te hayas mudado, no dejes de arreglar tu espacio sagrado, haz la limpieza mágica de la casa necesaria y agradécele a los ángeles su ayuda al procurarte tu nueva casa. Deja la casita en un lugar seguro. Puedes usarla después en muchas situaciones, como protección de tu casa, incrementar la armonía en tu entorno o como ayuda para hacer reparaciones o nuevas compras para tu casa.

Deja que los ángeles te ayuden a encontrar un nuevo empleo o planear tu carrera

Si no eres feliz con tu trabajo, ninguna cantidad de dinero traerá armonía en tu casa. La mejor situación es disfrutar lo que estás haciendo y ganar el dinero suficiente para satisfacer tus necesidades con un poco de "dinero gozoso" extra.

Cuando buscamos qué carrera nos va a satisfacer, necesitamos responder algunas preguntas fuertes. Si no contestas éstas, no llegarás muy lejos en la carrera de la magia.

Siéntate y piensa (y quiero decir que realmente pienses) qué quieres hacer con tu vida. ¿Qué deseas? ¿Qué tipo de carrera te armonizará con tu entorno y contigo mismo? Esta no es una pregunta que puedes responder de la noche a la mañana. Quizás desees meditar sobre el tema. El ingrediente más importante en tu experimento en busca del alma es la suspensión de la creencia. Esto significa que no te puedes preocupar por todos los bloqueos y callejones sin salida que puedas pensar que se te interponen. (Por ejemplo: "No puedo ir a la escuela de leyes porque no tengo dinero"). Si empiezas a pensar de ese modo, tú solo te estás ahorcando. Imagina que vives en un mundo perfecto y cualquier cosa que quieras o necesites está abierta para ti. Con eso en mente, siéntete libre de elegir cualquier cosa que realmente quieres hacer.

Empieza a trabajar hacia esa carrera tanto mágica como mundanamente. Escribe en una tarjeta específicamente cuál es tu meta de carrera y arréglala en la cómoda de tu recámara, en el refrigerador o en cualquier lugar prominente donde veas la tarjeta por lo menos una vez al día. Encuentra, con calma, qué pasos son necesarios para que obtengas la carrera que quisieras. Si quisieras llegar a ser abogado, ¿qué tantos estudios vas a necesitar, cuánto cuesta, etc.? No te convenzas en la creencia de que no puedes lograr tu meta. Conserva tu diálogo interno positivo y optimista.

¿Y si no estás seguro de qué pasos se necesitan para lograr tu empleo soñado? Empieza a hablar con la gente. Esto no es tan duro como se oye porque a la gente le encanta hablar sobre su profesión y usualmente nadie quiere escucharlos. Ellos se abrirán y te darán toda clase de información interesante si realmente muestras interés a lo que te están diciendo. Muchas veces ellos señalarán, con lujo de detalles, cómo llegaron a donde están y te dirán igualmente los peligros a lo largo del camino. Escucha con atención. Usualmente saben de lo que están hablando. Toma notas si sientes la necesidad.

Traza un organigrama, presentando los pasos lógicos del sendero de tu carrera. Por ejemplo, si quieres ser enfermera, indaga qué formas tienes que llenar para empezar el entrenamiento de la carrera y haz una caja para eso, luego haz una caja para el siguiente paso, etc. Este organigrama es importante porque también lo puedes usar para trabajar tu magia en pasos, siguiendo tu plan de realización. Junto a cada caja, escribe el nombre del ángel al que deseas pedirle ayuda para lograr lo que hay en esa caja. Si no quieres llamar a un ángel específico, entonces escribe "ángeles de la tierra" o los atributos de los ángeles que puedan ayudarte con tu elección. Por ejemplo, Rafael o "ángeles de la sanación" será conveniente para tu carrera de enfermería. Si aprendes a dividir las metas grandes en piezas más pequeñas, son más fáciles de lograr. Cada vez que terminas una de las cajas de tu organigrama, consiéntete como alguien especial —sea con el libro que siempre quisiste, la película que te morías por ver, o una llamada de larga distancia a un amigo con el que no has hablado desde hace mucho tiempo. Las recompensas no tienen que ser grandes mientras representen el logro para ti. No dejes de agradecerle a los ángeles cada vez. En ningún momento debes preocuparte por dinero, o cómo vas a pasar a la siguiente etapa. Convéncete de la confianza y en tu nueva carrera.

Trabaja para traer tu meta hacia ti en meditación y visualización. Obsérvate como un abogado. Ve que estás sonriendo, ocupado en lo que quieres hacer. Practica esto todos los días.

Imagínate inscribiéndote en la universidad, te ves sonriendo cuando te sientas en la clase, hablando con tus compañeros de clase y así sucesivamente. Ve que se te devuelven tus exámenes con calificaciones altas. Visualízate disfrutando el estudio y el entusiasmo de una nueva aventura.

Empieza a trabajar con la magia angélica. Recorta imágenes de alguien que esté en la línea de trabajo que deseas. Si quieres ser artista, encuentra imágenes de un artista o si quieres ser un abogado, encuentra imágenes de abogados. Aún mejor —vístete como quieres ser y que un amigo o un familiar te tome una fotografía instantánea con ese uniforme. Escribe específicamente qué clase de carrera quieres. No dejes de incluir los detalles como el salario, ubicación, beneficios, necesidades de seguros, transporte, etc. Sé minucioso. Revisa qué correspondencias serán buenas para el tipo de empleo que quieres. Escríbelas también, ya que las vas a usar con frecuencia en el futuro.

Igual que con la magia de la casa que hablamos antes, pon tu fotografía y tu lista en el altar angélico. Haz una oración en el altar. Afirma específicamente qué clase de carrera/empleo es el que estás trabajando y pide ayuda para obtener esa meta. Si tu carrera implica varios pasos, como entrenamiento o aprendizaje, toma todo eso en cuenta y trabaja la magia un paso a la vez. No esperes que tu éxito suceda de la noche a la mañana. Y, como con la magia de la casa, déjate una cláusula de escape por si la carrera que eliges no es adecuada para ti. A veces no pensamos en todos los detalles cuando tejemos los sueños. Por ejemplo, me encantaría ser doctor, pero no soporto la sangre y los intestinos. Si no puedo superar esa repulsión, entonces quizás alguna otra cosa dentro del área sea mejor para mí. Sobre todo, deja esa opción para cambiar tu mente de modo que puedas mantenerte en el sendero correcto para tu éxito. Con el inicio de cada nueva etapa en el proceso de la carrera, realiza otro ritual.

Cuando llega el momento de solicitar los empleos, asegúrate de que hayas hecho un curriculum profesional. Lleva el curriculum a tu altar, haz la dedicación al altar y otra vez indica tus necesidades específicas para la elección de esa carrera. Pídele a los ángeles que te traigan las oportunidades del empleo correcto hacia ti. Deja una copia del curriculum en tu altar.

Empieza a buscar el empleo correcto y llena las solicitudes necesarias. Cada tarde después de la cacería de empleo, regresa a tu altar, sigue pidiendo ayuda. En ningún momento debes desilusionarte de que las cosas no estén moviéndose tan rápido como quisieras. Primero conserva en tu mente que la mejor oportunidad de empleo que va a satisfacer tus necesidades específicas vendrán hacia ti. Como tienes una cláusula de escape, vas a estar bien.

Cuando hayas programado tu terrible entrevista, programa artístico o lo que sea, ve a tu altar angélico la noche anterior y pide ayuda para obtener el empleo correcto que satisface tus requerimientos. En meditación, ve que pasas la entrevista con éxito. Ve que te sientes cómodo, inteligente e interesante. Cuando llegues al edificio donde se encuentra la compañía, pídele a tu ángel guardián que te ayude. Luego, dile al ángel guardián del negocio cuando estés a punto de entrar por qué estás ahí y qué estás buscando. ¿Recuerdas el capítulo de los Nueve Coros? Cada establecimiento de negocios, agencia de gobierno, etc., tiene su propio ángel guardián. Te van a ayudar a encontrar lo que sea mejor para tus intereses y los de la compañía. ¡Créeme, hubiera deseado conocer esa información antes de haber tomado los empleos que conservé! Me hubiera ahorrado mucha infelicidad y molestia. Si la entrevista del empleo, programa, etc., no salió bien, no pierdas la fe. Recuerda, la suspensión de la creencia es necesaria.

Cuando logres tu meta, recompénsate y recuerda agradecerle a los ángeles su ayuda.

¿Cuáles son los temas más importantes en este proceso? La suspensión de la creencia, un plan de acciones factibles y la confianza en la divinidad. No importa qué clase de magia estés usando o la que estés trabajando, siempre intenta mantener estos tres puntos necesarios en la mente. Son tus claves para el éxito.

Sé creativo en la planeación de tus secuencias. He aquí algunos ejemplos:

Diseña una tarjeta de visita con tu nombre en ella y la ocupación que deseas tener.

SILVER RAVEN WOLF
Orientadora de Ángeles e
Hipnoterapeuta Clínica
CONSULTAS SÓLO CON CITA
(010) 555-HYPNO

Escribe un artículo del periódico detallando tu ascenso al éxito, o simplemente escribe el encabezado.

THE ANGEL TIMES

JENINE E. TRAYER llega al #1

en la lista de éxitos con su más reciente libro

Diseña un certificado que diga que lograste tu meta.

Esta es una constancia de que

____

logró la meta de

____

este día, el ____ de ____________ 20 ____

Firma ________________________________

¡Felicidades!

Practica firmar tu nombre con el título que deseas obtener después de ello. No te sientas tonto; nadie lo va a saber.

Silver RavenWolf - Best Selling Author

Silver RavenWolf - Best Selling Author

Bill consigue un empleo de $35,000

Esta es en verdad una historia que salió de la nada. Una muchacha me llamó una tarde indicando que a su novio le gustaría hablar conmigo. Tenía otros compromisos, pero ella dijo que realmente estaba preocupada por él. ¿Andaré cerca para una llamada al día siguiente? Finalmente acepté tomar la llamada el día siguiente, cuando él estuviera disponible.

Cumpliendo lo prometido, él me llamó en la mañana. Sus primeras preguntas trataban de su hija, que vivía en Texas con su madre. ¿Ella estaba bien? Eché las cartas y leí la tirada —una lectura normal, no había problemas importantes. Durante la conversación él mencionó que iba a una entrevista de un empleo ese día. Él expresó su preocupación de que no lo consiguiera. El salario era entre treinta y treinta y cinco mil dólares.

"Realmente necesito este empleo", dijo él.

"¿Por qué no intentas hacer contacto con tu ángel guardián y le pides ayuda?", le pregunté.

"¿En voz alta?".

"Seguro. Pídele a tu ángel guardián que te ayude y luego mientras caminas al edificio donde vaya a tener lugar la entrevista, pídele al guardián del negocio que también te ayude. Todo va a estar bien", le dije.

Olvidé esta conversación. De hecho, nunca me imaginé volver a escucharlo. Esa noche, entró otra llamada.

"Soy Bill. Sólo quería agradecerte mucho por decirme de mi ángel guardián. Hice exactamente lo que me dijiste y adivina qué... ¡Conseguí el empleo!".

Dándole la vuelta al temor

Lo que tu mente puede crear no tiene fin. Cualquier cosa de naturaleza positiva te va a ayudar a lograr tus metas.

Naturalmente, tienes que saber cuáles son tus metas antes de empezar. Esto significa eliminar el temor de tu vida.

Por ejemplo, me aterraba ir a la televisión y hablar sobre mis creencias. Mi padre estaba seguro que mi vida se arruinaría si todos sabían que estaba "en" religiones y sanación alternativas. Él respeta mi religión y sabe que no es dañina, pero lo atemorizaba que pudiera cometer un gran error si lo hacía público. Sus temores no eran infundados, ya que muchas de mis compañeras Wiccans padecen la persecución en el trabajo, donde viven, incluso en su propia familia. Debía saberlo; trabajo con estos casos de discriminación con frecuencia. Él temía mi bienestar y la seguridad de mi familia. Cuando conseguí mi primera oportunidad de ir a la televisión nacional, eché todo a perder. Mi temor me hizo desagradable con las personas que me entrevistaron previamente y lo sabía. El fiasco me dejó sintiéndome incapaz y estúpida. Era el momento de pensar en ello, y quiero decir considerar *realmente* qué quería en la vida —y por qué.

Llegué a darme cuenta que no puedes vender libros sin hacer algún tipo de trabajo publicitario. Si compras acciones de la carrera, tienes que jugar el juego. La idea es hacer que el juego funcione para ti, no en contra tuya y de ninguna manera debes sentirte obligado a hacer lo que otros piensan que debes hacer. Por ejemplo, me niego a andar por todo el país en coche firmando autógrafos porque ahora mi responsabilidad principal es cuidar a mis hijos. Me gustaría dejar bien claro que no son requerimientos de una compañía en particular, es algo aceptable que hacen casi todos los autores. Es parte del juego. Si aparece alguien para que firmes tu libro, se sube tu autoestima. Sin embargo, sé que tengo que hacer algunas concesiones —eligiendo sólo algunos sitios a donde quiero ir y no preocuparme del cuidado de mis hijos mientras estoy lejos. Esto significa que no voy muy lejos por mucho tiempo. Cuando mis hijos sean más grandes, podré disfrutar este aspecto del negocio publicitario, pero elijo no hacerlo hasta que se satisfaga esa condición. En tu profesión, es tu decisión cómo vas a manejar sus aspectos y ramificaciones y nunca debes olvidar que eres el jugador principal. Lenta, muy lentamente, trabajé hacia mejores relaciones públicas. No sucedió de la noche a la mañana. Finalmente, me volvieron a pedir que apareciera en la televisión. Sí, tenía miedo. Repasé una y otra vez en mi mente las cosas que podían suceder, luego me di cuenta de mi error. Estaba creando circunstancias negativas y atrayendo problemas hacia mí.

Cambié mi plan de ataque y le di la vuelta a mis temores. La publicidad en televisión salió muy bien y me divertí mucho. Mi mundo no llegó a estrellarse cerca de mí. Los que me vieron en la televisión estaban muy entusiasmados. Nunca voy a olvidar cuando entré a mi banco dos días después del programa de televisión y en cuanto crucé esas puertas de cristal una cajera gritó: "Te vi en televisión el otro día. ¡Qué emoción!". Ella no estaba nada enojada conmigo. Las otras cajeras también estaban emocionadas. "¡Ay, qué pena, me lo perdí!, dijo una y sus palabras eran sinceras —pude escucharlo por el tono de su voz. Cuando fui a un restaurante local, tuve el mismo trato excelente.

A través de esta experiencia aprendí la valiosa lección de no entregarme a mis temores. También aprendí a darle la vuelta a mis temores hacia una resolución positiva en mi conflicto interno. Esta no es una tarea fácil para nadie. Cuando hayas tenido éxito, aprende a felicitarte. Enorgullécete de tus logros. Con mucha frecuencia nos subestimamos porque no queremos que la gente piense que estamos siendo fantoches. Ser humilde es bueno —destruir tu autoestima es estúpido. La baja autoestima no sólo te deprime, se agarra de todo lo que está a tu alrededor y lo jala dentro del abismo de la desesperación también. Recuerda que cada acción que haces tiene una reacción igual en otra parte, en alguien que no eres tú.

Cómo manejar los celos

A pesar de que consideramos los celos como una emoción (por supuesto que lo es), usualmente trata con temas terrenales: trabajo, casa, posesiones y por supuesto ver a otras personas como una propiedad (que subconscientemente se sabe que está mal, pero los humanos tenemos el mal hábito de hacerlo de cualquier manera). Por lo tanto, elegí cubrir este tema bajo el elemento tierra porque está relacionado directamente con nuestra estabilidad y la seguridad en la vida.

Obviamente los celos no son algo angélico y es más dañino que útil para nosotros. Sin embargo, los ángeles pueden ayudarnos a trabajar en nuestros celos si tenemos el valor de ventilarlos y verlos como son.

Todos tienen un "botón de celos" diferente. Esto significa que lo que me da celos no te afectará del mismo modo. Por lo tanto, cada persona debe determinar precisamente qué lo hace celoso y por qué. Otra vez, igual que cuando tratamos nuestros temores, esta no es una tarea fácil. El temor y los celos son excelentes compañeros de cama y un horrendo golpe a la armonía. Agrégale nuestras inseguridades a este caldero burbujeante y conseguiste un desorden inútil que ocasionalmente amenaza con hacer erupción. Entre más vomite en nuestra vida, mayor será el lío y la persona será más infeliz. Como una serie de fichas sucias, estas energías negativas pueden hacer que todo lo que has trabajado se desplome tan rápidamente que a veces no sabemos qué demonios sucedió, o por qué.

Erradicar la energía negativa de nuestra vida requiere de valor y honestidad con nosotros mismos, así que antes de que empieces a rascar en tu psique, haz las paces contigo mismo. Determina que cualquier cosa que descubras no tiene la posibilidad de ser tan mala y cambiará para mejor. Si ves un agujero oscuro abriéndose, no has eliminado tu temor para tratar las cosas malas en tu interior. Mejor, ve hacia la luz y sabe que todos los humanos de este planeta deben recorrer el mismo camino de ver al interior para llegar a ser una persona equilibrada y armoniosa.

Responde las siguientes preguntas. ¿Con qué frecuencia eres celoso? (¿Varias veces al día? ¿Más o menos una vez a la semana? ¿De vez en cuando?) Entre más bailes con los sentimientos de celos, más trabajo te espera por delante. ¿Qué clase de celos tienes? (¿Codicias las posesiones de otros? ¿Eres celoso en asuntos del corazón?) ¿Tus celos están dirigidos a una persona específica o situaciones en general?

Casi todos los sentimientos de celos vienen porque de alguna manera sentimos amenazada nuestra seguridad y nuestra protección. Lógicamente analiza las respuestas de las preguntas anteriores. ¿Tus respuestas indican el temor de perder algo o a alguien? ¿Las respuestas tienen que ver con tu autoestima y el sentimiento de que no hay "salida"? Algunas personas se ponen celosas después de que han sido dañadas. A veces ésta es la peor especie de celos porque pueden enconar el odio si no tenemos cuidado. Como puedes ver, estamos trabajando para encontrar la raíz del problema.

En cuanto determines la razón subyacente de tus celos, puedes empezar a trabajar hacia la erradicación de ello de tu vida. Cada vez que te pongas celoso o pienses mal, contrarréstalo con las palabras "ángeles benditos". Esto convierte un pensamiento negativo en uno positivo.

Cuando haya luna llena, escribe tus celos en una hoja de papel y llévala a tu altar angélico. Haz tu dedicación del altar y pídele a los ángeles que te ayuden a superar tus sentimientos negativos. Trabaja mundanamente para eliminar los celos de tu vida intentando nuevas cosas, felicitándote cuando triunfas, enfrentando tus miedos y aprendiendo a no ser demasiado crítico contigo mismo o con otros.

Afirmación angélica de abundancia

Soy una gran admiradora de las afirmaciones. Las afirmaciones son declaraciones positivas para ayudarte a llevar una vida más productiva y armoniosa. Puedes decirlas o escribirlas, no importa, mientras las mantengas breves y positivas para el trabajo cotidiano. Una breve afirmación sería:

Los ángeles traen armonía a mi vida.

Aquí hay una más larga para cuando te levantes en la mañana o antes de acostarte:

Yo soy uno con el universo
Yo soy uno con las riquezas de mi mente consciente y subconsciente
Yo soy uno con la divinidad.
Tengo derecho a ser próspero, feliz y triunfador
El dinero fluye hacia mí con libertad, en abundancia e ilimitadamente
Yo merezco verdaderamente las riquezas del universo
Los ángeles me bendicen con riqueza financiera y seguridad
Y a su vez, bendigo a otros con mis talentos y amor.

Los ángeles, las mascotas y los objetos perdidos

En nuestra sociedad, las mascotas son muy importantes para nosotros. Ellas nos acercan a la tierra y nos enseñan la lección de amor incondicional. Cuando se pierde una mascota, la casa se llena de tristeza. Los ángeles te ayudarán a encontrar a tu mascota perdida. Vas a necesitar una vela verde, un listón verde, una fotografía de tu mascota, su juguete preferido y cualquier cosa que tenga su pelo (escamas o plumas) en él. El ángel de las bestias domesticables es Behemiel. Enciende la vela verde, llama a tu ángel guardián, luego pide la asistencia de Behemiel para que te ayude a encontrar a tu mascota. Pon el listón verde en tu altar y amarra los extremos con un nudo (y sólo un nudo). Pon todos los artículos asociados con tu mascota en el centro del lazo. Pídele que tu mascota regrese a salvo. Deja los artículos en el altar hasta que encuentres a tu mascota. Cuando tu mascota regrese, dale las gracias a tu ángel guardián y a Behemiel.

Para encontrar un objeto perdido, cambia el color de la vela y del listón para que coincida con el objeto. Por ejemplo, si es un anillo de diamantes, el color debe ser café o verde, ya que los diamantes están atados a la tierra. Quizás quieras volver a revisar las correspondencias eligiendo la hora angélica apropiada para pedir la ayuda. Escoge el ángel que tenga la mayor asociación con el artículo perdido.

Protección

Las magias de protección pertenecen a todos los ángeles, dependiendo del tipo de protección que se necesite. Para la propiedad, se la debes pedir a los ángeles de la tierra. Para proteger tu salud, invoca a los ángeles del agua. Para proteger tu pasión y creatividad, contacta a los ángeles del fuego. Para proteger tu mente y cualquier tipo de conocimiento de comunicación, se le debe pedir a los ángeles del aire. Casi toda la magia de protección se hace en la luna llena, en lunes (que es el día de la Luna), o en la hora angélica de la Luna. Es mejor hacer la magia de protección en un círculo mágico, en un ritual.

Para invocar a los ángeles de protección, intenta este pasaje:

Espada y relámpago, de rápido destello
Por los poderes de Marte, aplasten a mis enemigos
Regresen el ataque, enfóquense en ellos
Y denle a su orgullo un recorte justo.

Ve, dulce Miguel, con la luz de tu fuego
Realiza mi protección, mi firme deseo.
Ve, dulce Miguel, al servicio del cielo
Que no puedan hablar mentiras que disipen la alegría de otros.

Rompo los lazos, corto la amistad
Invoco los poderes de mi propia consanguinidad
Sangre y huesos y rabioso fuego
Miguel lo rodea cada vez más alto.

Trabajo la magia en mi protección
Invoco a los ángeles de divina elección
Sobre los vientos estridentes vuelan
La protección llamo, el mal morirá.

Para quienes trabajan con frecuencia la magia, este pasaje es normal. Para los que no trabajan mucho la magia, pueden sentir que es demasiado fuerte. Si te molesta, no lo uses. Es apropiado invocar la justicia y la protección, no importa qué religión profeses.

12

Los ángeles y el zodiaco

La astrología es el estudio de los ciclos celestes y los sucesos cósmicos como se reflejan en nuestro entorno terrenal.[1] Lo que sucede en los cielos es un espejo directo de lo que está sucediendo en la Tierra. Los ángeles del zodiaco, combinados con el arte y la ciencia

[1] De *Astrology for Beginners* por William Hewitt, página 4.

de la astrología, te pueden hacer avanzar en tu vida espiritual más de lo que alguna vez pensaste que pudiera ser posible. Sí, se va a necesitar cierto estudio de tu parte, pero si quieres tener control de tu vida, investiga el reino de los ángeles del zodiaco. Te pueden ayudar a determinar qué va a suceder (o ha sucedido) en cualquier momento. La astrología va hacia atrás y hacia delante en el tiempo, permitiéndote percibir las cosas de una manera no lineal. Los ángeles del zodiaco te ayudarán a trabajar "fuera del tiempo", para que no sientas los efectos de control de las energías lineales.

Aunque las cartas natales astrológicas son las herramientas mágicas más populares, la astrología puede tener un interés particular para quienes orientan, adivinan o trabajan magia. También puede ser útil como un estudio general. Por ejemplo, si te gusta la historia, puedes revisar una carta de la Batalla de Gettysburg o el día de un terremoto. El uso de la astrología y la sabiduría de los ángeles del zodiaco es ilimitado.

No tienes que ser un genio matemático para trabajar con la astrología o con los ángeles del zodiaco. En este capítulo no vamos a decir cómo hacer las cartas, sino a descubrir las energías de los ángeles del zodiaco. Puedes aplicar estas energías en diversos aspectos de tu vida. Después de estudiar a los ángeles del zodiaco y los ángeles de los planetas, quizás desees revisar tu carta natal (o las cartas de otros) con la información contenida en estos dos capítulos. Este capítulo se va a concentrar en las bases de los ángeles del zodiaco y cómo aplican sus energías en el universo.

Los signos del zodiaco

El zodiaco se creó originalmente como un método de medida, mostrando cuánto tiempo le toma al Sol pasar por las constelaciones. Aunque este movimiento en realidad es representativo de la Tierra girando alrededor del Sol, desde la Tierra parece como si el Sol transitara los cielos. El zodiaco toma la forma de un círculo y se divide en doce partes iguales. Cada parte se conoce como un signo. El Sol aparece en cada signo, o parte, casi al mismo tiempo cada año. Cada parte o signo lleva el nombre de una constelación. Durante los siglos, cada parte reunió cualidades, energías e historias únicas. Cada signo del zodiaco también tiene asociaciones angélicas, incluyendo "regentes angélicos".

Ángeles de Aries (marzo 20/21 a abril 19/20)

Color: Carmesí.

Planeta regente: Marte.

Hora angélica: Camael.

Asociaciones herbolarias: Pimienta negra, clavo, cilantro, comino, olíbano, jengibre, pennyroyal, pino, asperilla.

Símbolo: ♈

En la magia ceremonial el ángel de Aries es Aiel o Machidiel. En la Cábala, los dos espíritus que gobiernan el signo de Aries son Sataaran y Sariel. Los ángeles de Aries representan la energía pura. Son ángeles de acción, veloces e instantáneos. Valientes, salvajes y apasionados, estos ángeles literalmente pisan donde otros ángeles temen ir. Como Aries representa el primer signo del zodiaco, los ángeles de Aries siempre son los primeros en el nacimiento de cualquier situación. Son los ángeles de los inicios y los impulsos. Estos ángeles influyen el liderazgo, el entusiasmo, la fuerza y los conflictos.

Los ángeles de Aries son aventureros y disfrutan el aire libre y cualquier deporte asociado con ese reino. Los ángeles de Aries te ayudarán en cosas grandes y pequeñas. Por ejemplo, hay momentos en nuestra vida en que necesitamos usar la fuerza. Una noche me paré en una tienda de abarrotes, sólo para que mi hijo menor pudiera sacar algo de esas máquinas de monedas. Él había trabajado mucho para tener sus setenta y cinco centavos y sabía exactamente lo que quería. Su hermana mayor lo llevó al interior. Ellos volvieron a aparecer unos instantes después, las lágrimas caían en el rostro de mi hijo.

"¿Qué pasa?", pregunté.

"La máquina está atorada", contestó mi hija. "Él no perdió nada de dinero, pero no consiguió lo que quería".

Suspiré. "Súbanse a la camioneta. Regreso en un minuto".

En las máquinas puse una moneda y traté de darle vuelta a la perilla. Nada. Volví a intentar. Atorada. "Ángeles de Aries", murmuré, "desatoren cualquier cosa que se haya atorado y por favor ayúdenme a darle la vuelta a esta perilla". Tomé la perilla y le di la vuelta. ¡Listo!

Regresé a la camioneta con los tesoros en mi mano.

"¿Cómo hiciste eso?", me preguntó mi hijo.

Mi hija puso los ojos en blanco. "¿Cómo piensas que lo hizo? ¡Cómo siempre lo hace! Ella usó magia".

"Qué buena onda", dijo mi hijo.

Ángeles de Tauro (abril 20/21 a mayo 20/21)

Color: Turquesa o verde.

Planeta regente: Venus.

Hora angélica: Uriel.

Asociaciones herbolarias: Manzana, cardamomo, madreselva, lila, magnolia, musgo de encino, pachulí, plumería, rosa, tomillo, haba tonga, ylang-ylang.

Símbolo: ♉

En la magia ceremonial, el ángel principal de Tauro es Tual o Asmodel. Los espíritus que gobiernan Tauro son Bagdal y Araziel. Los ángeles de Tauro son tranquilos y estables, son seres con un enfoque intenso y muy refinado. Muchas veces se asocian con la agricultura y las cosas que crecen, a estos ángeles les encantan las "linduras" (cosas y energías que son estéticamente agradables). Los ángeles de Tauro no tienen una acción o pensamiento al azar. Son excelentes planificadores, buenos con la estructura y la jerarquía. Estos ángeles son famosos por su fuerza y se considera que son los "pesos completos" del universo. Su pasión incluye cantar, tocar instrumentos y otras clases de diversión. Sin embargo, pueden ser necios y persistentes cuando es necesario.

Los ángeles de Tauro supervisan el ingreso y los bienes. Cuando se pida ayuda para atraer una nueva carrera hacia ti o para comprar ese congelador nuevo, los ángeles de Tauro te ayudarán. También son buenos ayudándote a que la gente te pague tu dinero que legítimamente te debe. Es fácil enojarse cuando la gente te debe dinero y no te paga. Si tienes un temperamento como el mío, más bien irás con ellos y les darás un golpe en la cara. Por supuesto, ésta no es la mejor acción y no te llevará a ninguna parte, y menos cerca de tu dinero. Hay que hacerlo de una manera amorosa. Es mucho más fácil trabajar con la gente que actúa con amor.

El esposo de mi mejor amiga es un muchacho sensacional, pero la gente siempre quiere aprovecharse de él. A veces tiene problemas para hacer que la gente le pague el trabajo que hace. Ellos piensan que como es un muchacho amable, está bien hacerlo esperar mientras pagan otras cuentas para no tener problemas. Si mi amiga tuviera una solvencia económica, no le importaría; pero, como casi toda la gente de este planeta, no la tiene. Si su esposo no recibe su pago, toda la familia sufre. Estoy segura que muchos de ustedes pueden asociar esto. ¿Qué se hace?

En el momento en que su esposo le cuenta que tiene "uno de esos" clientes otra vez, ella sale volando al altar, con la vela verde en mano. Primero, ella escribe el símbolo de Tauro en la vela. Luego escribe el nombre del "indolente" en el lado izquierdo y el nombre de su esposo en el lado derecho de la tarjeta. Ella dibuja el símbolo de Tauro en la parte superior de la tarjeta. Dibuja una flecha desde el indolente hasta su esposo. A lo largo de esta flecha pone signos de dólar y la cantidad de dinero que se debe, ella le da una semana. Pero si lo necesita dentro de veinticuatro horas, ella usa ese tiempo. Atrás de la tarjeta, escribe la afirmación angélica de la abundancia (ver página 271).

Los mejores días para hacer este trabajo serán jueves o viernes. Las mejores horas angélicas serán Sachiel o Uriel. Enciende la vela, luego sostén la tarjeta en tu mano mientras te concentras en tu deseo. Pídele a tu ángel guardián y a los ángeles de Tauro que te ayuden. Deja tu tarjeta en tu altar hasta que recibas el dinero que te deben. No dejes de agradecerle a la persona que te paga el dinero y a los ángeles por su ayuda.

Ángeles de Géminis (mayo 21/22 a junio 20/21)

Color: Plateado.

Planeta regente: Mercurio.

Hora angélica: Rafael.

Asociaciones herbolarias: Estoraque, bergamota, menta, alcaravea, eneldo, lavanda, hoja de limón, lirio de los valles, hierbabuena, arveja.

Símbolo: ♊

En la magia ceremonial, el ángel principal es Giel (también Ambriel). Los dos espíritus que gobiernan Géminis son Sagras y Saraiel. Los ángeles de Géminis se interesan en los ciclos mentales y las energías como la comunicación, las ideas y la comprensión de conceptos intangibles. Estas energías angélicas participan mucho en nuestra era de la información. También son "los informantes" —no son los buscadores del conocimiento, sino los propagadores de éste. Los ángeles de Géminis siempre están cerca cuando flota en el aire una sociedad, sea de negocios, de amor, o de juego.

Los ángeles de Géminis supervisan los viajes, las relaciones con los hermanos, actividades en la colonia, amistades, memoria, autoexpresión y vecinos. Están fascinados con los medios de comunicación, en especial la información tecnológicamente sofisticada de las autopistas. Los ángeles de Géminis son protectores de los viajeros, conferencistas, escritores, diseñadores, compositores y cualquier cosa que tenga que ver con las relaciones públicas. Si necesitas una publicidad excelente para cualquier cosa, llama a los ángeles de Géminis.

Como a estos ángeles les interesa tanto la transferencia de datos, conocen la necesidad de la protección de sus vehículos. Por ejemplo, si deseas enviarle una carta a alguien, pon el símbolo de los ángeles de Géminis en una esquina del sobre. Si te preocupa la descompostura de tu computadora, toma un marcador permanente y dibuja el símbolo de Géminis en la parte de arriba de tu monitor, en el plástico. Cuida que no se roben tus libros al ponerles el símbolo de Géminis en el interior de la portada. Si necesitas encontrar información, invoca a los ángeles de Géminis para la ayuda. Protege los discos de la computadora también con el símbolo de Géminis.

Ángeles de Cáncer (junio 21/22 a julio 21/22)

Colores: Turquesa y azul/verde oscuro.

Planeta regente: Luna.

Hora angélica: Gabriel.

Asociaciones herbolarias: Manzanilla, cardamomo, jazmín, limón, lirio, mirra, palmarosa, rosa, sándalo, milenrama.

Símbolo: ♋

Los magos ceremoniales invocan a Cael, Manuel o Muriel. Los espíritus que gobiernan el signo de Cáncer son Rahdar y Phakiel. La meta principal de los ángeles de Cáncer es reunir y dispensar la energía emocional y ayudarte a retener las cosas que ya te ganaste. Están interesados en la meta de la familia. Estos ángeles son mejores en la manipulación de las circunstancias. Esas cosas del linaje y los dones transmitidos de madre a hija o de padre a hijo, también son territorio de los ángeles de Cáncer.

Los ángeles de Cáncer gobiernan la intuición, la sensibilidad y la necesidad de reconocimiento público. La posesión de la propiedad también cae bajo el reino de los ángeles Cancerianos. Ellos también representan la casa en el sentido místico, incluyendo la protección de las energías negativas, el resguardo de los secretos familiares y la seguridad de tus garantías que buscas en la edad avanzada. Emplea a los ángeles Cancerianos en cualquier momento que necesites hacer algo para tu casa, proteger los recuerdos de los estragos del tiempo o remodelar el hogar.

Una guardia angélica para proteger tu casa y tu familia

Materiales:

Patrones de ángel (ver la siguiente página)
Un cuadro grande de fieltro blanco
Un cuadro grande de fieltro dorado
Silicón y una pistola para aplicarlo
Tijeras
Un trozo de listón dorado o cuerda dorada delgada de veinte centímetros
Un limpiador de pipa dorado
Dos cuentas negras pequeñas (y cualquier otro material de artes manuales)
Un poco de musgo español
Cinco imanes planos (o una tira imantada de quince centímetros con pegamento en la parte de atrás)

Usa los patrones como una guía (quizás quieras agrandarlos), corta el cuerpo del ángel en el fieltro blanco. Corta las alas en el fieltro dorado.

Pega la cuerda dorada (listón) alrededor del cuello para que las puntas del listón cuelguen por el frente del ángel.

Pega el cuerpo del ángel encima de las alas con la pistola de silicón.

Cose los dos ojos (o tal vez quieras comprar los ojos autoadheribles que encuentras en la tienda de artes manuales).

Forma con una pequeña porción de musgo español una pelota floja. Pega el musgo en la cabeza arreglándolo para que enmarque la cara.

Forma un halo con el limpiador de pipa y pégalo en la parte de atrás de la cabeza. Corta las tiras magnéticas y pégalas en la parte de atrás del ángel: una en la cabeza, una arriba en cada ala y dos en la parte inferior del faldón (uno de cada lado).

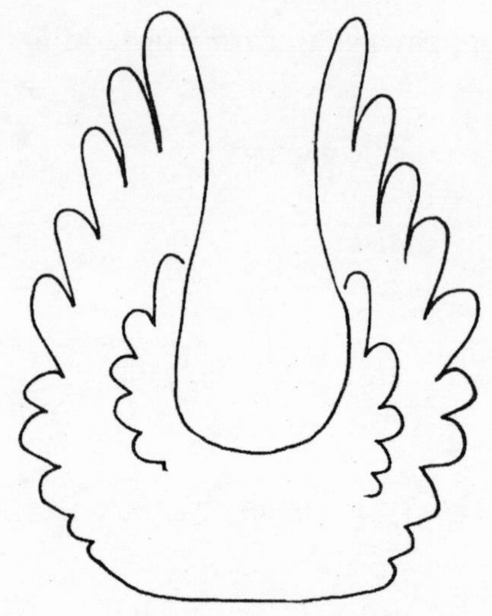

Molde de alas de ángel

Molde del cuerpo del ángel

Ángel guardián de la casa terminado

Con una pluma, escribe en la parte de atrás del cuerpo del ángel "Ángel Guardián de la Casa" y el símbolo de los ángeles Cancerianos. Lleva el ángel a tu altar y pídele a tu ángel guardián y a los ángeles Cancerianos que te ayuden en la protección de tu casa y de tu familia. Sostén firmemente el ángel en tus manos, visualizando la protección y la seguridad que quieres para tu casa. Cuando hayas terminado, agradécele a los ángeles, luego cuelga el ángel en tu refrigerador. Renueva tu ángel una vez al año.

Ángeles de Leo (julio 22/23 a agosto 22/23)

Colores: Naranja y amarillo.

Planeta regente: Sol.

Hora angélica: Miguel.

Asociaciones herbolarias: Baya, albahaca, canela, olíbano, jengibre, enebro, lima, capuchina, nerolí, naranja, petitgrain, romero.

Símbolo: ♌

El ángel principal de Leo en la magia ceremonial es Verchiel. Los ángeles que gobiernan este signo son Sagham y Seratiel. Los ángeles de Leo son llamativos, optimistas, entusiastas e increíblemente fieles. Son rápidos para ayudar en asuntos del corazón, desde niños que mueren de hambre hasta parejas enamoradas. Las flores y la luz de las velas atraen a los ángeles de Leo. Les gusta ayudar a las personas que tienen un gran amor por la vida y entienden la necesidad de ser generosos.

La mejor manera de agradecerle a los ángeles de Leo es haciendo algo especial por alguien. Un acto de generosidad al azar los enorgullece mucho. Aquellos que desean logran grandes cosas, sea en la casa o en un estadio lleno de admiradores felices, deben buscar ayuda en los ángeles de Leo. El consuelo, imaginación, comodidad y placer están en los reinos de los ángeles de Leo.

No hay un proyecto o un artículo tangible para pedir la ayuda de los ángeles de Leo; un acto caritativo sincero, es todo lo que se requiere.

Ángeles de Virgo (agosto 23/24 a septiembre 22/23)

Colores: Plateado y azul intenso.

Planeta regente: Mercurio.

Hora angélica: Rafael.

Asociaciones herbolarias: Alcaravea, salvia clara, costmary, ciprés, eneldo, hinojo, bálsamo de limón, madreselva, musgo de encino, pachulí.

Símbolo: ♍

Los magos ceremoniales invocan a Voil o Voel y Hamaliel. Los ángeles que gobiernan son Iadara y Schaltiel. Los ángeles de Virgo están interesados en la perfección de una cosa, pensamiento, acción, deber o persona. Todos los proyectos que implican indagación, investigación, elegancia y creatividad artística caen bajo el reino de los ángeles de Virgo. Si necesitas observar cada detalle, invoca a los ángeles de Virgo. Estos ángeles también están involucrados con el principio de la cosecha y te van a ayudar a que trabajes hacia tus metas. Los ángeles de Virgo tienen interés en tus compañeros de trabajo, subordinados, mascotas y belleza. Realzarán estas situaciones además de trabajar para suavizar las dificultades si se los pides.

Si necesitas comunicación intelectual en una relación amorosa, los ángeles de Virgo estarán encantados de ayudarte. Si necesitas una solución inteligente de un problema, busca a los ángeles de Virgo. Al principio, Virgo se representaba con la Diosa del Maíz Sumeria. Más adelante en la historia, ella se equiparó con María. Muchas veces se representa a Virgo sosteniendo flores, gavillas de trigo o varas de maíz. Ella es la cosechadora final, coleccionista y bibliotecaria de los hechos. El inconsciente colectivo de Virgo definitivamente es de naturaleza femenina y para ese fin, los problemas de salud que implican los órganos femeninos y el parto están bajo el control de los ángeles de Virgo.

Si una amiga desea ayuda para concebir o tiene dificultades médicas, pon un muñeco de paja en tu altar. Pega el nombre de tu amiga en el muñeco y pídele a los ángeles de Virgo su ayuda en la sanación y en una conclusión sana y segura, sea a través de una operación que ella debe enfrentar o en el nacimiento exitoso de un niño. Muchas veces les doy a las madres embarazadas "muñecos de nacimiento" arreglados con cosas de bebé (como sonajas y broches de cigüeña) para colgarlos en la sala de partos. Después, el muñeco se coloca en la sala de niños para que pueda cuidar al bebé mientras duerme.

Ángeles de Libra (septiembre 23/24 a octubre 22/23)

Colores: Rosa y azul claro.

Planeta regente: Venus.

Hora angélica: Uriel.

Asociaciones herbolarias: Manzanilla, narciso, eneldo, eucalipto, hinojo, geranio, menta, pino, hierbabuena, palmarosa, vainilla.

Símbolo: ♎

Los magos ceremoniales emplean a Zuriel y a Jael. Los ángeles que gobiernan a Libra son Grasgarben y Hadakiel. El interés principal de los ángeles de Libra son las energías de la armonía y el equilibrio. Lo que es justo, es justo. Les disgusta la mugre, la suciedad, el desorden, el ruido, la confusión o el caos. Los ángeles de Libra son atraídos a los incidentes legales, el consejo de otros o cuando la cooperación y la interacción se necesitan entre las personas. También están involucrados con los asuntos de la vida y la muerte y la interacción entre ellos.

Los ángeles de Libra están interesados en cualquier sociedad equitativa de toma y daca, incluyendo el matrimonio. Una antigua costumbre para traer armonía al matrimonio es tomar una naranja y llenarla de agujeros. Pon un clavo en cada agujero, luego amarra un listón blanco alrededor de la naranja. Cuelga la fruta en la habitación para atraer la armonía de los ángeles de Libra.

Los ángeles de Libra iluminarán a tus enemigos para que sepas quiénes son. Ve a tu altar angélico y explícale el problema a los ángeles de Libra. Medita si quieres. Diles que necesitas tener una solución o un poco de ayuda. En algunas horas o días, tu petición será contestada.

Ángeles de Escorpión (octubre 23/24 a noviembre 21/22)

Colores: Marrón y negro.

Planeta regente: Plutón.

Hora angélica: Cassiel.

Asociaciones herbolarias: Pimienta negra, cardamomo, café, galangal, jacinto, lúpulo, pennyroyal, pino, tomillo, nardo, asperilla.

Símbolo: ♏

Los magos ceremoniales consultan a Barchiel y Sosol. Los ángeles que gobiernan Escorpión son Riehol y Saissaeiel. Los ángeles de Escorpión están interesados principalmente en la devoción y las búsquedas intelectuales. Los ángeles de Escorpión están muy interesados en los sueños y en su interpretación. Si un sueño te confunde, los ángeles de Escorpión pueden darte las respuestas que buscas. Estos ángeles también están interesados en cualquier clase de trabajo de detective o de investigación. Donde los ángeles de Virgo buscan claves minuciosas y correspondencias, los ángeles de Escorpión son muy buenos para descubrir la verdad y trabajar grandes cantidades de información para llegar a una conclusión.

Los ángeles de Escorpión son extraordinariamente místicos. Igual que los ángeles de Libra, están interesados en los secretos, pero en este caso, tratan los secretos de la muerte. Están interesados en la transformación de los humanos, sea en el nacimiento, la muerte o en el más allá. Estos ángeles también gobiernan los poderes psíquicos y los estudios y el conocimiento ocultos. Solicita la presencia de los ángeles de Escorpión cuando aprendas una herramienta de adivinación, como el Tarot, I Ching, péndulo, etc. Pídeles sus bendiciones en cualquier clase de adivinación. Los ángeles de Escorpión son excelentes cuando se trabaja en casos criminales que implican un homicidio o una muerte sin resolver.

Los ángeles de Escorpión palpan las emociones intensas que se enfocan en una conclusión específica o en la transformación de un asunto. Estos ángeles le darán poder a tu vida si lo solicitas específicamente. Están prestos para asistirte, si eres atacado en tus ideas o creencias.

Ángeles de Sagitario (noviembre 22/23 a diciembre 20/21)

Colores: Violeta y azul intenso.

Planeta regente: Júpiter.

Hora angélica: Sachiel.

Asociaciones herbolarias: Bergamota, clavo, hisopo, bálsamo de limón, nuez moscada, romero, azafrán.

Símbolo: ♐

Los magos ceremoniales invocan a Advachiel o Adnachiel, Ayil o Sizajasel. Los dos ángeles que gobiernan el signo de Sagitario son Vhnori y Saritaiel. Los ángeles de Sagitario están más interesados en la fuerza dinámica —entre más grande, mejor, entre más audaz, más magnífico. Aman a las personas que pretenden extender sus energías más allá de su propio entorno. Cuando alguien está buscando "estatus" en la vida, los ángeles de Sagitario están ahí para asistir. Estos ángeles disfrutan a los humanos que les gusta viajar, enseñar, dar conferencias, escribir y publicar y los que disfrutan tener hechos claros y concisos para trabajar con ellos. También disfrutan la libertad y la alegría y te van a ayudar a encontrar tu potencial inexplorado.

La pompa y el ritual caen bajo los auspicios de los ángeles de Sagitario. No dejes de pedirle ayuda a estos ángeles en cualquier cosa que sea de interés internacional. También se involucran en universidades, grupos religiosos, crecimiento espiritual y búsquedas culturales.

Usa el símbolo de los ángeles de Sagitario en los libros de la escuela y los papeles. Si necesitas libertad de algo constrictivo, pídele a estos ángeles su ayuda y lleva su símbolo contigo. Busca la ayuda de los ángeles de Sagitario en cualquier asunto en el que necesites ser profundo. Ellos también gobiernan los viajes a larga distancia, especialmente a países extranjeros.

Si sueñas publicar la "Gran Novela Norteamericana" debes dirigirte a los ángeles de Sagitario cuando el manuscrito esté listo para enviarlo a la compañía editora. Pon el manuscrito en tu altar con el símbolo de los ángeles de Sagitario encima. Pide que tu manuscrito se trate con justicia y que encuentre al editor que sea adecuado para el trabajo.

Ángeles de Capricornio (diciembre 21/22 a enero 19/20)

Colores: Café y negro.

Planeta regente: Saturno.

Hora angélica: Cassiel.

Asociaciones herbolarias: Ciprés, madreselva, lila, mimosa, mirra, pachulí, tulipán.

Símbolo: ♑

Los magos ceremoniales incorporan a Hamael y Casujoiah. Los ángeles que gobiernan a Capricornio son Sagdalón y Semakiel. Los ángeles de Capricornio principalmente están interesados en asuntos de tiempo y espacio. Ellos se enfocan en la visión en conjunto, autoridad y regulaciones. Estos ángeles manejan las formalidades y los vas a encontrar en entornos de total seriedad. Ellos son los ángeles de la madurez, la disciplina personal, responsabilidad, frugalidad, negocios y honores. Los ángeles de Capricornio pueden ayudarte a "arreglártelas" cuando piensas que no tienes nada con que trabajar.

Operaciones bancarias, seguros, salud, investigación, laboratorios médicos, agencia de detectives, organizaciones investigadoras de gobierno y todas las áreas donde se requieren la sensatez y la gran dedicación son de los ángeles de Capricornio. Si has trabajado muy duro para lograr una meta, los ángeles de Capricornio estarán ahí para ayudarte. Ellos transmiten mensajes a quienes son influyentes y pueden ayudarte, ya que conocen el poder y lo entienden.

Ángeles de Acuario (enero 20/21 a febrero 19/20)

Color: Azul iridiscente.

Planeta regente: Urano.

Hora angélica: Rafael.

Asociaciones herbolarias: Costmary, lúpulo, lavanda, limón, verbena, perejil, pachulí, pino, anís estrella, arveja.

Símbolo: ♒

Los magos ceremoniales usan a Cambiel y Ausiel. Los ángeles que gobiernan Acuario son Archer y Ssakmakiel. El enfoque principal de los ángeles de Acuario es la comunicación universal. Estos son los ángeles que propagan las formas de pensamientos universales para crear la armonía. El reparto imparcial de información es el que a veces causa el caos para algo mejor. Los ángeles de Acuario suelen gravitar cerca de los inventores y los exploradores. Ellos no son los ángeles de los trayectos largos, sino del brillo que inicia una misión. Si necesitas los ímpetus para hacer o dirigir algo o a alguien, los ángeles de Acuario te van a ayudar a quitar tu inutilidad.

Los ángeles de Acuario tratan con los amigos, las esperanzas, los deseos, los sueños a largo plazo, metas, placeres intelectuales, clubes, sociedades, asociaciones políticas e interacciones armoniosas con grandes grupos de personas. También se les puede suplicar la ayuda en el cuidado de los niños que no son tuyos de nacimiento, las recompensas derivadas de una profesión y la ganancia individual que puedes lograr al proyectar tu energía y tu talento hacia fuera a otras personas.

Ángeles de Piscis (febrero 18/19 a marzo 19/20)

Colores: Verdes mar

Planeta regente: Neptuno

Hora angélica: Rafael

Asociaciones herbolarias: Manzana, alcanfor, cardamomo, gardenia, jacinto, jazmín, lirio, cebada, mirra, palmarosa, sándalo, vainilla, ylang-ylang

Símbolo: ♓

Los magos ceremoniales suplican la asistencia de Barchiel y Pasiel. Los dos ángeles que gobiernan a Piscis son Rasamasa y Vocabiel. Los ángeles de Piscis se concentran en las energías de la fuerza interior y el poder invisible. Los ángeles Piscianos están interesados en las artes sanadoras, en especial las que implican la sanación con energía. En donde haya un buen Samaritano, hay ángeles de Piscis, sea que la ayuda se le dé a humanos, plantas o animales. Cuando el manantial de la creatividad necesita utilizarse, pídele a los ángeles de Piscis que te ayuden. El poder oculto y los talentos psíquicos son herramientas de los ángeles Piscianos.

Rueda de las casas zodiacales angélicas

Para facilitar tus trabajos angélicos, hice una carta para tu conveniencia (ve abajo). La carta sigue las casas astrológicas zodiacales y los signos Solares correspondientes, símbolo, ángeles regentes, correspondencias, elemento, color y hora angélica.

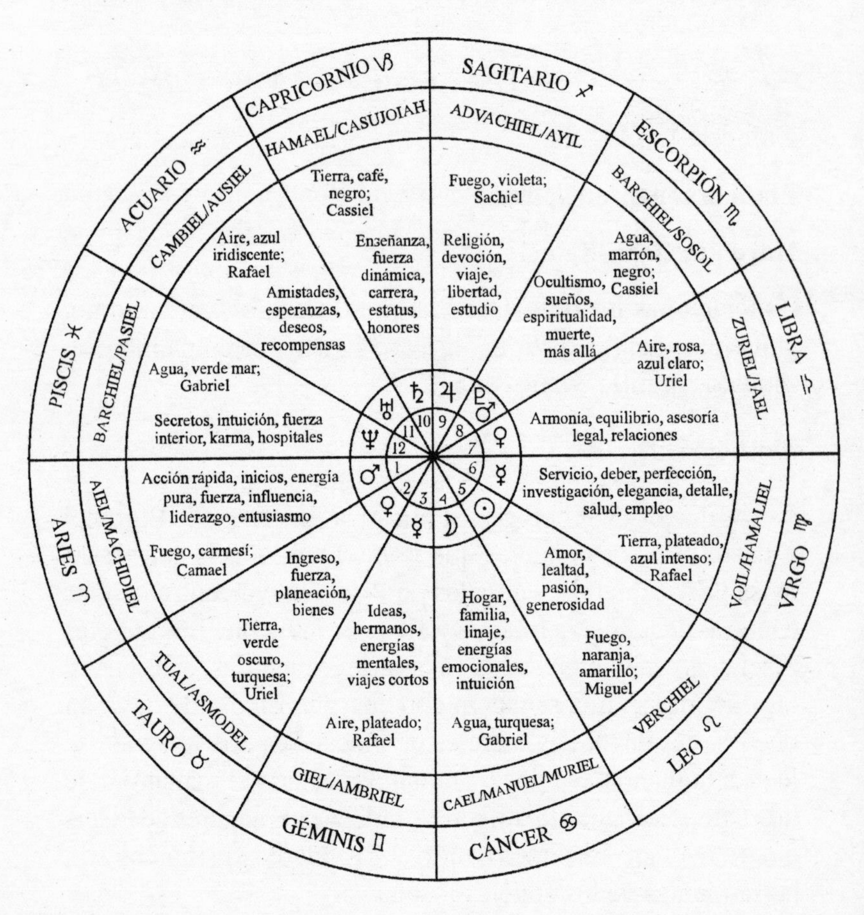

Resumen

Hasta ahora, hemos cubierto bastante sobre los ángeles, los proyectos mágicos y las correspondencias para tus trabajos. Tengo mucho más para compartir. Toma tu tiempo y vuelve a revisar la información de este capítulo, y sólo para divertirte, ¿por qué no sincronizas tus metas con los ángeles del zodiaco? ¿Qué ángeles necesitas para trabajar y asegurarte un futuro brillante y excitante?

Afirmaciones:

Yo soy uno con el universo.

Yo soy uno con las riquezas de mi mente consciente y subconsciente. Tengo derecho a ser próspero, feliz y exitoso. El dinero fluye hacia mí libre, abundante e ilimitadamente. En verdad merezco las riquezas universales. Los ángeles me bendicen con abundancia financiera y seguridad y a su vez bendigo a otros con mis talentos y mi amor.

13

Los ángeles y los planetas

En el último capítulo hablamos sobre los ángeles del zodiaco y cómo puedes usarlos en tu trabajo mágico. También puedes invocar a los ángeles de los planetas para tu asistencia.

Igual que los ángeles del zodiaco tienen influencias específicas en su tiempo y energías, es igual con los ángeles planetarios. El ángel (o ángeles) de cada planeta tienen poderes específicos, campos de experimentación y momentos de poder. ¿Debes usar los ángeles zodiacales y planetarios para un resultado exitoso? No, puedes trabajar la magia angélica sin usar las energías planetarias o las formas angélicas. ¿Entonces por qué querrías usar los ángeles zodiacales o planetarios en primer lugar? Bueno, es algo así como... jitomates.

Tengo una amiga, Cally, que trabaja en una tienda de abarrotes como cajera. Cuando algún cliente lanza el código de jitomates 4802 en la pesa de Cally, ella ve al cliente con una agradable sonrisa y le dice: "¿Sabía que estos son jitomates Cadillac?".

Normalmente el cliente se ve desconcertado y responde: "¿Perdón?".

Cally ladea su cabeza y señala con su dedo índice la pequeña bolsa de red de jitomates. "Tenemos jitomates Cadillac y también jitomates Toyota. Estos", ella toca la bolsa, "son los jitomates Cadillac. Cuestan más o menos 5 dólares".

Casi todos los clientes abren sus ojos conmocionados. "¿Por cuatro jitomates?".

Cally mueve la cabeza. "Estos cuatro jitomates le van a costar cinco dólares. Los jitomates Toyota le van a costar dos dólares. ¿Realmente quiere los jitomates Cadillac?".

Cally tenía una razón práctica para preguntar esto. Primero, ella descubrió que los clientes no prestan atención al signo sobre los jitomates Cadillac. Esos jitomates se ven tan bien, que el cliente los toma por impulso. Cally sabe que nueve de diez veces, cuando el cliente se da cuenta de cuánto van a costar los jitomates, él o ella le pide a Cally que los quite de la orden. Si los jitomates ya fueron marcados, esto significa una demora de cinco minutos para todas las demás personas formadas mientras se cambia la orden.

Los ángeles del zodiaco y planetarios son como esos jitomates hermosos y llamativos. Al trabajar con estas dos clases de ángeles se va a requerir un precio más alto de tu parte —más tiempo en la planeación y la ejecución de tu ritual o acto mágico. Así como los jitomates Cadillac son un mejor producto, así también tu magia será mejor si usas los ángeles del zodiaco y planetarios en tus trabajos. Estos ángeles y sus correspondencias te permiten enfocar tu mente y dirigir tus energías hacia un deseo específico.

Ángeles del Sol

Signo: Leo.

Día: Domingo.

Ocupaciones: Anunciantes, todas las posiciones de autoridad, actor, guardacoches, director de parque de diversiones, directivo y ejecutivo, todas las posiciones relacionadas con la habilidad de organización, biólogo, banquero, planificador financiero, corredor de bolsa, oficial gubernamental, joyero, abogado, publicista.

Pasatiempos: Trabajo comunitario, acción cívica, servicios voluntarios, ejercicio, deportes al aire libre.

Actividades: Publicidad, compra, venta, especulación, viajes cortos, recepción de personas, cualquier cosa que implique grupos o habilidad teatral, montaje de exhibiciones, administración de ferias y sorteos, crecimiento de cosechas, cuidar asuntos de salud.

Asociaciones: Figuras de autoridad, favores, avance, salud, éxito, exhibición, drama, promoción, diversión, asuntos relacionados con los placeres del cuerpo y la mente.

Dones: Ambición, confianza, fuerza, liderazgo, reconocimiento, individualidad, generosidad, fuerza de voluntad, lealtad, justicia, honor.

Asociaciones herbolarias: Laurel, bergamota, caléndula, clavel, canela, copal, olíbano, enebro, lima, nerolí, naranja, petitgrain, romero, azafrán.

Símbolo: ☉

Muchos ángeles — incluyendo a Arithiel, Galgaliel, Gazardia, Korshid-Metatrón, Miguel, Och, Rafael, Uriel y Zerachiel —han sido asociados con esta esfera dorada que es tan importante para nuestra supervivencia. En la antigua tradición persa, el ángel del Sol fue Chur. Los ángeles del Sol, representan la fuerza de voluntad, la dirección principal y el enfoque en cualquier asunto. Los ángeles del Sol te ayudarán a infundir respeto y autoridad e impresionar e influir a otras personas cuando estás en lo correcto. Estos ángeles te van a ayudar con tus más grandiosas ambiciones.

Los ángeles del Sol trabajan bien con los ángeles zodiacales de Leo, Aries y Sagitario. Los ángeles del Sol no son compatibles con los ángeles zodiacales de Acuario, Libra y Géminis. Los ángeles del Sol trabajan bastante bien con los ángeles zodiacales de Tauro, Cáncer, Virgo, Escorpión, Capricornio y Piscis.

Ángeles de la Luna

Signo: Cáncer.

Día: Lunes.

Ocupaciones: Proveedor, científico nacional, especialista en economía doméstica, conserje, enfermera, obstetra, pescador, navegante, marinero, astrólogo, guardia de seguridad, adivino, cualquier trabajo nocturno.

Pasatiempos: Trabajo comunitario o voluntario, acción cívica, ejercicio, deportes al aire libre.

Actividades: Publicidad, compra, venta, especulación, viajes cortos, recepción de personas, cualquier cosa que implique grupos o habilidad teatral, montaje de exhibiciones, administración de ferias y sorteos, crecimiento de cosechas, cuidar asuntos de salud.

Asociaciones: Viajes cortos, mujeres, niños, el público, asuntos nacionales, emociones, líquidos.

Dones: Inspiración, magnetismo, poderes psíquicos visionarios y positivos, flexibilidad, amor, creatividad, imaginación, dicha nacional, sensibilidad hacia otros.

Asociaciones herbolarias: Alcanfor, jazmín, limón, lila, melón, huele de noche, sándalo, stephanotis, lirio acuático.

Símbolo: ☽

Tal vez la Luna es la que influye en la práctica de la magia más que cualquier otra esfera en los cielos. Sin sus energías, no podemos experimentar el flujo y la nutrición de la vida. Los ángeles de la Luna son Yahriel, Iachadiel, Elimiel, Gabriel, Tsaphiel, Zachariel, Iaqwiel y casi siempre se asocia a Ofaniel.

Los ángeles de la Luna se concentran en los sentimientos, las emociones y las sensibilidades. Te van a ayudar a eliminar los malos hábitos y cubrir las necesidades y los deseos que satisfacen las carencias emocionales. Los ángeles de la Luna están más interesados en la mente humana subconsciente, la memoria, la intuición y los instintos. Están altamente interesados con el ambiente de nuestra casa.

Los ángeles de la Luna invocados durante un eclipse de Luna traerán una percepción extraordinaria. Si se te confirió la "visión del eclipse" considérate dotado y afortunado. Estas visiones son momentos de claridad y comprensión extremos, una verdad intrínseca. A veces la visión es para asuntos personales; otras veces es más de carácter global. Este mensaje tendrá la tendencia de dominar nuestra mente subconsciente durante varios meses. Si se dan dos eclipses muy cerca uno del otro (por ejemplo, con una diferencia de dos semanas), entonces el período intermedio es excelente para invocar a los ángeles de la Luna.

Los ángeles invocados el décimo día después de la Luna Nueva (contando la Luna Nueva como día uno) y el día vigésimo quinto después de la Luna Nueva también traerán visiones y percepciones especiales. Durante siglos, las personas mágicas han apartado estos dos días para la meditación, la introspección y los trabajos armoniosos. El décimo día se considera de energía masculina y el vigésimo quinto se piensa que es femenino.

Otros días del ciclo de la Luna que le interesan a la gente que trabaja magia angélica incluyen:

Días 28, 29, 30 (después de la Luna Nueva): Ángeles protectores.

Días 13 y 14: Ángeles purificadores.

Día 8 (masculino) y 23 (femenino): Ángeles sanadores.

Días 1 (Luna Nueva, masculino) y 15 (Luna Llena, femenino): Ángeles de alineación.

Casi todos los ángeles trabajan bien con los ángeles zodiacales de Cáncer, Tauro y Piscis. Los ángeles de la Luna no trabajan muy bien con los ángeles zodiacales de Capricornio, Escorpión y Virgo. Los ángeles de la Luna trabajan bastante bien con los ángeles zodiacales de Aries, Géminis, Leo, Libra, Sagitario y Acuario. Igual que en todo, cada regla tiene excepciones, en especial cuando está implicada la Luna.

Para recuperar la propiedad robada, invocaciones especiales y trabajar con la muerte, combina los ángeles de la Luna con los ángeles zodiacales de Tauro, Virgo o Capricornio. El trabajo se realiza mejor cuando la Luna está en uno de estos signos, en su propia hora, en su propio día.

Para el amor, la gracia y la invisibilidad, combina los ángeles de la Luna con los ángeles zodiacales de Aries, Leo o Sagitario. El trabajo se realiza mejor cuando la Luna está en uno de esos signos, en su propia hora, en su propio día.

Para detener a los criminales y el destierro, combina los ángeles de la Luna con los ángeles del zodiaco de Cáncer, Escorpión o Piscis. El trabajo se realiza mejor cuando la Luna está en uno de estos signos, en su propia hora, en su propio día.

Históricamente hay veintiocho ángeles que rigen las veintiocho mansiones de la Luna. Ellos son:

1. Geniel	8. Amnediel	15. Atliel	22. Geliel
2. Enediel	9. Barbiel	16. Azeruel	23. Requiel
3. Anixiel	10. Ardifiel	17. Adriel	24. Abrinael
4. Azariel	11. Neciel	18. Egibiel	25. Aziel
5. Gabriel	12. Abdizuel	19. Amutiel	26. Tagriel
6. Dirachiel	13. Jazeriel	20. Kyriel	27. Atheniel
7. Schliel	14. Ergediel	21. Bethnael	28. Amnixiel

Ángeles de las fases de la Luna

Mareas lunares que brillan con la esfera solar
Yo adoro a los Ángeles de la fase lunar.
Entretejan la magia de los caminos celestiales
Guíen el patrón de la noche y el día.
Con la Luna Creciente y la Diosa puedan
Dar la vuelta al día y a la noche.
Cuando la Luna esté llena desciende el poder
Dándole potencia con cada hora.
Con la marea menguante y la luz de la noche
Trabaja mi voluntad con el poder del ángel.
Desvanece los problemas de mi entrada
Ayúdame a crear un destino positivo.
Reflujo lunar y flujo lunar
Alas batientes y halos brillantes.
Para guiar, ayudar y proteger mi puerta
Traigan a los ángeles, eternamente.

Cada fase de la Luna también tiene sus fuerzas angélicas correspondientes. Los ángeles de las fases de la Luna se pueden usar en cualquier práctica mágica, sin tener en cuenta qué otras energías planees usar.

Quizás quieras dedicar un poco de tiempo en meditación conociendo cada una de las fuerzas angélicas. En vez de hacer todo en un mes, te sugiero que elijas un ángel de la Luna un mes para estudiarlo. Busca mensajes de estos ángeles después de tus secuencias de meditación. Vamos a trabajar más con estos ángeles de la Luna en el capítulo de adivinación (ver Capítulo 16). En un diario guarda tus experiencias con estos ángeles. Estoy segura que hay otras correspondencias, incluyendo hierbas e inciensos, que sientes que trabajan mejor con estas fuerzas. No dejes de conservar buenos registros. Si tienes problemas con la conservación de los registros, prueba un sistema de fichas para una referencia rápida.

Ángeles de la Luna Nueva

Los trabajos se deben hacer desde el día de la Luna Nueva hasta tres días y medio después. Visualiza a estos ángeles con alas plateadas brillantes, cabello obscuro, piel morena y túnicas gris oscuro resplandecientes. Entre más cerca sea a la Luna Nueva, mejores serán las energías. Todos los asuntos de belleza y salud, granjas y jardines, búsqueda de empleo, amor y romance, trabajo en la red y superación personal caen bajo los auspicios de los ángeles de la Luna Nueva. El mejor momento para trabajar con ellos es al amanecer o en el crepúsculo.

Invoco a los ángeles de la Luna Nueva
Que entretejan su magia en el telar encantado.
Alas plateadas y piel morena
Lentamente reúnan su energía
Empiecen a traer a la forma el asunto
Denle su poder - ¡la cosa ha nacido!

Ángeles de la Luna Creciente

Esta fase creciente mira al oeste y dura desde tres días y medio después de la Luna Nueva hasta el séptimo día. Como esta Luna se eleva a media mañana y se pone después de la puesta del sol, revisa tu almanaque astrológico para determinar el punto medio exacto. Los asuntos de animales, negocios, cambio, emociones y fuerza matriarcal llegan bajo el reinado de los ángeles de la Luna Creciente. Visualiza a estos ángeles con túnicas aguamarina, cabellos rojo encendido, piel color durazno, collares de conchas marinas y alas con plumas de pavo real, con una Luna Creciente brillante y lechosa sobre su frente.

Invoco a los ángeles de la Luna Creciente
Lacayos de la Diosa, vengan a mí pronto.
Esencia madre ahora atraigo cerca
Por favor envía tu energía del cielo.
Fuerza del asunto por favor toma forma
Yo realizo la magia poderosa.
Cabello de fuego, alas con ojos
El pensamiento nació y no morirá,
Energía Deosil gira y asciende
¡Llego arriba y la llevo abajo!

Ángeles de la Media Luna

Esta fase es de siete a diez días y medio después de la Luna Nueva. Aquí la Luna se eleva a mediodía y se pone a medianoche. La puesta del sol es el período principal para la magia que implique a los ángeles de la Media Luna. Los asuntos que le interesan a los ángeles de esta fase de la Luna son valor, magia elemental, amistades, suerte y motivación. Estos ángeles trabajan extraordinariamente bien con las hadas y los devas. Imagina a estos ángeles con túnicas de los colores de una puesta de sol vibrante, alas de hada, piel oliva, y cabello castaño.

Ángeles de la Media Luna, puesta de sol marcada
Invoco la forma de su esencia y energía.
Amigos fantásticos con alas de deva
Traigan el poder de los cielos.
Poderosos elementos y arte místico
Conjuro a estos ángeles desde mi corazón.
Piel oliva y cabello castaño
Construyan las cosas con el aire de medianoche.
Brisa otoñal y brillante beso de la primavera
Por favor préstenme su dicha celestial.

Toda la fortuna gira y gira
En cada vuelta aumenta, la abundancia de amor.
Fuerza y energía angélica
Esto ya se fijó en la eternidad.
Como yo lo deseo, que así sea.

Ángeles de la Luna Gibosa

Esta fase empieza el décimo día después de la Luna Nueva y dura hasta el decimocuarto día después de la misma. La Luna Gibosa se eleva a las diez u once de la noche (consulta tu almanaque astrológico) y se pone aproximadamente a las tres de la mañana. Trabaja con ellos en el punto intermedio entre la salida y la puesta de la Luna. Los ángeles de la Luna Gibosa están interesados en los asuntos de paciencia y magias de las estrellas. Visualiza a estos ángeles con túnicas de medianoche rociadas con miles de estrellas, cabello blanco, piel clara y alas muy finas.

Ángeles de la Luna Gibosa, paciencia divina
Los invoco a este círculo mío.
Esencia estelar con alas muy finas
Construyan la magia, resuenen su canto.
Atraigo la energía del amor angélico
Y traigan su poder de los planos superiores.
Giren y giren conforme la Luna engorda
Cada vez más rápido, luego séllenla bien.
Conforme la luna da la vuelta de la oscuridad a la luz
Libero el poder de la fuerza angélica.
Fuerza natural y energía
Que mueve el mundo y que no puedo ver
Yo traigo a la forma mi ardiente deseo
Y toco la fuerza de la voz del ángel.

Ángeles de la Luna Llena

La fase de la Luna Llena empieza en el crepúsculo y termina al amanecer, por lo tanto, la medianoche es el momento más propicio para invocar a los ángeles de la Luna Llena. Esta fase de la Luna se presenta desde el día catorce hasta diecisiete días y medio después de la Luna Nueva. Los asuntos de interés principal para los ángeles de la Luna Llena son trabajos artísticos, belleza, salud, condición física, cambio, protección, competencia, decisiones, sueños, familia, conocimiento, empresas legales, amor y romance, dinero, motivación, protección, psiquismo y superación personal. Visualiza a estos ángeles con túnicas blancas de seda, cabello rubio, piel color durazno y alas iridiscentes.

Cuando la Luna está llena y se llena de luz
Invoco la fuerza angélica.
La Diosa reina en la puerta del cielo
Con rayos de amor desde la esfera brillante.
La esencia del ángel y yo somos uno
La fortuna toca bendita por el Sol.
Trazo el círculo y lo sello rápido
Con fuerza uniforme perdura la magia.
Como es arriba es abajo
Formo el poder, y lo dejo ir.
Ella rige el reino que no puedo ver
Y trae a la forma mi realidad.

Ángeles de la Luna Declinante

Esta fase empieza tres días y medio después de la Luna Llena y dura hasta siete días después de la misma. La Luna se eleva a media tarde y se pone a media mañana, haciendo que la hora de las almas (3:00 A.M.) sea el mejor momento para invocar a estos ángeles. Los ángeles de la Luna Declinante están interesados en los asuntos de destierro, y por lo tanto puedes verlos con espadas, cuchillos o guadañas. No les temas; ellos sólo desean cortar las energías negativas que te rodean y no desean lastimar la esencia humana. Estos ángeles tratan las adicciones, decisiones, divorcio, estrés, protección y emociones negativas en general. Ellos se pueden visualizar usando túnicas con pieles de animales negras y blancas y joyería de plata pesada, con piel lechosa, cabello oscuro y alas de halcón.

Ángeles de diseminación
Ayúdenme con esta conflagración.
Alas de halcón destierren el mal
De mi persona y de toda mi gente.
Adicciones desaparezcan con el viento
Traigan sólo la energía adentro.
Corta el mal raudo y veloz
Que perdure el amor de la Diosa.
Destruye este asunto cansado y desgastado
Y con aire de fortuna reemplaza el espacio.

Ángeles de la Luna Menguante

La Luna Menguante se presenta de siete a diez días y medio después de la Luna Llena. Estos ángeles trabajan para liberar la negatividad y desterrar las dificultades, aunque también tratan con los problemas que se extienden sobre varias vidas. Los ángeles de la Luna Menguante trabajan con las adicciones, divorcio, salud y sanación (destierro; por lo tanto se trabaja en el sentido contrario a las manecillas del reloj), estrés, protección y asuntos kármicos. Estos ángeles usan túnicas violetas y tienen ojos rasgados y el tono de la piel

Oriental. Su cabello es negro azulado como las alas del cuervo, sus ojos son brillantes y penetrantes. Usan una cinta del cabello plateada y resplandeciente, su punto focal es un pentáculo de destierro encendido. Sus alas son grises con plumas doradas.

Ángeles de la Luna Menguante
Los invoco para que me den su ayuda
Grandes energías de la noche
Aten el mal y anúdenlo fuerte.
Lánzalo fuera, sana el dolor
Termina el reinado infeliz del tirano.
Alas grises tornasoladas con dorado
Alejen de golpe el control negativo.
Hago la señal del destierro
Y dejo atrás brillante contento.

Ángeles de la Luna Negra

Aquí el tiempo es de diez y medio a catorce días después de la Luna Llena. Esta Luna se eleva a las tres de la mañana y se pone a media tarde. Los ángeles de la Luna Negra se conocen por sus actos de justicia. Ellos tratan las adicciones, el cambio, divorcio, enemigos, justicia, obstáculos, pleitos, separación, criminales y sus actos, y la muerte por medios injustos. Lo más extraño es que su hora más fuerte ocurre alrededor de las diez de la mañana. Visualiza a estos ángeles sin iris en sus ojos, sólo grandes pupilas húmedas que ven en todos los reinos. Sus alas color ébano son poderosas, su cabello es una espuma de un chorro resplandeciente. Cuando sonríen, verás sus caninos incisivos. La piel no tiene color y prefieren capas negras con un borde carmesí sobre túnicas de gasa gris negra brillantes. De hecho, a veces estos ángeles se confunden con vampiros.

Ángeles de la Luna Negra escuchen mi petición
Vengan a mí, denme la segunda visión.
Alas de ébano, cabello de chorro
Llenen los cielos con palabras de justicia.
Giren alrededor en gasa resplandeciente
A mi causa su poder denle.
Destierren el mal aquí y ahora
Entiérrenlo en surcos en el cielo.
Ángeles de la Luna Negra fuertes y sabios
Al mal quítenle su encubrimiento.
Láncenlo fuera, háganlo trizas
Disemínenlo y entiérrenlo debajo.
Sonrisa de Hechicera y fuerza de Sabio
Limpio la pizarra, borro la página.
Como es arriba, así es abajo
Rompe el maleficio y échalo abajo.
Invoquen por favor a las huestes celestes
Para desaparecer a este criminal del pilar al poste.
Lleven al final el mal y la lucha
Reemplácenlo con armonía, amor y luz.

Ángeles de Mercurio

Signos: Géminis y Virgo.

Día: Miércoles.

Ocupaciones: Contador, asistente administrativo, diplomático, tenedor de libros, oficinista, crítico, artesano, deudor, disc-jockey, médico, editor, periodista, grafólogo, entrevistador, trabajador postal, secretaria, distribuidor, inspector, conferencista, bibliotecario, lingüista, técnico médico, científico, estudiante, profesor, escritor.

Pasatiempos: Escribir historias, ver televisión, sistema de comunicación en línea, aparatos que impliquen esa comunicación.

Actividades: Negociación, trato con abogados o agentes literarios, sector editorial, archivo, contratación de empleados, aprender idiomas, trabajo literario, poner anuncios, preparar cuentas, estudiar, usar el teléfono, visitar amistades.

Asociaciones: Comunicaciones, correspondencia, llamadas por teléfono, mensajes de fax, computadoras, correo electrónico, instrucción, estudiantes, viajes, comerciantes, edición, escritura, publicidad, firma de contratos, hermanos, vecinos, antepasados, parientes.

Dones: Adaptabilidad, actividad mental, expresión, actividades simultáneas, estudio rápido, inventiva, inteligencia, elocuencia, destreza, conciencia.

Asociaciones herbolarias: Benjuí, bergamota, menta, alcaravea, apio, salvia clara, costmary, eneldo, eucalipto, hinojo, lavanda, verbena de limón, lirio del valle, mejorana, perejil, hierbabuena, guisante.

Símbolo: ☿

Los veloces ángeles que gobiernan al comunicativo Mercurio son Tiriel, Rafael, Hasdiel, Miguel, Barkiel, Zadkiel y el Bene Serafín. Los ángeles de Mercurio están muy interesados en las percepciones comunicativas. Les atañe de qué forma se da y se comprende la información y asisten en la formación de ideas y opiniones. Los ángeles de Mercurio están involucrados en la destreza y las habilidades manuales, las respuestas a los estímulos, los viajes y la transformación.

Los ángeles de Mercurio trabajan muy bien con los ángeles zodiacales de Géminis, Virgo, Acuario y Escorpión. Los ángeles de Mercurio no trabajan bien con los ángeles zodiacales de Sagitario, Piscis, Leo y Tauro. Los ángeles de Mercurio trabajan bastante bien con los ángeles zodiacales de Aries, Cáncer, Libra y Capricornio.

Ángeles de Venus

Signos: Tauro y Libra.

Día: Viernes.

Ocupaciones: Arquitecto, artista, esteticista, quiropráctico, bailarina, diseñador, trabajo doméstico, ingeniero, actor, vendedor de modas, florista, jardinero, trabajador de hotel, horticultor, cantante de ópera, vocalista, músico, pintor, poeta.

Pasatiempos: Bordado, confección de ropa, música, pintura, escultura, artesanías, costura, jardinería ornamental, jardinería.

Actividades: Diversión, cuidar la belleza, noviazgo, citas, decorar casas, diseño, reunirse con los amigos, mejoras en la casa, planeación de fiestas, compras.

Asociaciones: Afecto, sociedades, alianzas, gracia, belleza, armonía, lujo, amor, arte, música, actividades sociales, matrimonio, decoración, cosméticos, dones, ingreso.

Dones: Amor, amabilidad, belleza, sociabilidad, encanto, refinamiento, consideración, creatividad, inspiración, movimiento gracioso.

Asociaciones herbolarias: Manzana, manzanilla, cardamomo, nébeda, narciso, gardenia, geranio, jacinto, iris, lila, magnolia, cebada, palmarosa, plumería, rosa, tomillo, tubérculo, tulipán, vainilla, vetivert, jengibre blanco, aloe de madera, milenrama, ylang-ylang.

Símbolo: ♀

Estos ángeles están involucrados en los asuntos del corazón y la belleza (por supuesto). Los ángeles de Venus son Anael, Hasdiel, Eurabatres, Rafael, Hagiel y Noguel. Los intereses principales de los ángeles de Venus son las actitudes sociales y la conducta humana. Toda la belleza, gracia y talento artístico caen bajo la guía de los ángeles de Venus. Ellos adoran la cooperación y el amor romántico, además del matrimonio y las sociedades de todo tipo. Los ángeles de Venus te ayudarán a mejorar el ambiente a tu alrededor, a atraer las energías armoniosas y a lograr el nivel de atracción que deseas.

Los ángeles de Venus trabajan muy bien con los ángeles zodiacales de Tauro, Piscis y Acuario. Los ángeles de Venus no trabajan bien con los ángeles zodiacales de Aries, Escorpión, Virgo y Leo. Los ángeles de Venus trabajan bastante bien con los ángeles zodiacales de Géminis, Cáncer, Sagitario y Capricornio.

Ángeles de Marte

Signo: Aries.

Día: Martes.

Ocupaciones: Atleta, barbero, carnicero, carpintero, químico, trabajador de construcción, dentista, bombero, trabajador de fundición, basurero, guardia, carcelero, cerrajero, boxeador, artista marcial, luchador, jugador de fútbol, trabajador metalúrgico, cirujano, soldado, oficial de policía.

Pasatiempos: Reparación de vehículos, jardinería, injertos, mejoras en la casa y trabajo de madera, puntería, coleccionista de armas.

Actividades: Negocios, asuntos mecánicos, compra y venta de animales, tratos con contratistas, cacería, el inicio de cualquier tipo de estudio.

Asociaciones: Conflictos, agresión, sexo, energía física, actividad muscular, pistolas, herramientas, metales, corte, cirugía, policía, soldados, combate, confrontación.

Dones: Independencia, fuerza, deseo, valor, energía, determinación, confianza en sí mismo, audacia en donde se necesita, devoción.

Asociaciones herbolarias: Albahaca, pimienta negra, retama, café, cilantro, comino, galangal, ajo, jengibre, lúpulo, capuchina, cebolla, pennyroyal, pino, ruda, arancilla.

Símbolo: ♂

Estos ángeles rudos y prestos, pueden volverse contra alguien con un golpe virulento —son agresivos, por decir lo menos. Los ángeles de Marte son Uriel, Sammael, Gabriel y Chamael. Los ángeles de Marte están más interesados en la energía física, la acción y el poder. Ellos disparan las emociones y nos empujan a los esfuerzos mentales donde lograremos la victoria. De hecho, ningún otro ángel está asociado con el triunfo más que los ángeles de Marte. Ellos nos ayudan a tomar riesgos y animan a los retos físicos.

Los ángeles de Marte trabajan bien con los ángeles zodiacales de Aries, Capricornio y Leo. Los ángeles de Marte no trabajan bien con los ángeles zodiacales de Libra, Cáncer y Acuario. Los ángeles de Marte trabajan bastante bien con los ángeles zodiacales de Tauro, Géminis, Virgo, Escorpión, Sagitario y Piscis.

Ángeles de Júpiter

Signo: Sagitario.

Día: Jueves.

Ocupaciones: Embajador, tasador, arquero, banquero, cajero, consejero, doctor, educador, guardián, entrenador de caballos, cazador, jinete, juez, abogado, legislador, comerciante, ministro, farmacéutico, psicólogo, analista público, hipnoterapeuta.

Pasatiempos: Clubes sociales, viajes, coleccionista de monedas o de artefactos raros.

Actividades: Trabajo de caridad, instrucción, ciencia, cursos por correspondencia, superación personal, lectura, investigación, estudio.

Asociaciones: Publicaciones, universidad, instrucción, viajes largos, intereses extranjeros, religión, filosofía, predicción, transmisiones, publicidad, expansión, suerte, crecimiento, deportes, caballos, ley.

Dones: Éxito, ambición, dignidad, riqueza, inspiración, reverencia, optimismo, confianza, honorabilidad.

Asociaciones herbolarias: Clavo, madreselva, hisopo, bálsamo de limón, macis, reina de los prados, nuez moscada, musgo de encino, salvia, anís estrella, tonka.

Símbolo: ♃

Cuando la prosperidad y la realización están en el horizonte, busca a los ángeles de Júpiter. Ellos son Zachariel, Zadkiel, Sachiel, Adabiel, Barchiel y Zadykiel. Los ángeles de Júpiter están muy interesados en el crecimiento potencial y la expansión en una variedad de niveles. Ya sea que estés hablando sobre crecimiento físico, intelectual, espiritual o cultural. Los ángeles de Júpiter están listos para asistirte. Estos ángeles tienen la habilidad de exagerar y agrandar cualquier cosa que desees. Ellos gobiernan la acumulación de bienes materiales, poder y estatus y fortalecen tu optimismo, trayendo hacia ti sucesos gozosos y ayudándote a desarrollar tus aspiraciones.

Los ángeles de Júpiter trabajan bien con los ángeles zodiacales de Sagitario, Cáncer, Tauro y Piscis. Los ángeles de Júpiter no trabajan bien con los ángeles zodiacales de Géminis, Capricornio, Virgo y Escorpión. Los ángeles de Júpiter trabajan bastante bien con los ángeles zodiacales de Aries, Leo, Libra y Acuario.

Ángeles de Saturno

Signo: Capricornio.

Día: Sábado.

Ocupaciones: Constructor, servidor civil, excavador, granjero, director de funeraria, cantero, trabajador de la prisión, trabajador de refrigeración, curtidor, magistrado de justicia, matemático, osteópata, plomero, político, agente de bienes raíces, mecánico, zapatero, impresor.

Pasatiempos: Jardinería, silvicultura, fabricante de papel.

Actividades: Atención a las deudas, tratos con los abogados, financiamiento, asuntos de dinero, bienes raíces, relaciones con personas mayores, cualquier cosa que implique lazos familiares o asuntos legales como herencias y testamentos.

Asociaciones: Estructura, realidad, las leyes de la sociedad, límites, obstáculos, pruebas, captura de criminales, trabajo intenso, resistencia, bienes raíces, dentistas, huesos, dientes, asuntos relacionados con el estudio arqueológico.

Dones: Estabilidad, autodisciplina, sabiduría, ahorro, paciencia, resistencia, humildad, sinceridad, convencionalismo, juicioso, seriedad.

Asociaciones herbolarias: Ciprés, mimosa, mirra, pachulí.

Símbolo: ♄

Estos ángeles tratan con la responsabilidad y el cambio. Ellos son Orifiel, Kafziel, Miguel, Maion, Mael, Zaphiel, Schebtaiel y Zapkiel. Los ángeles de Saturno están involucrados principalmente con la autoridad, lecciones kármicas y límites. Si necesitas resistencia y viabilidad, invoca a estos ángeles. Si quisieras tener un aspecto austero, los ángeles de Saturno son las energías que necesitas. También están involucrados con los asuntos de los ancianos.

Los ángeles de Saturno trabajan bien con los ángeles zodiacales de Capricornio, Libra y Virgo. Los ángeles de Saturno no trabajan bien con los ángeles zodiacales de Cáncer, Aries y Piscis. Los ángeles de Saturno trabajan bastante bien con los ángeles zodiacales de Tauro, Géminis, Leo, Escorpión, Sagitario y Acuario.

Estos son los siete planetas que se tratan en los textos históricos. Los siguientes planetas y cuerpos celestes no tienen una historia definida de huestes angélicas. Sin embargo, las energías angélicas también pueden invocarse en momentos de necesidad o para tareas mágicas.

Ángeles de Urano

Signo: Acuario.

Ocupaciones: Ingeniero aeroespacial, astrólogo, locutor, electricista, humanista, oficiales de gobierno, inventor, conferencista, metafísico, conductor de tractor, técnico de rayos x, radiólogo, científico de computación, zoólogo.

Pasatiempos: Viajes en aire y el espacio, electrónica, experimentación con la percepción extrasensorial, nuevas ideas (en especial ciencia ficción y realidad virtual), lo oculto, el estudio, programación de computación.

Actividades: Viajes por aire, sociedades, cambios, ajustes, derechos civiles, nuevos contratos, nuevas ideas, nuevas reglas, inventos, información de derecho de autor, progreso, acción social, inicio de jornadas (internas y externas).

Asociaciones: Astrología, la nueva era, tecnología, computadoras, modernos artilugios, adivinación, conferencias, consejos, asesoría, inventos, reformas, electricidad, métodos novedosos, originalidad, sucesos repentinos.

Dones: Fuerza, originalidad, innovación, dones intuitivos, individualismo, clarividencia, fuerza de voluntad, asistencia humanitaria, magnetismo personal, inventiva.

Símbolo: ♅

Libertad e independencia son las palabras clave de los ángeles de Urano. Estos ángeles están involucrados con cualquier cosa "original", ya sea de pensamiento o de expresión. Ellos son ángeles revolucionarios que afectarán el estatus quo si es necesario (por una buena razón, por supuesto). Ellos te van a ayudar a entender un cambio imprevisto o te van a ayudar a que te abras paso en el mundo de una manera insospechada. Los ángeles de Urano están interesados en los pensamientos que van a cambiar el ambiente y la mente de muchas personas. Para ese fin, ellos adoran los medios de comunicación masivos y las comunicaciones a gran escala.

Los ángeles de Urano trabajan bien con los ángeles zodiacales de Acuario, Escorpión, Géminis y Libra. Los ángeles de Urano no trabajan bien con los ángeles zodiacales de Leo, Tauro, Sagitario y Aries. Los ángeles de Urano trabajan bastante bien con los ángeles zodiacales de Cáncer, Virgo, Capricornio y Piscis.

Ángeles de Neptuno

Signo: Piscis.

Ocupaciones: Alquimista, conductor de limusina, médium, trabajador de campo petrolero, poeta, gerente de una cadena de tiendas, actor, químico, diplomático, fotógrafo, psiquiatra, agente secreto, comerciante de vinos, líder religioso, compañía naviera, cualquier cosa que tenga que ver con el mar.

Pasatiempos: Actuación, fotografía, música, cine, carreras de botes, esquí acuático, natación.

Actividades: Publicidad, trato con perturbaciones psicológicas, alimentos sanos, recursos de salud, grandes acontecimientos sociales, centros nocturnos, sanación psíquica, viajes por agua, restaurantes, visitas, asistencia social, trabajo con instituciones.

Asociaciones: Misticismo, música, imaginación creativa, baile, ilusión, sacrificio, servicio, aceite, químicos, pintura, drogas, anestesia, sueño, experiencias religiosas, asuntos relacionados con los sueños.

Dones: Experiencias místicas, clarividencia, inspiración, genio, devoción, reverencia.

Símbolo: ♆

Estos ángeles tratan con los legados y los descubrimientos históricos. Ellos son los conserjes de los oprimidos y los inadaptados de la sociedad. Están interesados en la gente que se considera visionaria, que disfruta ser atractiva y carismática. Los ángeles de Neptuno aman el misticismo, conciencia psíquica y compasión. Ayudarán en las experiencias relacionadas con el confinamiento, el abandono, la adicción, o intolerancia física a las drogas.

Los ángeles de Neptuno trabajan bien con los ángeles zodiacales de Piscis, Sagitario y Cáncer. Los ángeles de Neptuno no trabajan bien con los ángeles zodiacales de Virgo, Géminis y Capricornio. Los ángeles de Neptuno trabajan bastante bien con los ángeles zodiacales de Aries, Tauro, Leo, Libra, Escorpión y Acuario.

Ángeles de Plutón

Signo: Escorpión.

Ocupaciones: Acróbata, entrenador atleta/atlético, trabajador de energía atómica, investigador, especulador, corredor de bolsa.

Pasatiempos: Aquellos que están diseñados únicamente para el gozo personal, trabajo con niños.

Actividades: Cualquier cosa que requiera de energía, entusiasmo, habilidad y atención, relaciones personales, pensamientos originales que influirán en mucha gente, innovador.

Asociaciones: Inquisitivo, penetración, beneficios de los muertos, investigación, seguro, impuestos, dinero de otras personas, préstamo, las masas, el inframundo, transformación, muerte.

Dones: Percepción extrasensorial, intensidad, habilidad para reestructurar cualquier cosa, espiritualidad, transformación, revitalización.

Símbolo: ♇.

El atributo principal de estos ángeles es la intensa energía. Los ángeles de Plutón están involucrados en los asuntos kármicos a gran escala (razas, religiones, instituciones, culturas, etc.). Si necesitas poder y control en un asunto, los ángeles de Plutón te ayudarán.

Los ángeles de Plutón trabajan bien con los ángeles zodiacales de Escorpión y Acuario. Los ángeles de Plutón no trabajan bien con los ángeles zodiacales de Tauro y Leo. Los ángeles de Plutón trabajan bastante bien con los ángeles de Géminis, Virgo, Sagitario, Piscis, Aries, Cáncer, Libra y Capricornio.

Ángeles del asteroide Ceres

Ocupaciones: Enfermera, ama de casa, hipnoterapeuta, coordinador caritativo, dispensador de cuidados a los niños, agricultor, trabajador psíquico telefónico, chef, cuidador de animales.

Pasatiempos: Jardinería, trabajo voluntario, consejos a amistades, adivinación con el único propósito de ayudar a otros.

Actividades: Tacto, diplomacia, colaboración, amor universal y aceptación, encuentro y sanación de mascotas y niños perdidos.

Símbolo: ⚳

Los ángeles sustentadores de Ceres están más interesados en el principio del amor incondicional. Ellos son los ángeles de la Gran Madre. Apoyan los principios de colaboración y cuidados, y trabajan con la Diosa de la energía y la mujer divina. Si queremos darle un nombre a los ángeles de Ceres (por qué no; todos los demás crearon nombres angélicos y no son mejores que nosotros), yo escogería "Annaelle" —*Anna* para la primer madre y *elle* para brillo, significando madre brillante o brillante madre.

Ángeles del asteroide Pallas

Ocupaciones: Esfuerzos artísticos (pintura, dibujo, caricaturismo, diseño, escultura, artes manuales, cerámica, elaboración y diseño de joyería, diseño de interiores, arquitectura, herramientas para la construcción y el diseño del ritual), ocupaciones asociadas con la sanación holista.

Pasatiempos: Artes manuales, costura, decoración de la casa, creación de herramientas de adivinación, escribir poesía.

Actividades: Imaginación guiada, meditación, visualización, autosanación mental, desarrollo de nuevas ideas y teorías, creación de avances psíquicos.

Símbolo: ⚴

Los ángeles de Pallas son la energía femenina implicada en la intuición, destellos de genialidad, percepciones agudas y nuestra habilidad para formular pensamientos novedosos y originales que son auspiciosos para el inconsciente colectivo femenino y el planeta en general. La frase clave aquí es "inteligencia creativa". Ellos son parte de cualquier búsqueda psíquica que va a elevar la autoestima y la espiritualidad. Los ángeles de Pallas están muy interesados en ayudarnos a planear las estrategias que llevan a resultados tangibles. Ellos disfrutan la habilidad artística y ayudarán a extraer las energías creativas en ti.

Ángeles del asteroide Juno

Ocupaciones: Consejero matrimonial, líder religioso femenino.

Asociaciones: Pasión, equilibrio, confort, estabilidad, consistencia, visiones compartidas, independencia en el amor, compenetración emocional, apoyo, verdadera comprensión.

Símbolo: ⚵

El interés principal de los ángeles de Juno es el equilibrio del poder y nuestra libertad individual. Los ángeles de Juno están interesados en la emergencia femenina para la armonía y la felicidad en las relaciones.

Ángeles del asteroide Vesta

Ocupaciones/pasatiempos: Cualquiera.

Asociaciones: Desarrollando la disciplina física y la inspiración para crear, el aprendizaje y la participación de ideas, emergencia y lazos mentales y espirituales.

Símbolo: ⚶

Los ángeles de Vesta representan las aspiraciones femeninas en senderos o metas particulares. Están interesados en los que trabajan intensamente por el bien de las cosas. Los ángeles de Vesta son los Guardianes de las Brujas, esas personas que han hecho un juramento para servir a la humanidad con dedicación y esfuerzos positivos. Los ángeles de Vesta nos ayudan a enfocar e integrar la imagen mayor o una meta elevada.

Ángeles del asteroide Quirón

Ocupaciones: Sanador, consejero, profesor

Símbolo: ⚷

Estos son los ángeles que guardan las llaves del universo. Se piensa que los ángeles de Quirón tienen el aspecto masculino de un sacerdote herido o un sanador herido y en trabajos de arte moderno aparecen como mitad caballo, mitad hombre (centauros). Ellos pueden abrir cualquier puerta; introducirse hasta lo más profundo por una respuesta y sanar cualquier cosa que esté cortada, dañada, enferma o incompleta. Los ángeles de Quirón están dispuestos a ayudar a cualquier persona que sea autosuficiente o trabaje hacia esa meta. Ellos no nos alientan a sentarnos y tomarlo con calma, sino que nos empujan hacia la acción y a controlar nuestra vida y destino. Vas a encontrar a los ángeles de Quirón cuando haya un cambio en la conciencia de grupo.

Horas planetarias

¿Recuerdas las horas angélicas del Capítulo 4? Las horas planetarias trabajan exactamente del mismo modo (ver el diagrama en la página 327). Cada hora del día tiene asignado un ángel que puede ayudarte en tus trabajos. Cuando se inicia un proyecto, su hora de origen llevará las energías de esa hora durante todo el trabajo. También puedes juzgar un asunto por la hora en que se te notificó por primera vez sobre ello. Cada día y hora es excelente para ciertos propósitos.

El Sol: Negocios, posesiones, mercancías, semillas, frutas, aprendizaje para usar herramientas, buena fortuna, contacto con los muertos, protección durante el sueño.

La Luna: Viajes, mensajes, reconciliación, amor, compra y venta de mercancías, tratamiento de enfermedades femeninas, psiquismo.

Marte: Honores militares, adquisición de valor, destitución de enemigos.

Mercurio: Comunicaciones de todo tipo, elocuencia, inteligencia, ciencia, adivinación, fantasmas, escritura y compra (la primera hora de Mercurio después de la salida del sol siempre es un buen momento para iniciar un proyecto o un intento).

Júpiter: Obtención de honores, adquisición de riquezas, compromisos de amistades, conservación de la salud, planeación de metas y aspiraciones.

Venus: Amor, formar sociedades, esparcimiento, viajes.

Saturno: Destierro de artículos indeseables, magia criminal, comunicación con los muertos, recuperación de cosas perdidas.

Resumen

Cuando empecemos a hacer talismanes y a realizar algunos rituales en los siguientes capítulos, verás cómo se pueden usar estas correspondencias. ¿Funcionan estas correspondencias? En realidad, sí.

En la hora de Saturno, la víspera de la Luna Nueva, invoqué a los ángeles de la Luna Negra para que me ayudaran con un pequeño problema. Uno de mis clientes tuvo cinco llamadas para atender niños. La persona que llamaba, por supuesto, era anónima. Cada vez, mi cliente lo justificaba; sin embargo, el asunto estaba fuera de control. La última visita para atender a un niño fue a las dos de la mañana. Ellos despertaron a su hermana mayor y revisé por completo su cuerpo en busca de moretones. No encontraron ninguno. ¿Ellos se disculparon? Para nada. ¿Estaba el niño traumatizado? ¡Sí!

Después de un poco de trabajo de investigación, encontramos que la persona que llamaba era un conocido de mi cliente que tenía algunos hábitos desagradables. Invoqué a los ángeles de la Luna Negra además de la Madre (el aspecto de Hechicera de la Diosa). No es necesario decir que se hizo justicia.

Cuadro de horas planetarias

Día **Hora**	**Domingo**	**Lunes**	**Martes**	**Miércoles**	**Jueves**	**Viernes**	**Sábado**
1	Sol	Luna	Marte	Mercurio	Júpiter	Venus	Saturno
2	Venus	Saturno	Sol	Luna	Marte	Mercurio	Júpiter
3	Mercurio	Júpiter	Venus	Saturno	Sol	Luna	Marte
4	Luna	Marte	Mercurio	Júpiter	Venus	Saturno	Sol
5	Saturno	Sol	Luna	Marte	Mercurio	Júpiter	Venus
6	Júpiter	Venus	Saturno	Sol	Luna	Marte	Mercurio
7	Marte	Mercurio	Júpiter	Venus	Saturno	Sol	Luna
8	Sol	Luna	Marte	Mercurio	Júpiter	Venus	Saturno
9	Venus	Saturno	Sol	Luna	Marte	Mercurio	Júpiter
10	Mercurio	Júpiter	Venus	Saturno	Sol	Luna	Marte
11	Luna	Marte	Mercurio	Júpiter	Venus	Saturno	Sol
12	Saturno	Sol	Luna	Marte	Mercurio	Júpiter	Venus

Noche **Hora**	**Domingo**	**Lunes**	**Martes**	**Miércoles**	**Jueves**	**Viernes**	**Sábado**
1	Júpiter	Venus	Saturno	Sol	Luna	Marte	Mercurio
2	Marte	Mercurio	Júpiter	Venus	Saturno	Sol	Luna
3	Sol	Luna	Marte	Mercurio	Júpiter	Venus	Saturno
4	Venus	Saturno	Sol	Luna	Marte	Mercurio	Júpiter
5	Mercurio	Júpiter	Venus	Saturno	Sol	Luna	Marte
6	Luna	Marte	Mercurio	Júpiter	Venus	Saturno	Sol
7	Saturno	Sol	Luna	Marte	Mercurio	Júpiter	Venus
8	Júpiter	Venus	Saturno	Sol	Luna	Marte	Mercurio
9	Marte	Mercurio	Júpiter	Venus	Saturno	Sol	Luna
10	Sol	Luna	Marte	Mercurio	Júpiter	Venus	Saturno
11	Venus	Saturno	Sol	Luna	Marte	Mercurio	Júpiter
12	Mercurio	Júpiter	Venus	Saturno	Sol	Luna	Marte

14

Ángeles, sellos, y símbolos

Los sellos son económicos, eficientes y divertidos para usar en la búsqueda de la magia angélica. Me encanta este tipo de encantamiento porque no usas galimatías o haces un hoyo en tu libreta. No necesitas un montón de cosas —si es necesario, una crayola servirá. Los sellos virtualmente son a prueba de errores. Lo dibujas, le das poder y eso es todo. No es un ritual complicado, no hay preocupación de que hayas hecho algo mal. Ellos son directos, simples y no amenazan. Como tú dibujaste el símbolo, sabes exactamente qué representa —no hay que contemplar ningún misterio.

Hay todo tipo de sellos mágicos, incluyendo los pictogramas, alfabetos, palabras y números. Vas a encontrar este capítulo atestado con suficiente información de sellos para mantenerte trabajando durante bastante tiempo. No te preocupes por aprenderlo todo de inmediato.

Sellos personalizados

Los sellos se desarrollan por la fusión y la estilización de las letras.[1] Empecemos haciendo tu primer sello enlazado con el reino angélico.

Escribe tu nombre en mayúsculas. Aquí está el mío como ejemplo:

SILVERRAVENWOLF

Ahora, junto a tu nombre, escribe ANGELS CONNECT (CONEXIÓN CON ÁNGELES), así:

SILVERRAVENWOLFANGELSCONNECT

Todas las letras que aparecen más de una vez deben borrarse. Sólo debe quedar una letra de cada una. Las letras que dejé son:

SILVERANWOFGCT

---

[1] *Practical Sigil Magick*, por Frater U.D., página 7.

Con estas letras voy a diseñar mi propio sello angélico al concentrar toda la esencia de lo que quiero hacer, que está relacionado conmigo y con los ángeles. No te preocupes de cómo es tu representación artística.

También usaré el mínimo de líneas posible. Esto significa que puedo usar letras de molde eliminando con eso las curvas de las letras como "S" "C" "G", etc. Sólo necesitas saber lo que esté sello significa.

Puedes hacer varios intentos hasta que logres el sello que quieres en su diseño más simple. No te des por vencido. Vale la pena este sello. He aquí el mío:

Cuando hayas terminado, necesitas activarlo. Casi todos los sellos mágicos se diseñan, se activan, luego se destruyen, pero como queremos que se mantenga esta conexión angélica, no vamos a hacer eso. Lleva tu sello a tu altar angélico y enciende una vela. Dedica unos instantes para concentrarte en tu sello y lo que ahora va a significar para ti. Cierra tus ojos si quieres y relájate, sintiendo cómo fluye tu energía dentro del sello. Imagina que los ángeles están tocando el sello y sonríe. Esta es una conexión personal con ellos. Cuando hayas terminado, dale las gracias a los ángeles y pon el sello donde no lo pierdas.

Este sello será bueno para todo tipo de cosas. Puedes usarlo en la magia cuando quieras sentir ángeles cerca de ti. Puede ayudar para hacer que tu conexión con los ángeles sea firme en tu mente durante la meditación. Usándolo en tu persona, grabado en un anillo o bordado en un trozo de tela, te ayudará a estar conectado con los ángeles. Al colocar el diseño en tu altar también te puede recordar tu conexión angélica y mantenerte enfocado.

Otro proyecto en el que puedes trabajar es creando tus propios sellos para los ángeles con los que más trabajas. Por ejemplo, intenta uno para tu ángel guardián. He aquí dos usando las mismas letras:

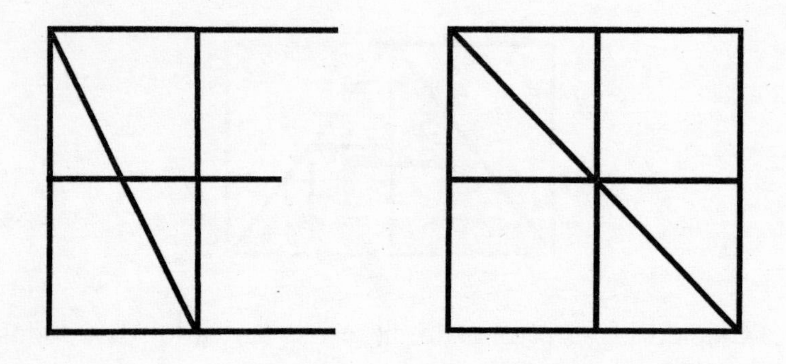

¿Qué tal algunos para los Arcángeles? Esta vez usé algunas curvas. He aquí algunas de mis interpretaciones:

Rafael *Gabriel* *Miguel* *Uriel*

Ahora, vamos a intentar algunos sellos angélicos en aplicaciones mágicas. Todavía vamos a usar el mismo formato básico. Esta vez vamos a escribir una frase:

RAFAELHEALINGFORFALYNN

Primero vamos a reducirlo:

RAPHELNGOY

Ahora, diseñamos el sello. He aquí lo que saqué:

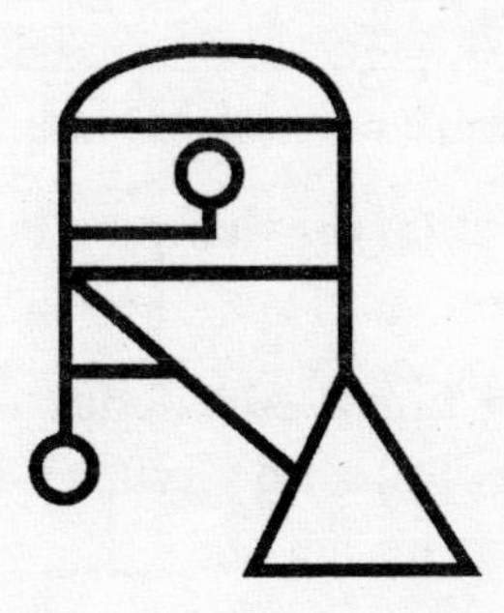

El siguiente paso es activar el sello. Esto se puede hacer en un ritual de sanación o simplemente podría activar el sello en mi altar. Si la persona por la que estás pidiendo la sanación está cerca, se lo puedes dar para que lo traiga con ella. Si no, puedes ponerlo en un sobre en tu altar. Podría ser conveniente poner en el sobre una fotografía de la persona. Al término de la sanación, desactiva el sello dibujando un pentagrama del destierro sobre éste, luego quema el sello. Dispersa las cenizas al viento. No dejes de darle las gracias a las fuerzas angélicas por su ayuda.

En este tipo de magia del sello, intenta recordar los siguientes puntos:

Siempre expresa tu deseo de una manera positiva. Evita las palabras negativas como "no," "no lo haré," "no puedo," etc.

Sé específico. "Bueno, creo que quiero ir a Hawaii..." Nada de eso. Quieres o no quieres.

Hazlo simple. "Sanación para Falynn" es breve y específico. "La sanación para Falynn porque ella está padeciendo una temperatura de 108..." es demasiado larga y para cuando hayas hecho el sello ella podrá haberse muerto o compuesto. Por supuesto, ya te hiciste cargo de las cosas mundanas como una visita al doctor, aspirinas, compresas frías, etc., cualquier cosa que harías normalmente. La magia no puede sustituir un buen cuidado médico, pero sin duda ayuda a que sea mucho más rápido que si no usaras nada de magia.

Le puedes agregar el factor tiempo a las frases de tu sello. Este mes, esta semana, hoy, etc.

Intenta agregar un borde alrededor de tu sello. Esto te ayuda a concentrarte en el sello y ayuda a despertar el material arquetípico en tu subconsciente.

Conserva tus sellos lo menos complicados posible — factor, factor, factor. La idea es ser capaz de volver a descubrir todas las letras básicas en el sello. Mientras te sientas cómodo con el sello, funcionará. En la actualidad, el proceso de la construcción del mismo sello es más importante que tu interpretación artística de ello.

Puedes añadirle algunos toques mágicos a tus sellos. Por ejemplo, pequeños triángulos en las puntas de las líneas rectas, algunos círculos (no demasiados), quizás una estrella, un símbolo de alas de ángel (que tú mismo diseñes). Usa tu imaginación.

Considera las correspondencias mágicas en el Capítulo 4. ¿Cómo se pueden usar? Dibuja el sello en la hora angélica correcta, por ejemplo. O en este ejemplo, usa un lápiz de color verde para dibujar el diseño (el verde denota sanación). Tal vez yo desee dibujar el diseño en dos o tres colores. Esa fue mi elección.

No tienes que usar un nombre angélico específico. Puedes hacer sellos que representen el "ángel de la sanación", "ángel del amor", etc.

Los sellos que requieren de acción, como "Sanación para Falynn" necesitan desactivarse y destruirse después de que la magia haya completado la acción planeada. Sin embargo, algunas personas mágicas destruyen los sellos de inmediato, sintiendo que en cuanto el sello está codificado en tu cerebro y el mensaje se envía hacia fuera al universo, la forma física ya no es necesaria. Otra vez, esta es tu elección. He trabajado esta magia de las dos maneras con gran éxito, así que soy una persona que no puede decirte mucho sobre cuál manera es correcta y cuál es errónea.

Sellos pictóricos

Los sellos pictóricos no usan palabras en su base, sino ideas y símbolos. Este tipo de magia sólo necesita el deseo, no letras y te permite tener acceso a tu mente inconsciente sin el proceso de traducción. Regresemos a la sanación de Falynn. Primero, voy a dibujar una figura con líneas, le añado sus iniciales y un par de alas para introducir energía angélica, luego la estilizas. Esto fue con lo que terminé:

Las reglas mencionadas anteriormente siguen aplicando. Puedes usar tus correspondencias durante el proceso de desarrollo y recuerda desactivar el sello cuando haya pasado la necesidad.

Mientras te familiarizas con las imágenes mágicas, quizá quieras agregar algunos símbolos comunes a tus propios pictogramas.

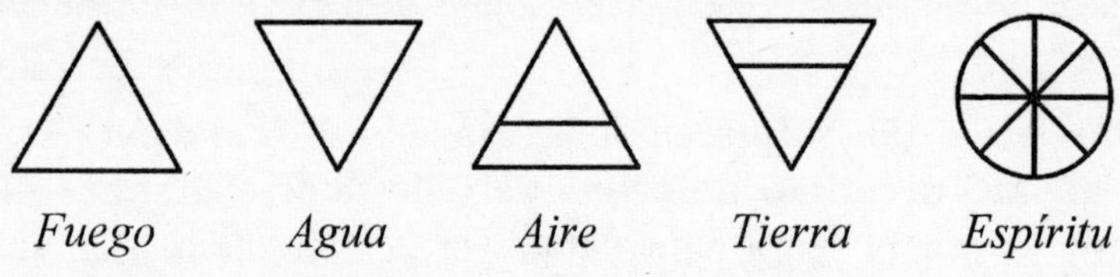

Fuego *Agua* *Aire* *Tierra* *Espíritu*

También puedes agregar símbolos astrológicos (ver el Capítulo 12, Capítulo 13 y en otras partes). Tu creatividad no tiene fin.

Veamos algunos de los demás símbolos universales:

Serpentina: Movimiento ondulante, olas, corriente, potencial, movimiento del tiempo, libre pensamiento.

Círculo: Un equilibrio entre dos opuestos, el universo, creación de un mundo.

Punto: El símbolo del ser. Cada universo empieza con la percepción de su creador.

Raya: Une a la persona con el objeto del deseo. Esto es voluntad en acción.

Cruz de brazos iguales: Equilibrio, enlace entre la divinidad y el humano o el ángel y el humano además de los cuatro Arcángeles, cuatro elementos y los cuatro puntos cardinales, unidos todos en el centro por la divinidad.

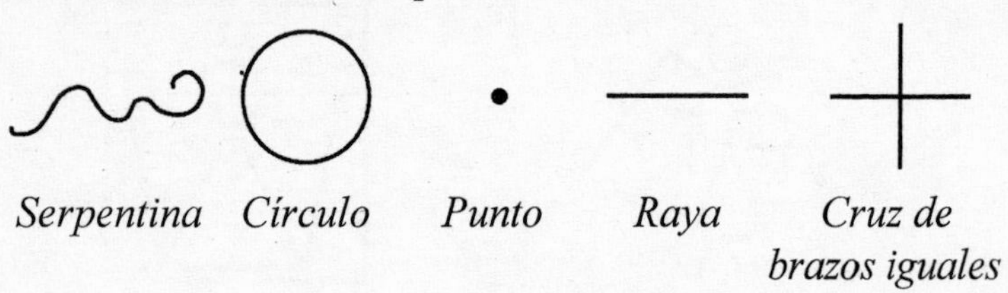

Serpentina *Círculo* *Punto* *Raya* *Cruz de brazos iguales*

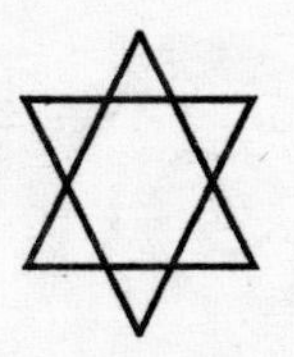
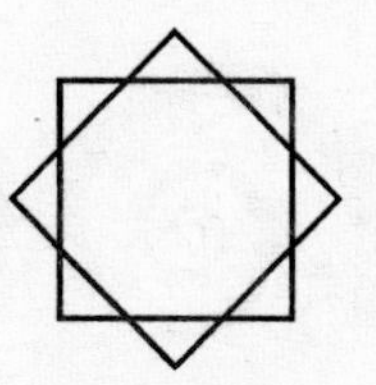

Triángulo *Cuadrado* *Hexagrama* *Octograma*

Triángulo: Se hace con tres rayas; es fijo. Una parte no puede moverse sin destruir la totalidad. Hacia arriba representa el aspecto masculino; invertido, representa el femenino. La punta hacia arriba indica fuego; la punta hacia abajo es agua. El número tres simboliza la Trinidad, los tres rostros de Dios/a.

El cuadrado: Representa la manifestación de las fuerzas perfectas. El cuadrado está asociado con los cuatro elementos, los cuatro vientos, las cuatro esquinas de la Tierra, las cuatro bestias, los cuatro ríos, los cuatro Arcángeles, las cuatro estaciones, los cuatro instrumentos usados en un ritual (vara, copa, athame y espada) y las cuatro letras del Tetragramatón (el inenarrable nombre de Dios).

El hexagrama: La expresión de los opuestos, pero con un equilibrio perfecto. Este símbolo representa la voluntad de la divinidad manifestada con la humanidad en completa armonía con la ley cósmica.

El octograma: La estrella angélica. El octograma muestra la dualidad de los cuatros —la materia reflejando la no-materia.

Espiral: La mente conectada a la divinidad, equilibrio, cono de poder. Hay cuatro clases de movimiento en espiral:

Hacia adentro en el sentido de las manecillas del reloj (luz).

Hacia adentro en contra de las manecillas del reloj (oscuridad).

Hacia afuera en el sentido de las manecillas del reloj (luz).

Hacia afuera en contra de las manecillas del reloj (oscuridad).

Hacia adentro en el sentido de las manecillas del reloj

Hacia afuera en el sentido de las manecillas del reloj

Hacia adentro en contra de las manecillas del reloj

Hacia afuera en contra de las manecillas del reloj

La espiral hacia adentro en cualquier dirección muestra el enfoque y la proyección de la intención. La oración implica la espiral hacia adentro. Este es el símbolo que se dirige hacia la divinidad.

La espiral hacia afuera muestra que algo está llegando a ser —el proceso de la manifestación. Esta es la respuesta de la divinidad y es considerada como un instrumento de Dios/Diosa. El movimiento en el sentido de las manecillas del reloj está en armonía con la divinidad y muestra construcción, evolución, ley y orden. El movimiento en contra de las manecillas del reloj gira para crear destrucción y confusión.[2]

La rosa hermética

Otro método de sello que puedes usar con facilidad es llamado la rosa hermética, diseñada por los seguidores de la Golden Dawn. Hay tres círculos de símbolos, divididos para verse como una flor. Originalmente, estos símbolos fueron letras hebreas. Están arregladas según una descripción de letras en el Sepher Yetziarah.

---

[2] *New Millenium Magick* por Donald Tyson, página 69.

He aquí la traducción al inglés:

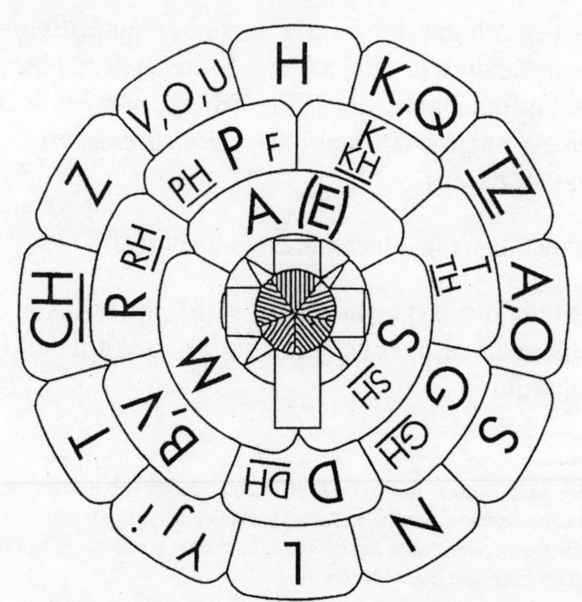

Para crear tu sello, sigue estas sencillas instrucciones:

Coloca una hoja de papel calca sobre la rosa hermética.[3]

Encuentra la primera letra de la palabra que deseas simbolizar. Dibuja un círculo en esa sección.

Encuentra la segunda letra de tu palabra. Dibuja una línea de la primera letra a la segunda letra.

Encuentra la tercera letra de la palabra. Dibuja una línea de la segunda letra a la tercera letra.

Sigue con este patrón hasta que hayas terminado la palabra.

Dibuja una línea corta horizontalmente a través, abajo de la última línea.

Si tienes letras dobles en la misma palabra, dibuja un aro regresando a la misma letra. Si tienes letras duplicadas en una palabra (como en los sellos personales de muestra en el principio del capítulo) puedes usar la letra sólo una vez, si deseas.

Está bien si las líneas se cruzan entre sí.

En cuanto hayas hecho tu sello, necesitas activarlo, siguiendo las instrucciones que están al principio de este capítulo.

---

[3] Algunos practicantes ocultistas dicen que los sellos basados en los nombres hebreos deben crearse usando la Rosa Hermética hebrea. No estoy de acuerdo. Los ángeles entienden todos los lenguajes humanos y trabajarán con nosotros a pesar del lenguaje que elijamos usar.

¿Cómo se van a ver los nombres de los Arcángeles si usas este tipo de sello? He aquí unos ejemplos (usando letras hebreas):

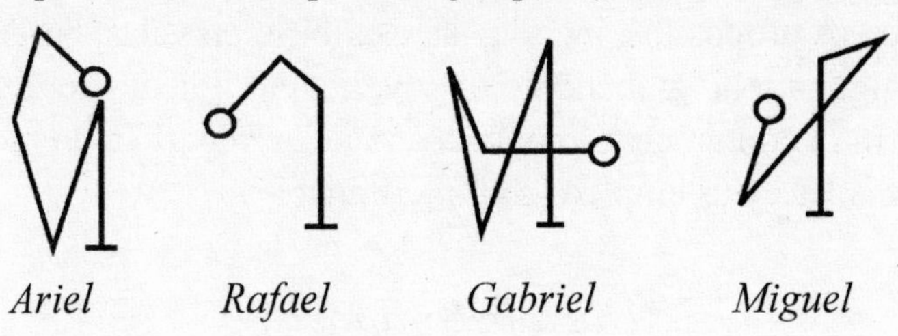

Ariel *Rafael* *Gabriel* *Miguel*

El alfabeto angélico

De los sellos y los símbolos, cambiamos al alfabeto angélico, diseñado por el Dr. John Dee. Al transferir tus deseos a la escritura angélica, te estás concentrando en el asunto de una manera positiva al expresar tu deseo positivamente. El hecho de que estés eligiendo actuar puede ayudar a eliminar los temores y las incertidumbres relacionadas con la situación. También estás enlazándote con los ángeles de una manera física (el pedazo de papel en el que grabaste tu deseo).

Igual que con otros símbolos y sellos, no necesitas una serie de herramientas elaboradas. Básicamente, será suficiente una pluma y papel. Puedes usar lápices de colores si quieres. La elección, nuevamente, es tuya. Sigue estos pasos sencillos:

Revisa tus correspondencias mágicas, como hora y día angélicos, etc.

Formula tu deseo específicamente en tu mente.

Arraiga y centra.

Escribe tu deseo en una hoja de papel. Hazlo positivo y específico.

Usando la gráfica de la siguiente página, registra la traducción en otra hoja de papel.

Activa el deseo.

Eso es todo. Cuando se logre el resultado deseado, desactiva el papel y quémalo. Puedes usar el alfabeto angélico para diversos propósitos, incluyendo escribirlo en velas, bordarlo en alguna tela, grabándolo en joyería, etc. Puedes rodear la escritura con un círculo o un cuadrado, agregarlo a un pictograma, etc. Sus empleos son interminables.

El alfabeto angélico

A B C D E F G

H I/J K L M N O/Q

P R S U/V X Y Z

Regresemos a mi ejemplo. "Sanación para Falynn." Transferido al alfabeto angélico, podría verse así:

Por otro lado, me gustaría escribir el nombre "Rafael" porque él es el ángel de la sanación y este es un mensaje para él. Rafael se podría ver así:

Después de activar el papel, podría dárselo a Falynn o ponerlo en mi altar. Por supuesto, no sabré qué funciona mejor hasta que no lo intente. Y eso aplica para todas las cosas que te he mostrado en el capítulo. Entre más practiques la magia que se ha dado, mejor será tu conexión con los ángeles y tu subconsciente se abrirá más a las fuerzas divinas y angélicas. Al trabajar la magia positiva hacia otros con la ayuda de los ángeles, se incrementará tu estabilidad y la paz en tu propia vida.

Símbolos mágicos prácticos

No todos los símbolos tienen que ser decorativos o requerir mucho tiempo para componerlos. Piensa en un artículo y el ángel de ese artículo, luego dibuja un símbolo para representarlos. Si no quedas satisfecho, trabaja en ello hasta que te guste lo que dibujaste. Me gusta conservar mis símbolos en tarjetas y ponerlos en una caja con un índice para que cuando necesite uno rápido, tengo el símbolo y el nombre del ángel apropiado. De esa manera, cuando tengo prisa, no tengo que buscar por mi diario o en una tonelada de libros para encontrar exactamente lo que necesito. En la parte posterior de la tarjeta puedes escribir otras correspondencias conforme las vas pensando, como tiempo, colores, etc. He aquí algunos ejemplos simples para añadirlos a tu colección:[4]

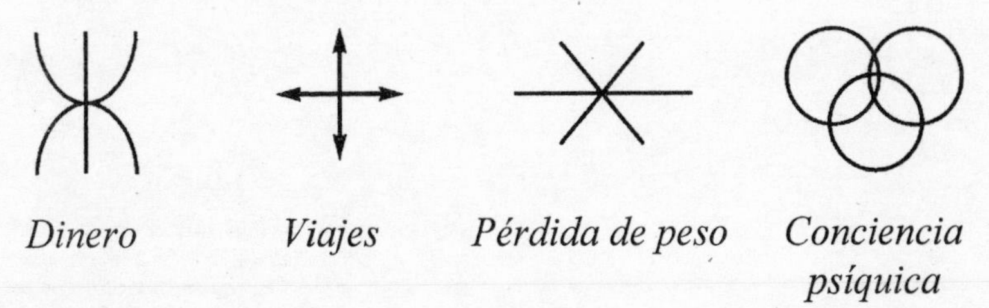

Dinero *Viajes* *Pérdida de peso* *Conciencia psíquica*

[4] Algunos de estos símbolos son de *Living Wicca* por Scott Cunningham, Capítulo 20.

En este capítulo cubrimos mucha información, pero sólo será útil si la practicas. A los ángeles les encanta trabajar con la gente que es emprendedora y está dispuesta a ayudarse a sí misma. Entre más creativo seas, más les va a gustar porque muestra que estás dirigiendo energía positiva hacia una meta específica.

15

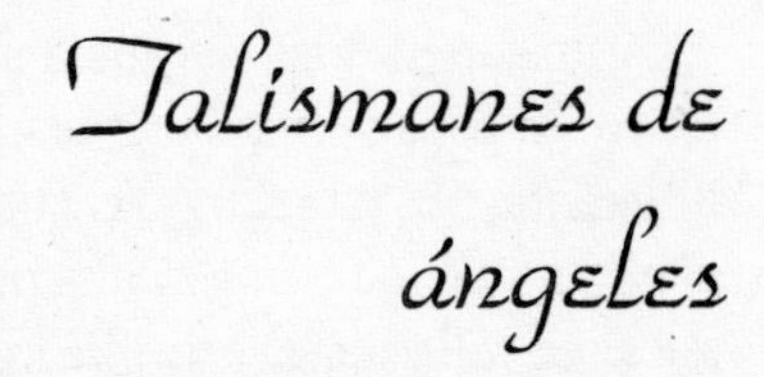

Talismanes de ángeles

La gente mágica crea talismanes para atraer cosas hacia ellos, sea protección o un talento, como hablar con elocuencia. Casi todos los talismanes mágicos trabajan con fuerzas angélicas y astrológicas además de la divinidad. Hasta este punto, te he dado muchas correspondencias que puedes usar para hacer tus propios talismanes. Este capítulo está diseñado para darte muchas ideas para los talismanes angélicos.

Materiales

Puedes hacer talismanes de madera, metal o papel. Puedes hacer el tuyo, o comprar discos de madera o de metal en una tienda de artes manuales en una variedad de tamaños. También puedes comprar madera con alguna forma, como ángeles, casas, animales, personas, etc. Aunque el disco redondo es normal, descubrí que al usar la forma de quien o lo que estás trabajando funciona a favor del proyecto. Una semana después de haber hecho el talismán de un libro de madera, uno de mis libros fue elegido como el Libro del Mes de la selección del Club.

A unas personas les gusta usar rótulos de póster o etiquetas de roble para sus talismanes. Muchas personas enmican sus talismanes de papel para evitar que se ensucien. Hace algunos años una amiga compró una máquina para hacer botones. Ella hace sus talismanes que ella misma diseña, en su computadora con diseño gráfico. Los colorea y les da poder, luego corta los gráficos al tamaño del botón. Luego los pasa a través de la máquina para poderlos usar prendidos en su ropa. Quizás prefieras hacer broches de talismanes de una manera más sencilla. Las tiendas de artículos de oficina venden cajas con etiquetas de plástico con encartes lisos que funcionarán en una impresora láser o puedes dibujarlos a mano. Por último, he hecho talismanes en círculos de porcelana con pintura de cerámica, luego se cubre con una capa de barniz transparente. Hornéalos en la hora planetaria correcta el día que le corresponde al talismán.

Si prefieres trabajar con madera, vas a necesitar una herramienta de pirograbado, papel calca, pinturas acrílicas y un taladro (si quieres hacerle un agujero para usarlo alrededor del cuello). Para talismanes de papel, vas a necesitar papel calca, marcadores permanentes o lápices de colores y el tipo de papel que desees usar. Puedes usar lápices de colores para sombrear todo el papel o quizás quieras comprar papeles de varios colores.

Los talismanes de este capítulo usan correspondencias y fuerzas angélicas que se mencionaron en todo el libro. Siente la libertad de escribir tus propios rituales y usa tus talentos creativos cuando interactúes con los seres angélicos. Prueba con velas de colores y asociaciones favorables. Mantén tu magia positiva y tu mente llena de ánimos y lo harás bien.

Talismán para la elocuencia

Si estás involucrado en cualquier tipo de oratoria en público o en una situación donde tus palabras se tomarán en cuenta y es de suma importancia decir lo correcto en el momento adecuado, entonces el talismán de la elocuencia es para ti.

Haz este talismán en miércoles, un día de Mercurio y limpia, consagra y dale poder durante la hora angélica de Rafael. Los colores del miércoles son naranja, azul claro, violeta y gris. Quizás quieras elegir tus velas de iluminación con estos colores. Los ángeles del miércoles son Rafael, Miel y Seraphiel. Puedes preferir invocarlos a todos juntos o por separado, o simplemente puedes invocar a los ángeles de la elocuencia. Recomiendo que el talismán se haga con papel azul claro y tinta azul oscuro o plateada.

Conserva en la mente estas correspondencias:

Se hace mejor cuando la Luna está en Géminis, Virgo, Acuario o Escorpión.
Se hace mejor cuando la Luna es llena o creciente.
No se debe efectuar cuando la Luna esté fuera de curso. (consulta tu planeador astrológico cotidiano).
Es más débil cuando la Luna está en Sagitario, Piscis, Leo o Tauro.

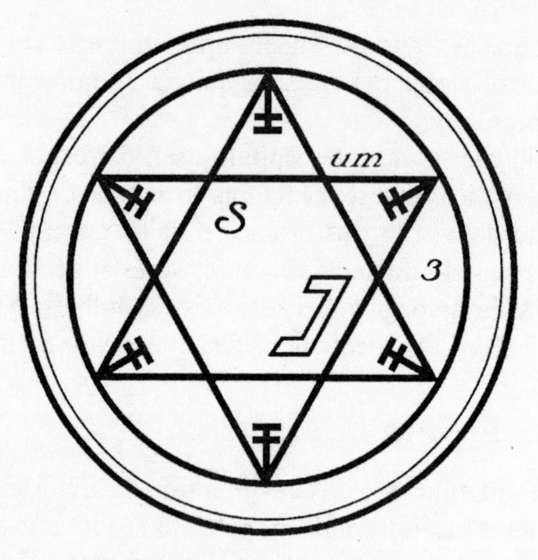

Talismán para la elocuencia

Talismán del guardián de la salud

Este talismán pertenece al ángel Rafael y es para quienes desean mejorar su salud, mantener buena salud o quienes quieren practicar procedimientos holistas de sanación no invasora. Es mejor hacerlo en domingo y limpiarlo, consagrarlo y darle poder en la hora de Rafael. Haz este talismán en martes para los cirujanos, soldados y los que enfrentan procedimientos médicos invasores.

Los colores correspondientes son dorado y amarillo para el domingo y amarillo, dorado o azul para Rafael. Quizás quieras encender velas de iluminación con estos colores. Con este talismán también debes encender una vela aparte para Rafael y decir la invocación que se dio para ese ángel en el Capítulo 2. Escoge papel amarillo para el talismán y escribe con tinta azul. Guarda el talismán en tela plateada, azul o violeta.

Si estás haciendo un talismán en martes, ten presente los colores adicionales rojo y escarlata. Usa el papel amarillo y tinta roja. Hazlo durante la hora de Rafael.

Rafael fluye bien con el elemento aire. Quizás también quieras poner un símbolo del aire en tu altar, junto con la fotografía de la persona para la que se está diseñando. Acumula energías adicionales en su elaboración cuando la Luna está llena (para sanación y buena salud continua), negra (para desterrar enfermedades), o cuando está en los signos de Géminis, Libra o Acuario (ya que estos signos zodiacales están vinculados con Rafael). A Rafael le encanta el amanecer, así que quizás desees levantarte temprano el miércoles para captar el doble de energía de sanación durante la primera hora de Rafael. Guarda el talismán en tela dorada o amarilla.

Recuerda, si no quieres invocar a un ángel específico por su nombre, puedes invocar a las fuerzas angélicas de sanación.

El momento más débil para realizarlo sería cuando la Luna esté fuera de curso (consulta tu almanaque astrológico) o cuando la Luna está en los signos de Sagitario, Piscis, Leo o Tauro.

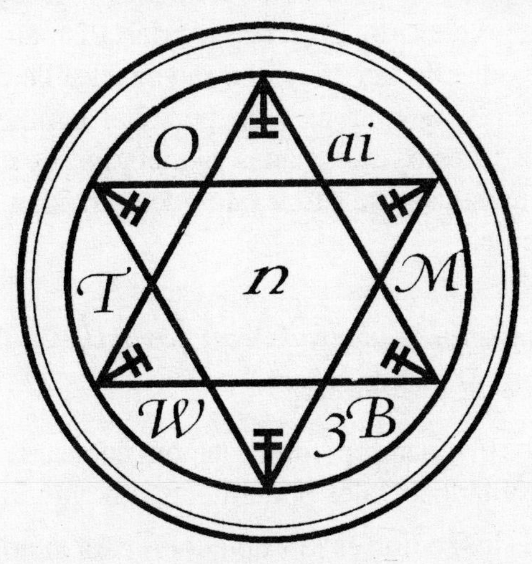

Talismán del guardián de la salud

Talismanes planetarios

Usa los talismanes planetarios (sellos) para invocar los poderes de los ángeles y las energías de los planetas para un propósito en particular. En el Capítulo 13 cubrimos las correspondencias de los ángeles planetarios y vas a necesitar consultar esa información cuando elijas el sello correcto para el trabajo.

Haz estos talismanes en una simple hoja de papel con una etiqueta que conecte los círculos. Esta etiqueta o barra, se usa para doblar el talismán y conectar las energías. Si te gusta la idea de la máquina para hacer botones, vas a necesitar sellar los dos lados (ya que la etiqueta no va a ser práctica) con un poco de cera del color del ángel correspondiente.

Es prudente guardar todos los talismanes en un trozo de tela (de preferencia seda) que corresponda con el color del planeta. Cada talismán debe hacerse el día planetario y en la hora angélica de ese planeta. En un lado del papel estará el cuadrado mágico del planeta, su sello astrológico y el número planetario más elevado. En el reverso del talismán está el sello del planeta, el sello del ángel y otra vez, el sello astrológico. Quizás quieras agregar tu sello personal también. Lo más importante de estos talismanes planetarios es el color del papel que uses, así que cerciórate que coincidan los colores perfectamente.

Reglas generales a seguir con los sellos planetarios (talismanes)

Créalos el día apropiado en la hora adecuada para mejores resultados. Dales poder del mismo modo.

Usa el (los) color(es) apropiado(s) para mejores resultados. Toma tu tiempo para la creación. Pon música suave si quieres y trabaja bajo la luz de la vela o una iluminación tenue para dar un ambiente de magia cómoda y segura. No dejes de invocar a tu ángel guardián antes de empezar a hacer cualquier talismán.

Haz una meditación corta y/o procedimiento de limpieza antes de hacer cualquier talismán. Siempre activa el talismán en un círculo mágico.

Conserva una fotografía o algo "acorde" (un objeto que pertenezca a la persona) con la persona a la que se le hace el talismán.

Nunca hagas un talismán cuando estés enojado, enfermo o cansado.

Aunque cada talismán planetario tiene su propia hora de elaboración (por ejemplo, haz un talismán de la Luna en lunes durante la hora de Gabriel), quizás quieras poner otras energías para realzar el poder del talismán.

Si algo no se siente bien mientras estás haciendo el talismán, detente. Vuelve a intentar en otro momento. Si todavía no se siente bien, desecha el proyecto y considera otro tipo de magia. Cuando el talismán haya realizado su trabajo y ya no lo necesites, no olvides desactivar la magia, luego destruye el talismán.

Talismán del Sol

Los ángeles del Sol tratan con el poder de la voluntad, la autoridad y el reconocimiento. Los asuntos de interés para ellos son el progreso, salud, diversión y placeres, lealtad y generosidad. Los talismanes del Sol deben hacerse en domingo durante la hora de Miguel. Los colores asociados con Miguel y los Ángeles del Sol son rojo y carmesí y dorado y amarillo, respectivamente. Usa papel amarillo y tinta dorada.

Otras correspondencias para tener presentes:

Las energías son más elevadas cuando la Luna está en Leo, Aries o Sagitario.

Las energías son más débiles cuando la Luna está en Acuario, Libra o Géminis.

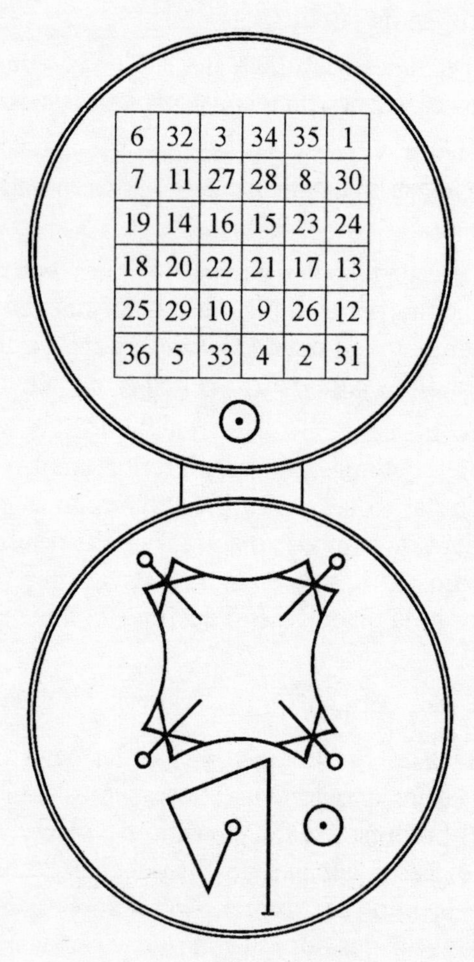

Talismán del Sol

Usa los ángeles de las fases de la Luna para sumarle energías sutiles al talismán.

Nunca hagas un talismán cuando la Luna esté fuera de curso.

Usa la energía de un eclipse solar con prudencia.

Quizás quieras usar la invocación de Miguel que se encuentra en el Capítulo 2.

Talismán de la Luna

Los ángeles de la Luna se concentran en nuestras emociones o en las emociones de otros; sin embargo, como mencioné en el último capítulo, ellos también nos ayudarán en servicios especiales de honor y asuntos que impliquen el contacto con los fallecidos, recuperación de una propiedad robada y el bienestar de los niños. Los ángeles de la Luna corresponden al lunes, por lo tanto haz este talismán en lunes, durante la hora de Gabriel. Los colores asociados con este sello planetario son plateado y blanco, por lo tanto usa papel blanco y tinta plateada. Los colores de Gabriel son azul o aguamarina, así que tal vez quieras encender velas de iluminación en esos tonos.

Otras correspondencias para tener presentes:

Es mejor si se hace cuando la luna está en Cáncer, Tauro o Piscis.

Como la energía de la Luna cubre un surtido vasto de situaciones y circunstancias, va a ser necesario que consideres el asunto y la fase de la Luna que sea más adecuado para tu trabajo. Consulta la información cubierta en el Capítulo 13 bajo el tópico de ángeles de la Luna. Tal vez también quieras usar la invocación de Gabriel que se encuentra en el Capítulo 2. Las correspondencias acordes pueden incluir flores de

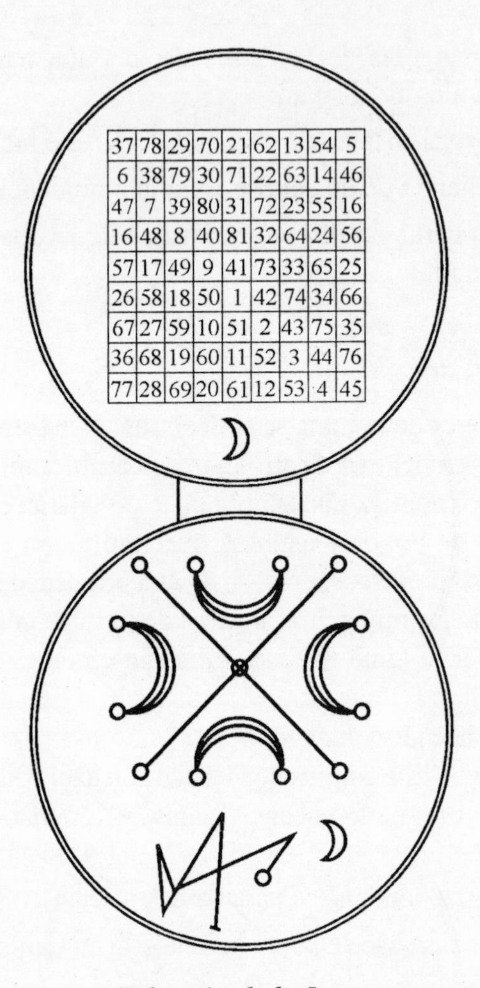

37	78	29	70	21	62	13	54	5
6	38	79	30	71	22	63	14	46
47	7	39	80	31	72	23	55	16
16	48	8	40	81	32	64	24	56
57	17	49	9	41	73	33	65	25
26	58	18	50	1	42	74	34	66
67	27	59	10	51	2	43	75	35
36	68	19	60	11	52	3	44	76
77	28	69	20	61	12	53	4	45

Talismán de la Luna

todas las fragancias y aromas. Recuerda que la energía de la Diosa reina sobre todos los ángeles de la Luna.

Las energías están más débiles para este talismán cuando la Luna está en Capricornio, Escorpión o Virgo. Ni siquiera intentes hacer este talismán cuando la Luna esté fuera de curso.

Talismán de Mercurio

Los ángeles de Mercurio tratan con la velocidad y la comunicación. Ellos ayudan en áreas de negociación, tratan con abogados, publicaciones, archivo, contratación de empleados, aprendizaje de idiomas, trabajo literario, preparación

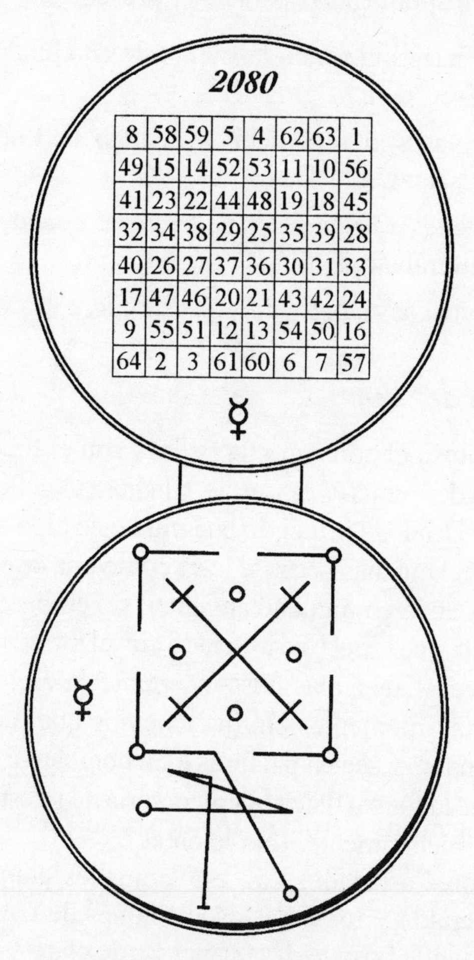

Talismán de Mercurio

de cuentas, estudios, uso de los medios de comunicación y visitas de amistades. El talismán de Mercurio debe hacerse el miércoles, durante la hora angélica de Rafael. Los colores asociados son naranja, azul claro, violeta y gris. El color del papel debe ser violeta con tinta plateada o azul.

Otras correspondencias para tener presentes:

Es mejor hacerlo cuando la Luna esté en Géminis, Virgo, Acuario o Escorpión.

Las energías son más débiles cuando la Luna está en Sagitario, Piscis, Leo o Tauro.

Ten presentes a los ángeles de las fases cuando se sumen sutilezas a tu trabajo.

Nunca lo hagas cuando la Luna esté fuera de curso.

Talismán de Venus

Los asuntos del corazón y la belleza son el foco principal aquí. El día de Venus es el viernes y la hora angélica para este talismán es Uriel. Al principio encontré esto algo asombroso, ya que a Uriel muchas veces se le ve como una de esas fuerzas combativas en la comunidad angélica; sin embargo, también ten en cuenta que Uriel está asociado con el misterio profundo y ¿qué puede haber más desconcertante que el amor? Por supuesto, hay momentos en que tenemos que luchar por lo que más amamos, sea en palabras o en combate frente a otro. Al decir que la fuerza física es innecesaria no se estaría viendo el mundo objetivamente. ¿No lo crees?

Los colores asociados con estos ángeles planetarios son verde esmeralda y rosa. Las asociaciones de color de Uriel son café y verde bosque. Usa papel verde claro y tinta verde, o papel rosa y tinta verde.

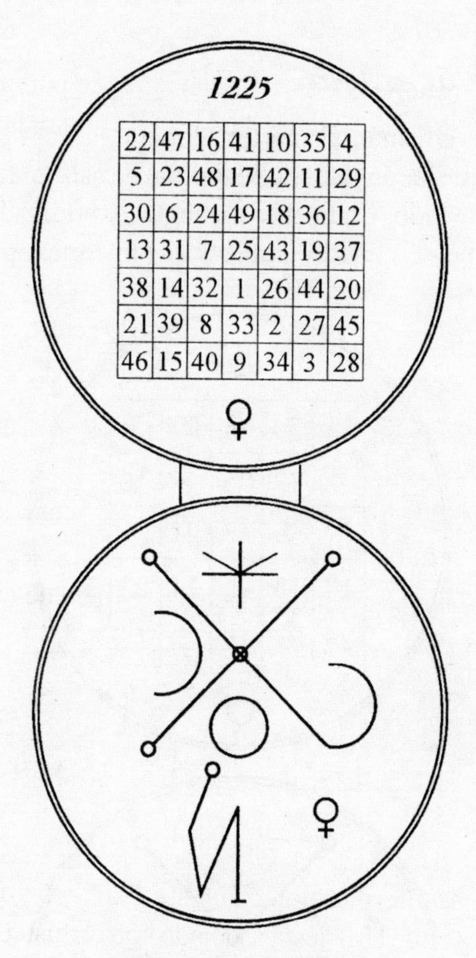

22	47	16	41	10	35	4
5	23	48	17	42	11	29
30	6	24	49	18	36	12
13	31	7	25	43	19	37
38	14	32	1	26	44	20
21	39	8	33	2	27	45
46	15	40	9	34	3	28

Talismán de Venus

Otras correspondencias para tener presentes:

El mejor momento para hacerlo es cuando la Luna está en Tauro, Piscis o Acuario.

El nivel de energía más bajo ocurre cuando la Luna está en Aries, Escorpión, Virgo o Leo.

Usa los ángeles de las fases de la Luna para matizarlo más.

Nunca lo hagas durante la Luna fuera de curso.

Talismán de Marte

Haz este talismán el martes, durante la hora de Camael. Recuerda que los ángeles de Marte son de naturaleza agresiva. (Después de todo, Camael es un ángel exterminador). Piensa cuidadosamente cuándo empleas sus energías, para que no

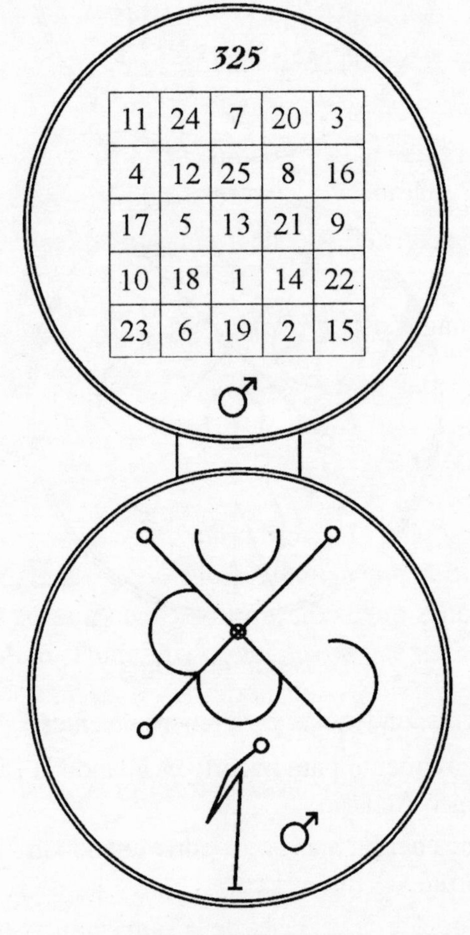

Talismán de Marte

vuelvas una situación desagradable en una horrenda. Los ángeles de Marte tratan principalmente con asuntos de negocios, cosas mecánicas, compra y venta de animales, caza, inicio de estudios, jardinería, actividades sexuales y confrontación. Los colores asociados con estos ángeles son rojo, rosa y escarlata. Usa papel rosa y tinta roja.

Otras correspondencias para tener presentes:

Es mejor hacerlo cuando la Luna está en el signo de Aries, Capricornio o Leo.

Las energías son más débiles cuando la Luna está en Libra, Cáncer o Acuario.

Coincide con la fase de la Luna para sumar energías sutiles al talismán.

Nunca hagas este talismán cuando la Luna esté fuera de curso.

Talismán de Júpiter

Los ángeles de Júpiter atraen la esencia de prosperidad, crecimiento y realización. El día de Júpiter es el jueves y todos los talismanes que se hacen invocando a estos ángeles planetarios deben hacerse en jueves, durante la hora angélica de Sachiel. Los colores son púrpura y azul marino. Usa papel azul celeste y tinta oscura.

Otras correspondencias para tener presentes:

Para crecimiento, escoge la Luna Creciente.

Para prosperidad, escoge la Luna Nueva.

Para realización, escoge la Luna Llena.

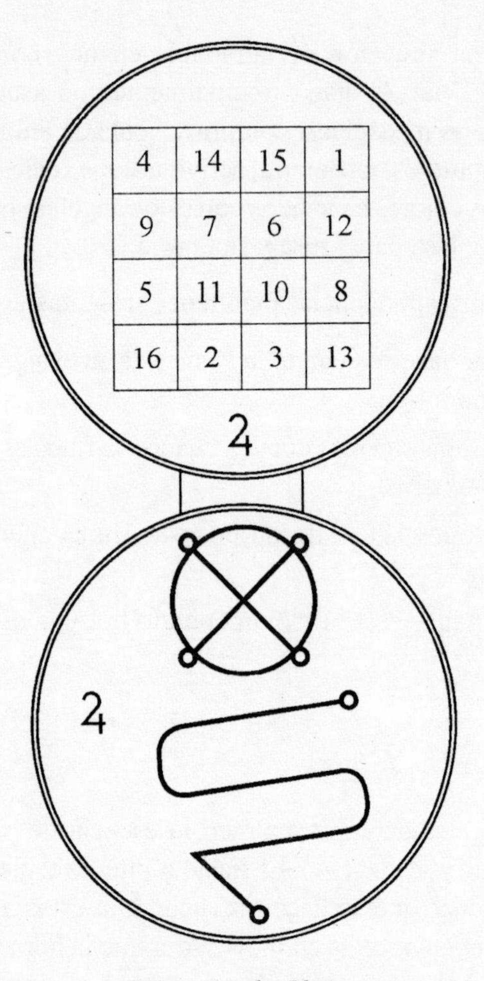

Talismán de Júpiter

Es mejor si se hace cuando la Luna está en Sagitario, Cáncer, Tauro o Piscis.

Es más débil si se crea cuando la Luna está en Géminis, Capricornio, Virgo o Escorpión.

No lo hagas cuando la Luna está fuera de curso.

Talismán de Saturno

Los ángeles de Saturno se enfocan en las lecciones kármicas y los límites, la longevidad y la autoridad. Están cerca cuando se instituye un gran cambio. Este talismán debe hacerse en sábado durante la hora de Cassiel. Recuerda que

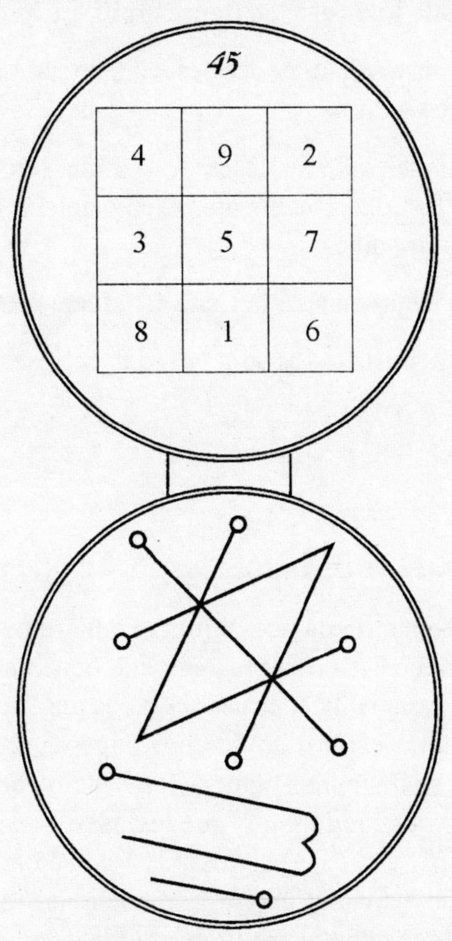

Talismán de Saturno

Cassiel es el ángel de la paciencia. Los colores correspondientes son negro, gris y a veces plateado. Usa papel gris con tinta negra o papel negro con tinta plateada.

Otras correspondencias para tener presentes:

Son mejores las energías para la elaboración de este talismán cuando la Luna está en Capricornio, Libra o Virgo.

Las energías son más débiles cuando la Luna está en Cáncer, Aries o Piscis.

Usa los ángeles de las fases de la Luna (en especial los ángeles de la Luna Declinante, Menguante y Negra) para sumar energías sutiles.

Nunca lo hagas cuando la Luna esté fuera de curso.

Considera utilizar los ángeles del eclipse para ayuda adicional.

Rueda de colores de los ángeles planetarios

¿Recuerdas la rueda de colores que hicimos en el Capítulo 4? Aunque esa no necesariamente tiene una naturaleza permanente, esta sí. Puedes usar la rueda angélica planetaria como un punto central en tu altar angélico cuando estés haciendo los talismanes planetarios. Hazlo con un pedazo de cartón grueso redondo o puedes usar madera si lo deseas. También vas a necesitar lápices de colores o pinturas acrílicas y un marcador negro. Copia la muestra a continuación. Puedes hacer tu cartel tan grande o tan chico como quieras.

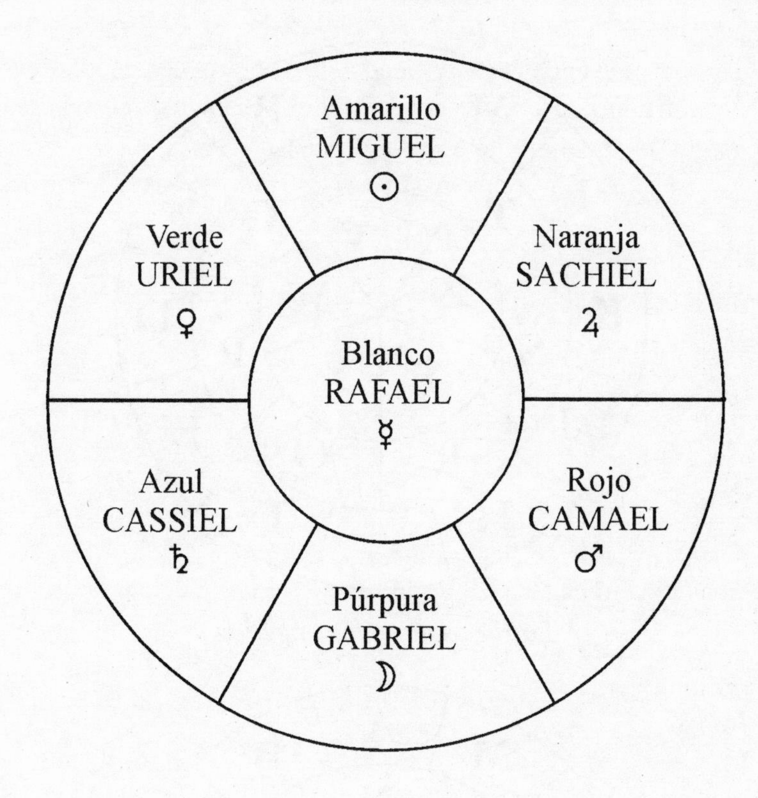

La rueda de sellos angélica

En el último capítulo te mostré la Rosa Hermética y cómo se hacen los sellos usando ese diseño. He aquí otra manera de hacer estos símbolos mágicos usando la rueda de sellos angélica.

Esta rueda funciona igual que la Rosa Hermética. Es importante en este capítulo porque es la rueda que vamos a usar para dibujar cualquier sello para los ángeles de los asteroides (Quirón, Pallas, Vesta, Juno y Ceres). Recuerda que el sello empieza con un pequeño círculo y termina con una línea perpendicular.

La rueda de sellos angélica

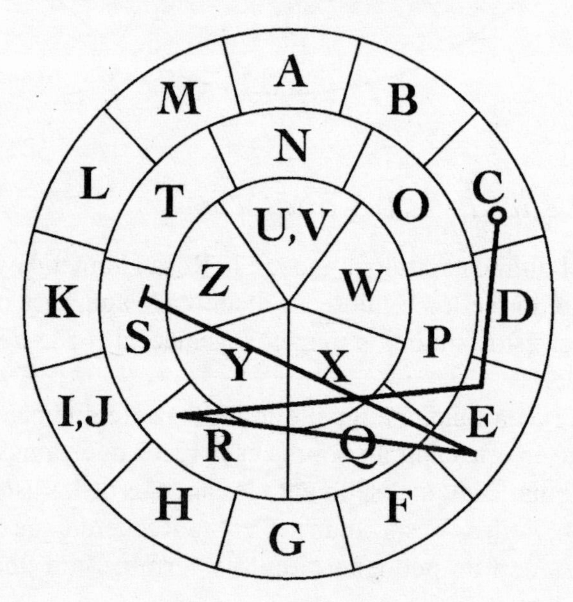

Creando el sello para Ceres

Ángeles de Ceres

La directiva principal de los ángeles de Ceres es la formación, por eso sus colores son un arco iris de pasteles. Los ángeles de Ceres tienen formas amplias, tonos de piel morenos y tres series de alas y usualmente aparecen de forma femenina, sin embargo, esto no significa que no van a tomar una forma masculina para asistir a un humano necesitado. Observa que el sello se parece un poco a los brazos abiertos de una madre. Los ángeles de Ceres van a cuidar la cuna de un bebé o mecerán a un adulto afligido para que duerma en sus amorosos brazos. Este es un sello excelente para ponerlo en la tarjeta de alguien especial el Día de San Valentín o para dibujarlo sobre las paredes de la habitación de un niño. Bórdalo en las sedas que alojan tus herramientas de adivinación, ya que quienes son verdaderamente adivinos sienten con gran intensidad las responsabilidades que tienen hacia sus clientes.

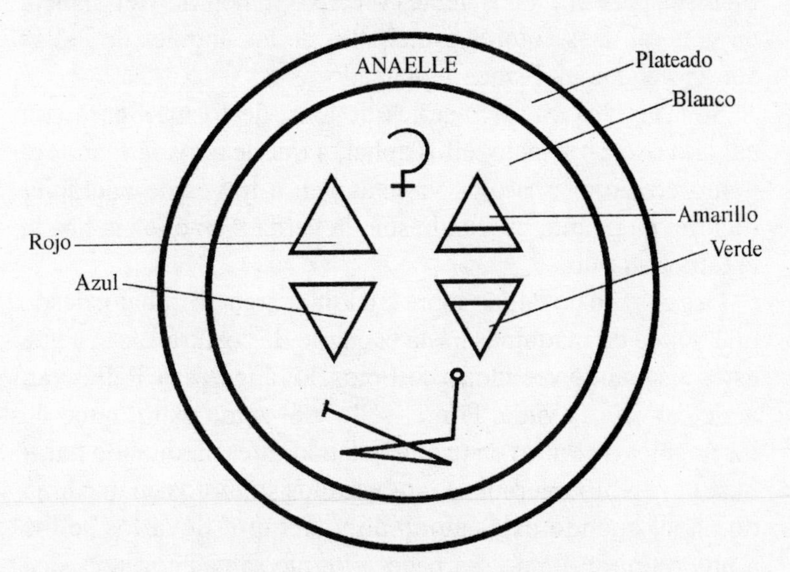

Talismán de los ángeles de Ceres

Diseñé el talismán para los ángeles de Ceres, para atraer los frutos de la tierra hacia ti de una manera amorosa y sustentadora. Tiene los cuatro elementos, el sello de Ceres, el nombre de Anaelle y el símbolo astrológico de Ceres. Usa papel blanco y tinta verde. Es mejor diseñarlo en viernes (el día de Venus) durante la hora planetaria de Venus. Usa a los ángeles de las fases de la Luna para darle más matices. Este talismán es más débil cuando la Luna está en Aries. Igual que con los talismanes, no lo hagas cuando la Luna esté fuera de curso.

Ángeles de Pallas

Los ángeles de este asteroide se enfocan en la energía femenina involucrada en la intuición, los destellos de genialidad y las percepciones agudas, además de nuestra habilidad para formular pensamientos nuevos y originales que son auspiciosos para el inconsciente colectivo femenino y el planeta en general. Los colores principales de los ángeles de Pallas son violeta, azul, blanco y plateado.

Son ángeles con tres series de alas, de forma ligera con cabello oscuro y lacio, ellos anhelan traerle a los humanos el genio creativo. Sus ojos violetas ven a través de cualquier mentira o engaño, buscando sólo la verdad; en ellos radica la creatividad pura.

Usa el sello de Pallas sobre cualquier área de trabajo, desde una tienda de máquinas hasta el cuarto de costura. Ya sea que estés diseñando vestidos o edificios, los ángeles de Pallas van a aletear en tu ayuda. Pon el sello y el signo astrológico de los ángeles de Pallas en tu altar cuando estés meditando o trabajando en hipnoterapia. Garabatea los símbolos en una hoja de papel cuando estés atontado y siempre lleva los sellos a una reunión donde sea necesario que salgas con una idea creativa que va a tener una atracción universal.

Los ángeles del asteroide son servidores de la Diosa, por lo tanto puedes querer agregar un símbolo universal de la Diosa en cualquier talismán que diseñes usando a los ángeles de Pallas. Estos ángeles tienen correspondencia con el elemento aire y esas correspondencias usualmente están asociadas con Mercurio. Por lo tanto, haz tu talismán de Pallas en miércoles, durante la hora planetaria de Mercurio. Usa a los ángeles de las fases de la Luna para agregarle energías sutiles. Por supuesto, nunca hagas el talismán cuando la Luna esté fuera de curso. Los ángeles de Pallas no trabajan bien cuando la Luna está mal aspectada o si la Luna está en Leo, Sagitario o Tauro (los signos obstinados del zodiaco).

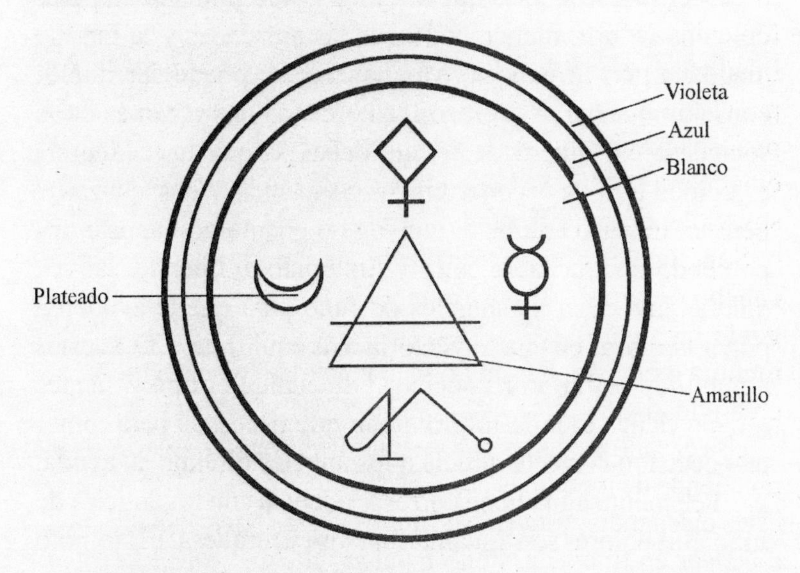

Talismán del genio (talismán de los ángeles de Pallas)

El Talismán del Genio es un talismán del ángel Pallas hecho con los signos astrológicos de Pallas y Mercurio y los símbolos del elemento aire, Pallas y la energía de la Diosa.

Los tres círculos encerrados representan los tres planos, espiritual, mental y físico respectivamente, empezando con el círculo exterior.

Dibuja tu sello personal o escribe tu nombre en el reverso del talismán.

Ángeles de Juno

Estos son los ángeles de las relaciones. Se enfocan en nuestro equilibrio individual además del equilibrio en la interacción humana. Usa el sello y el símbolo de Juno cuando necesites la compatibilidad en tu vida, además de la libertad de hacer lo que sientes que sea mejor para ti mismo, a pesar del consejo bienintencionado que las amistades y la familia machacan en tu cabeza. Muchas veces, puede ser que el consejo no salga del corazón, sino de las restricciones de la sociedad. No quiero decir que debas salir y hacer alguna estupidez que va a poner en riesgo tu vida y despedazarte, pero en un caso en que el cónyuge o enamorado te esté imponiendo una racha de celos y limitando tu libertad, tal vez quieras invocar a los ángeles de Juno para que te ayuden a poner las cosas en una trayectoria más equilibrada. O, si estás a punto de entrar a una sociedad de cualquier tipo y sientes que no tienes toda la información que necesitas para tomar una decisión correcta, pídele a los ángeles de Juno su ayuda.

El elemento agua tiene correspondencia con los ángeles de Juno. Sus colores son aguamarina, rosa y turquesa. El símbolo universal de estos ángeles con tres alas es el delfín. Los ángeles de Juno tienen ojos verdes almendrados y cabello rubio platino y prefieren túnicas fluidas de material brillante. Las perlas, regalos del mar, adornan su cuello y sus muñecas y aparecen con diseños de cuentas en su ropa. Puedes desear poner tesoros del mar en tu altar cuando invoques a estos ángeles. Inscribe sus sellos en conchas de mar pequeñas para llevarlas en tu bolsa o bolsillo.

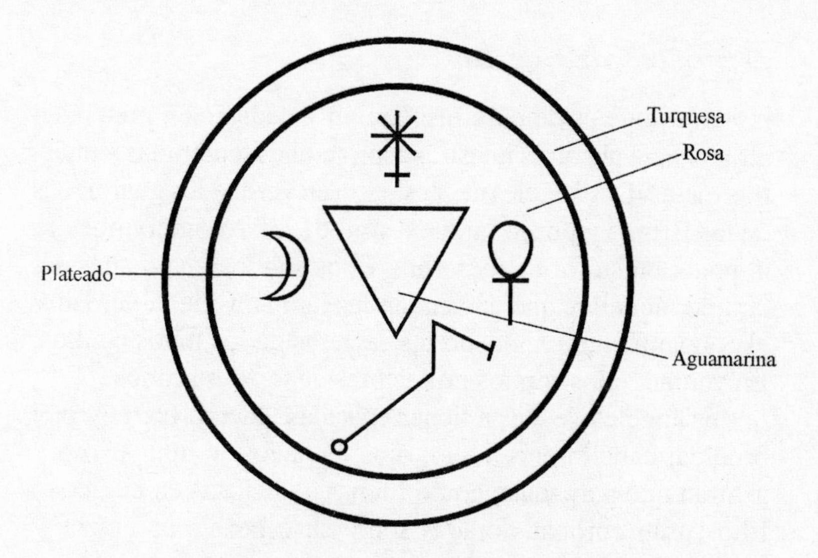

Talismán de los ángeles de Juno

Los ángeles de Juno son ángeles puramente femeninos que nos ayudan a trabajar en nuestra autoestima. No podemos salir a arreglar el mundo si nuestro propio jardín es un desbarajuste. Escoge el lunes (el día de la Luna) para hacer un talismán de Juno, durante la hora de la Luna o la hora de Venus. Ambas son propicias para estos ángeles. Agrega los ángeles de las fases de la Luna para añadirle más energías sutiles. Las energías de este talismán son más débiles si se hace cuando la Luna está en Capricornio, Escorpión o Virgo. Un eclipse de Luna es especialmente propicio; sin embargo, nunca hagas este talismán cuando la Luna esté fuera de curso. El signo de Juno está incluido en este talismán, el símbolo del elemento agua, el ankh (el símbolo universal del amor y la unión del hombre y la mujer), el símbolo de la Luna para atraer las energías de comunión y el sello de los ángeles de Juno.

Ángeles de Vesta

Estos ángeles de pura inspiración y dedicación pretenden atraer hacia nosotros nuestras aspiraciones femeninas y nuestras metas. Los ángeles de Vesta son en verdad los guardianes de las Brujas y por lo tanto su símbolo astrológico muestra el poder en su forma más pura. Ellos son los guardianes del templo, aquellos que encienden las lámparas de la verdad y el conocimiento, cuidando los secretos de los niños ocultos. En verdad, ellos son los protectores de los destacados.

Los ángeles de Vesta tienen tres alas, cuerpo fuerte y piel bruñida, cabello encendido, ojos leonados, y túnicas oro y azafrán que parpadean como flamas codiciosas en el viento. Ellos usan coronas doradas sobre su cabeza; sus brazos y pantorrillas están rodeados con oro.

Los ángeles de Vesta se enfocan en el elemento fuego. El día para modelar cualquier talismán para ellos es el domingo, durante la hora planetaria del Sol. Agrega los ángeles de las fases de la Luna para matices adicionales. Los eclipses de Sol son especialmente propicios, dependiendo de qué energías deseas agregar. El momento más débil sería cuando la Luna está en Acuario, Géminis o Libra. No modeles este talismán cuando la Luna esté fuera de curso.

Usa los símbolos de Vesta cuando trabajes en proyectos importantes que requieran una gran cantidad de creatividad durante los procesos mecánicos, sea escribiendo, dibujando o construyendo un edificio de oficinas. Coloca el símbolo de Vesta arriba de tu puerta principal y por dentro a la izquierda de tu casa, ya que esa esquina de la casa simboliza lo que esperas lograr con tu vida además de tu prosperidad planeada. Por dentro de la puerta a la derecha de tu casa representa el amor y la unidad que radica ahí dentro.

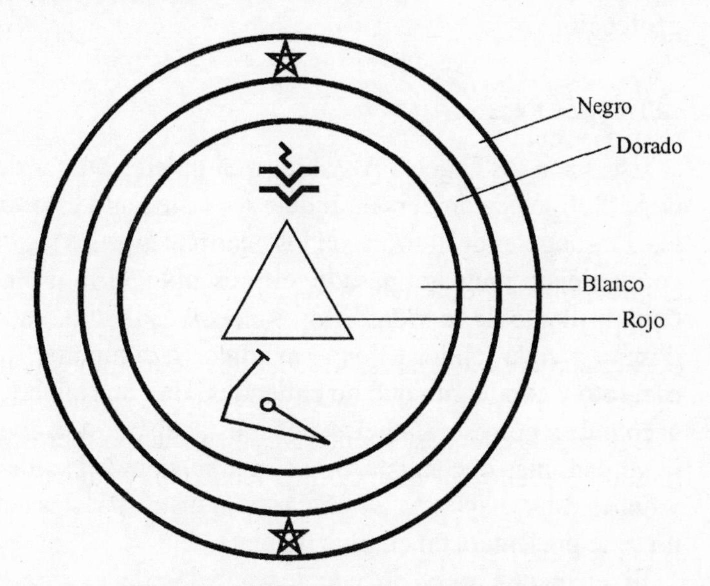

Talismán de los ángeles de Vesta

Si eres un atleta, borda los símbolos de Vesta en tu ropa deportiva y estámpalos en tu equipo para que te ayuden a lograr tu potencial. Usa los símbolos de Vesta cuando medites en metas y proyectos que estén destinados a cambiar el curso de tu vida. Las brujas deben pintar el símbolo de Vesta en rojo en sus piedras de altar para simbolizar el servicio, la protección y las leyes que rodean el juramento que han hecho.

Los colores que tienen correspondencia con Vesta son rojo, blanco, dorado y negro. El rojo simboliza la sangre y el valor de los antepasados humanos, el blanco representa la pureza de la divinidad, el dorado representa nuestro alcance más elevado y la fuerza del Sol y por último, el negro es para protección y el entorno fértil de la tierra. Este talismán incluye el símbolo astrológico de Vesta, el símbolo del elemento fuego, el sello de los ángeles de Vesta y el pentáculo de protección.

Ángeles de Quirón

Estos son los ángeles Akáshicos. Si quieres buscar dentro de la "biblioteca universal" pídele su asistencia a estos ángeles. Los ángeles de Quirón son los guardianes de los registros, entretejiendo juntos el pasado, el presente y el futuro en un tapiz brillante de la vida. Ellos conocen cada hilo, cada urdimbre y cada tejido. Ellos te ayudarán a componer lo que está roto y explicar lo que no entiendes. Hay una advertencia al contactar con estos ángeles: debes estar dispuesto a conocer la verdad, más que satisfacerte con la ilusión de la situación y debes estar dispuesto a trabajar para tus respuestas —aquí no se te presentará en charola de plata.

El elemento asociado con los ángeles de Quirón es el Akasha, el espíritu. Estos ángeles son una inteligencia sin forma, demasiado ocupados para manifestarse en una forma en particular en beneficio de los humanos. Dibuja los símbolos de Quirón cuando pretendas hacer conexión con la espiritualidad universal, con los esfuerzos para elevar la espiritualidad, estudios de la religión y el uso de energías positivas para asistir a la humanidad. Los instructores y los sanadores se beneficiarán de la asistencia de los ángeles de Quirón.

Escoge las correspondencias para Quirón basadas en tus necesidades. Los ángeles de Quirón se enfocan en los colores blanco, plateado y dorado —esos colores que se aceptan como cercanos a la divinidad. El color violeta también puede agregarse a su lista, como se ve para representar las vibraciones más elevadas del espíritu humano. Más que depender de un día y hora apropiados, recomiendo que se incline más hacia la fase de la Luna correcta, ya que los ángeles de Quirón no están confinados a un momento específico, sea en su trabajo o en sus energías. El espíritu es omnipresente.

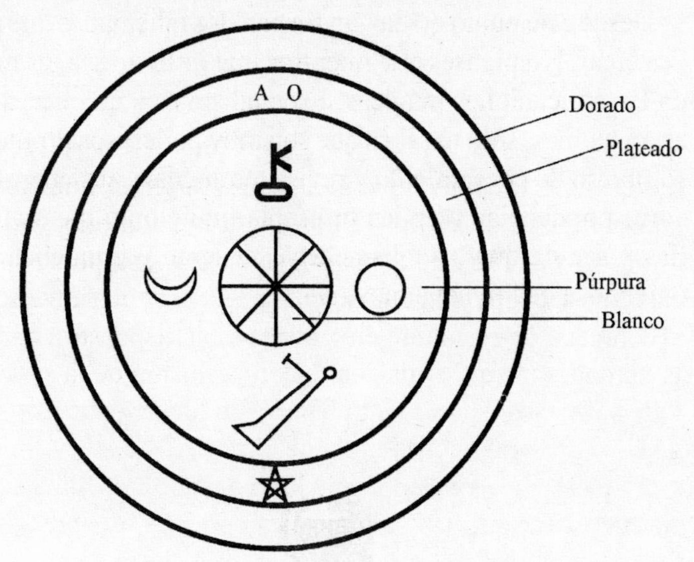

Talismán de los ángeles de Quirón

El talismán que se proporciona aquí trabaja de un año a otro, por lo tanto quizá quieras hacerlo en tu cumpleaños u otra ocasión especial. Se le puede dar a un niño en su bautizo cristiano, wiccan o bar mitzvah, o a un adulto en su iniciación Wiccan, en sus veintiún años, el día de su boda, o sus bodas de oro o plata. Usa tu sabiduría para elegir cuándo hacer este talismán y a quién se le da y cuándo. Aunque puedes usar papel, quizás quieras considerar usar ante blanco o piel de alce para provocar una concordancia entre el mundo físico (el mundo del animal humano) y los reinos angélicos. (Si eres un protector de animales, considera usar un sustituto sintético).

Este talismán incluye el símbolo astrológico de Quirón y los símbolos del Akasha, el Sol y la Luna (símbolos del Dios y la Diosa) o la cruz de brazos iguales (si eres Cristiano), el sello de los ángeles de Quirón y las letras A y O (simbolizando el alfa y omega —todo lo que es, fue y será eternamente).

Desde este punto no hay un fin para los talismanes que puedes crear. No pienses que mientras más antiguo sea, es mejor en las aplicaciones mágicas. Esos talismanes que haces con asociaciones, sólo tú sabes que son muy poderosos. Ponte ese sombrero de pensamiento y revisa los ángeles, sus energías y correspondencias y aplica tu propia intuición y creatividad. Estoy segura que tus talismanes excederán por mucho cualquier cosa que te haya mostrado.

16

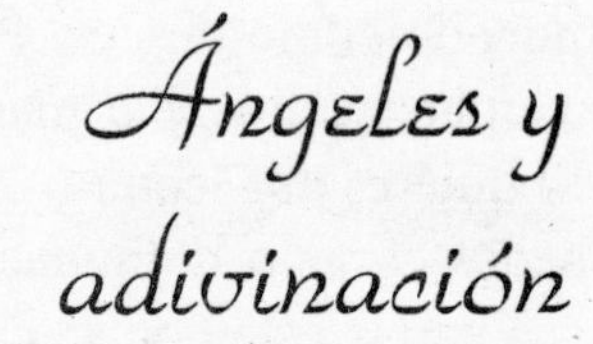

Ángeles y adivinación

Aunque trabajé lecturas bastante buenas con las herramientas de adivinación, honestamente puedo decir que cuando involucré a los ángeles, las cosas se voltearon. He leído el Tarot desde que tenía quince años (por más de veinticinco años); sin embargo, siempre me reprimí —temiendo soltar todo. Los lectores tienen una gran responsabilidad con sus clientes. Tu integridad debe ser impecable. Tus clientes dependen de ti, sé totalmente honesto. Si no conoces una respuesta, no puedes inventar una y esperar lo mejor.

En este capítulo vamos a cubrir las reglas básicas para la adivinación junto con algunas formas especializadas del arte. A pesar de la herramienta de adivinación que uses, tengo confianza en que vas a trabajar mucho mejor con la inclusión de una energía angélica.

Reglas básicas para la adivinación

Puedes hacer el proceso de adivinación tan simple o complicado como desees. Por ejemplo, conozco una lectora de Tarot excelente que guarda sus cartas en la mesa de la cocina. Si quieres una lectura, ella dice: "Revuelve y corta". No hay sedas caras o bufandas adivinatorias para ella. De hecho, sus cartas están en su caja original. Conozco otros lectores, igualmente buenos, que envuelven sus herramientas de adivinación en seda negra, usan gemas o hierbas, encienden velas, dicen oraciones, etc., etc. Tu estilo para usar tus herramientas de adivinación forma parte de tu ser. Debe ser personal y placentero. Si te sientes tonto diciendo algo especial en voz alta, entonces no lo hagas. Si te avergüenza encender una vela, ¿por qué hacerlo? Lo acepto, pero no te vas a sentir como un tonto cuando hayas establecido un patrón, de todos modos si no sientes que algo es correcto para ti, entonces no lo hagas.

La regla más importante en que puedo pensar es esta: **Nunca espantes al cliente.** Es cruel espantar a alguien, no importa el motivo.

Otras reglas que me llegan a la mente son:

Arraiga y centra antes de cada lectura. Toma tres respiraciones profundas y relájate. Atrae tu energía hacia dentro, luego deja que salga. Conéctate con el universo. Una breve invocación podría ser la siguiente:

Ángeles de la profecía
Conmuevan mi corazón, mi mente y mi alma.
Traigan las respuestas que busco a la forma.
Bendíceme con sabiduría y conocimiento en esta hora de adivinación.

Si quieres trabajar con un ángel específico, intenta Bath Kol, un ángel femenino que alienta las palabras de verdad y ayuda en la profecía. Si se le pide con educación, ella otorgará la percepción del futuro. Otro ángel de la adivinación es Hahaiah, que dará percepción en los misterios profundos y el conocimiento oculto.

No adivines si estás enfermo, muy cansado o enojado. Tu salud o tu estado mental pueden afectar tus lecturas. Cuando llegues a ser muy bueno en tu oficio podrás descubrir que puedes influir en los resultados, dándote una lectura tergiversada. Por ejemplo, si pienso demasiado en una carta de Tarot particular, ¿adivina qué sale de inmediato? Por eso nunca asocio a la gente con las cartas cuando cruzan mi puerta. Ni tampoco me hago lecturas personales. Mejor llamo a mi amiga Diana. Cuando estás enfermo quizás no logres el estado mental deseado para una lectura limpia. Como tu cuerpo se llena de "malestar" tus lecturas pueden parecer más negativas. Que un amigo te las lea, o si alguien te está pidiendo una lectura, declina con amabilidad.

No adivines para nadie a quien odies a muerte. Si no soportas a alguien, ¿puedes ser honesto con él o ella? ¿Te sentirás frustrado si ves cosas brillantes y hermosas para esta persona, o te sentirás encantado si las cosas se ven desagradables? Si te disgusta alguien intensamente, tus sentimientos negativos pueden interferir en tu lectura, tergiversándola. Otra vez, declina amablemente.

No exageres o mientas. Si no conoces una respuesta, di simplemente, "No sé". Repetidas veces he recibido clientes que quieren someter a los lectores a un duro interrogatorio. Hacen una pregunta, que lleva a otra, luego a otra y antes de mucho tiempo lo único que están haciendo es repetir con otras palabras la pregunta original. El lector nunca está en un juicio. No estás en la tribuna de los testigos. No existe algo como "redirección". "Llevar al lector" no existe (o no debería). Si recibes un cliente como éste, simplemente di: "No sé" o "lo siento, pero no hay nada más aquí". Ocasionalmente diré francamente: "Lo siento, pero no soy Dios. La información no está llegando".

Cerciórate de que le explicas a tu nuevo cliente la herramienta de adivinación por completo. No supongas que la persona sabe lo que estás haciendo. Si estás leyendo el Tarot, tómate el tiempo para explicar las imágenes de la carta un poco, para que el cliente sepa de dónde sacas la inspiración. Esto aplica para cualquier herramienta física (Runas, Cartouche, Cartas Medicinales, etc.). Entre más le expliques al cliente (o a un amigo), menos preguntas tendrá y más entenderá los mecanismos de la sesión de adivinación.

No actúes como fantoche. Lo peor que puedes hacer es actuar como un tonto sabelotodo. Nunca seas brusco o le hables con desagrado a un cliente. No seas un farsante. Aunque tus clientes no te detecten de inmediato, otras personas en el área que también trabajen con las herramientas adivinatorias lo harán. Si hablan mal de ti, con el tiempo les llegará a tus clientes.

Nunca te impongas sobre el libre albedrío de otro. No forces la lectura de adivinación en nadie. No ofrezcas hacer magia por dinero. Si alguien está interesado en la magia angélica (u otros tipos de magia), explica cómo hacerla. Le puedes decir a las amistades y a la familia qué magias sencillas hacer para elevar su autoestima y traer la felicidad a su vida. No dejes que dependan de ti para que se los hagas todo el tiempo. También necesitan aprender.

Aprende a tomar tu tiempo. Cuando se use cualquier herramienta adivinatoria, no aceleres el proceso. Cuando mis clientes llegan de visita nos relajamos y tomamos una taza de té, nos ponemos al día con la charla o las metas en su vida y generalmente disfrutamos la compañía mutua. Esto les permite entrar al estado mental adecuado, igual que tú, y es más fácil formar un puente entre la información que necesitas y tú. Si te atoras durante la adivinación, no te aterres. Recárgate, toma una respiración profunda y cambia el tema para darte tiempo para despejar esas telarañas mentales. Si todavía no puedes darle un sentido a la lectura, no te desesperes. En verdad, el noventa por ciento del tiempo el cliente está mintiéndote directamente a la cara o está negando. Si nada toma forma para ti, junta las cartas y di: "Tal vez en otro momento".

Si no estás de humor para lecturas maratónicas, explícale amablemente al cliente, cuánto tiempo piensas dedicarle a la lectura aproximadamente. Siempre hay formas para controlar a esas personas que quieren quedarse eternamente:

Programa otra cita de adivinación directamente después de tu cliente actual.

Planea hacer algún encargo y explícale al cliente que debes irte.

Cobra por hora y que tu tarifa sea bastante elevada para que la persona no quiera quedarse demasiado tiempo.

Magia del péndulo angélico

Una de las formas de adivinación más antiguas usa el péndulo. Un péndulo es un objeto pesado suspendido de una cadena o cuerda, cuyos movimientos dan respuestas a las preguntas que haces en voz alta. Los péndulos pueden ser naturales (como un cristal o una gema preferidas) o fabricado. Prefiero el tipo pesado fabricado. Los vas a encontrar en casi todas las tiendas de ocultismo.

La regla más importante que hay que tener presente cuando se usa el péndulo es la relajación. La tensión bloquea la receptividad. Recuerda usar tus correspondencias mágicas cuando trabajes con el péndulo. Por ejemplo, quizás quieras encender una vela (elige el color apropiado para la ocasión), quema un poco de incienso (revisa tus asociaciones herbolarias) o escoge un momento en particular del día u hora angélica.

Limpia, consagra y bendice tu talismán en tu altar angélico. Pídele a los ángeles de la profecía que te ayuden y te traigan sabiduría y respuestas útiles cuando uses el péndulo.

Pon tu codo sobre la mesa y deja caer la cadena o la cuerda del péndulo a través de tu pulgar y los dos primeros dedos. Deja que la cadena (cuerda) cuelgue por detrás del dorso de tu mano.

Arraiga y centra. Toma algunas respiraciones profundas, recordando relajar los músculos alrededor de los ojos y la boca. Quizás quieras recitar la oración de adivinación angélica que se dio previamente.

Espera hasta que el péndulo esté quieto. Luego di: "Dame mi sí". Espera a que se mueva el péndulo. Se puede mover en el sentido de o en contra de las manecillas del reloj, hacia delante o atrás. Esto va a indicar tus repuestas positivas para la lectura que vas a hacer.

Espera a que el péndulo deje de girar de tu movimiento previo. Di: "Dame mi no". Espera a que el péndulo se mueva. Puede ser en el sentido o en contra de las manecillas del reloj, hacia delante o hacia atrás, pero el movimiento no puede ser igual que para tu respuesta sí. Si recibes el mismo movimiento, vuelve a intentar. Cuando hayas determinado la respuesta, ten presente que esto indicará la respuesta negativa para la lectura.

Espera a que el péndulo se detenga, luego di: "Dame mi no sé". Espera a que el péndulo se mueva. Debe ser un movimiento diferente a las respuestas sí y no. En cuanto hayas determinado esta respuesta, estás listo para empezar a hacer las preguntas que planeaste para esta sesión de adivinación.

Conserva un registro de tus "éxitos" y "errores". Como práctica, predice el clima o usa las páginas de la bolsa de valores de tu periódico. No dejes de trabajar con algo que de ninguna manera hubieras podido saber de antemano. Vas a notar que algunos días lo harás excelentemente bien y otros días, quizás no sea tanto. Esto se puede atribuir al estado mental, tu salud o a las correspondencias astrológicas actuales.

Algunas personas prefieren usar un diagrama para la adivinación del péndulo. Puedes cortarlo en papel cascarón o hacerlo de madera o de metal. Es tu elección. Si eres artístico, usa una tela de óleo y pinta el diagrama, además de las características angélicas. He aquí algunos diagramas que quizás quieras intentar.

El diagrama básico

El diagrama de Arcángeles

Esta es una forma rápida para descubrir dónde necesitas concentrar tus energías o qué le interesa más a un amigo o un cliente. Puedes agregarle otros conceptos al diagrama en cada cuarto. Este está diseñado para darte una idea. Por ejemplo, Gabriel predice muchas veces nacimientos y Uriel trata con la propiedad y la adquisición de artículos físicos. Puedes agregar esos rasgos a tu diagrama.

Planeación del diagrama

Este diagrama ayuda a mostrar el resultado probable de una situación. Por ejemplo, si Susie quiere encontrar una buena relación, ella sabe en qué lugares podría buscar; algunos pueden tener inconvenientes. Lo primero que ella debe hacer es pedirle a su ángel guardián que la ayude. Luego debe dibujar un diagrama parecido al que se muestra a continuación y tratar con péndulo en mano para que la ayude a hacer la mejor elección de dónde buscar (o dónde no buscar).

Runas de los ángeles

Sencillamente, las runas son sellos. Algunas son muy antiguas y no se cubrirán en este libro. (Si te interesan las runas tradicionales, puedes encontrar muchos libros sobre el tema). Las runas que se dan aquí están diseñadas específicamente para usarlas en adivinación angélica y prácticas mágicas.

Las Runas de los Ángeles (ver páginas 387-392 para su ilustración y descripción) son veintiséis pictografías (símbolos universales) de temas comunes con los que tratamos en nuestra vida diaria. Son una herramienta para que entiendas el pasado, veas el presente y consideres el futuro. También se pueden usar en tu altar cuando trabajes la magia para que te ayuden a atraer las energías que necesitas para realizar un trabajo.

Casi todas las runas están hechas con pequeñas piezas circulares, discos redondos, gemas redondas, piedras pequeñas, o hasta de piezas redondas de papel grueso (puedes hacer tus propias runas de lo que quieras). Hay muchos juegos de runas en el mercado actualmente. Algunas son muy antiguas (como ya se mencionó) y algunas han surgido más o menos en los últimos cincuenta años.

Empieza con las runas de las páginas 387-392 cuando hagas tu juego personal de Runas de los Ángeles, pero siéntete con la libertad de hacer tu serie de runas con tu sistema de creencias y tu estilo de vida. Escogí símbolos que representan lo que cada runa significa para mí. Siéntete con la libertad de agregar uno o dos pictogramas más para cubrir áreas y situaciones que sean comunes en tu vida. Por ejemplo, como trabajo con hipnoterapia, diseñé una runa para ese estudio particular. No todos van a necesitar esa runa en su juego. Si tu trabajo incluye la sanación a través de propiedades de hierbas mágicas y medicinales, quizás quieras crear símbolos que indiquen algunas plantas normales —como cincoenrama, romero, etc. Si tienes tu propio negocio, puedes encontrar que diseñar una runa que represente ese negocio es muy útil. Las ideas de runas son interminables.

Es una tradición que cuando hayas recibido y aprendido a usar el juego de runas, de cualquier tipo, hagas dos juegos para otras dos personas, les enseñes el sistema verbalmente y a cada una le des un juego de regalo. Esto asegura que la mente de grupo alrededor de la herramienta que diseñaste se mantenga estable y crezca. Con cuidado elige a los receptores de tus Runas de los Ángeles.

Reglas generales

Limpia, consagra y faculta tu juego de runas antes de usarlas. Elige un ángel en particular para que sea el guardián del juego. Este es el ángel que vas a invocar cada vez que uses la herramienta de adivinación, así que escoge con sabiduría. Quizás quieras encontrar un símbolo de ese ángel y ponerlo en tu recipiente o bolsa de las runas, o dibujar un sello que represente al guardián en los costados o en el fondo del mismo recipiente.

Limpia tus runas después de cada trabajo colocándolas bajo los rayos solares, lunares o pasándolas por el incienso.

Lee las Runas de los Ángeles para un tiempo inmediato —no para el futuro a seis meses o un año. Ellos te informan qué energías están cerca de ti en este momento y qué está moviéndose hacia ti dentro de una semana más o menos. Ocasionalmente, una runa se caerá de la mesa. Considera esto como una señal de que este asunto, aunque no esté presente de inmediato, se podrá ver afectado por tus elecciones actuales. De igual modo, expresa tus preguntas con cuidado, ya que algunas se prestarán para el uso de una herramienta más elaborada, como el Tarot.

Quizás quieras hacer tus Runas de los Ángeles de un solo color, o puedes escoger asignarles colores específicos. Es tu elección.

Todas las Runas de los Ángeles se revuelven, excepto la runa del significador. Esta runa representa al consultante (la persona a la que se le hace la lectura). Como a los ángeles no les importa si eres hombre o mujer, la runa significadora es un símbolo universal.

Echando las runas

Pon todas las runas en un recipiente pequeño o una bolsa. Sacúdelas y considera la pregunta. Arraiga y centra, toma varias respiraciones profundas y relájate. Conéctate con tu ángel guardián y con el ángel que hayas nombrado como guardián de tus runas. Pide su ayuda. Haz tu pregunta, luego revuelve ligeramente las runas en una superficie plana y estable.

Leyendo las runas de los ángeles

Ignora las runas que queden boca abajo. No son asuntos o situaciones que necesites tratar para esta pregunta en particular. Lee, de la runa significadora hacia fuera. Las runas más cercanas al significado indican los intereses más inmediatos. Las más lejanas indican sucesos o estados mentales que se acercan o se alejan del consultante.

Las runas que se tocan entre sí tratan con el mismo asunto. Las que tienen un espacio o runas en blanco entre sí son asuntos separados o asuntos que tienen una especie de barrera entre ellas.

Después de la práctica vas a notar que las runas forman patrones alrededor de los asuntos. Los patrones son usualmente lineales o circulares.

Cuando tengas habilidad con tus Runas de los Ángeles, quizás quieras dibujar un diagrama parecido a los que te mostré para la herramienta del péndulo o puedes intentar el de aquí abajo dibujándolo en papel cascarón o bordando tu diseño en un pedazo de lino blanco. Quizás quieras rodear el círculo con símbolos astrológicos, fases de la Luna, etc. Tú eliges. Personaliza tu diagrama. Las interpretaciones son mejores cuando te has tomado el tiempo de fusionar tus energías con la herramienta.

Los significados

Ángel Guardián: Esta runa representa al ángel guardián del consultante y lo que está trabajando en este momento, esté o no bloqueado(a) y si es así, por qué. Si la runa del ángel guardián está invertida, significa que el consultante no ha estado tomando en serio al guardián o simplemente no está poniendo atención.

Religión: Esta es la espiral sagrada. Cuando esta runa está cerca, considera un entrenamiento futuro, peticiones a la divinidad y tu relación con el universo. Considera llevar a cabo un ritual, un rito o una devoción para ayudarte a resolver un problema o darte una nueva percepción en tus patrones de vida. Tal vez la dificultad se encuentra en la forma como percibes la religión y la manejas en tu vida. Si está runa está boca abajo, significa básicamente que has estado demasiado ocupado con las cosas mundanas y no has usado tus dones espirituales, o simplemente significa que los asuntos religiosos no son un enfoque en este momento.

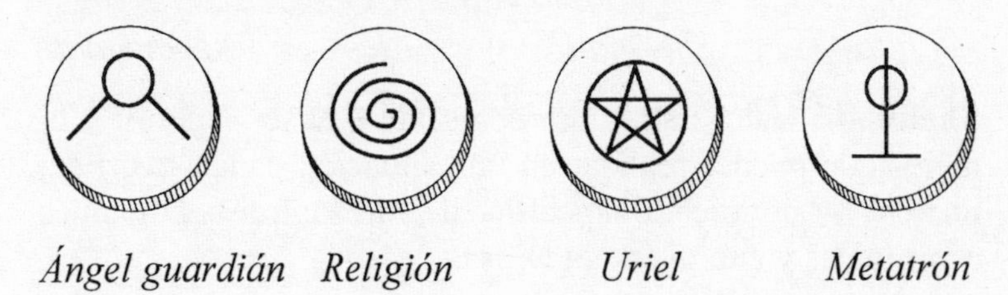

Ángel guardián *Religión* *Uriel* *Metatrón*

Uriel: Magia. Si hay alguna fuerza involucrada, buena o mala, esta runa te dirá, en especial si está invertida. Si está cerca de la runa de la negatividad, significa que esa magia que se ha echado no necesariamente es para dañarte, pero no va a ser nada buena para ti. Si esta runa está invertida, definitivamente significa que alguien en particular te está lanzando pensamientos negativos. Esto podría surgir de los celos o simple desinformación.

Metatrón: Sabiduría. Esta es la habilidad para tomar buenas decisiones (derecha) o malas (invertida). Revisa las runas circundantes para ver si la sabiduría viene hacia ti o quizás puedes necesitar buscar la sabiduría de un amigo o familiar. Invertida, esta runa puede significar una decisión precipitada que puede llevarte a problemas o a una acción irreflexiva.

Pallas: Meditación. La situación será mejor para ti si meditas en ello y empiezas a planear la acción apropiada. Invertida, esta runa puede mostrar que no le has puesto suficientes pensamientos positivos a la situación, indicando una necesidad tuya para empezar a afirmar un estilo de vida más positivo.

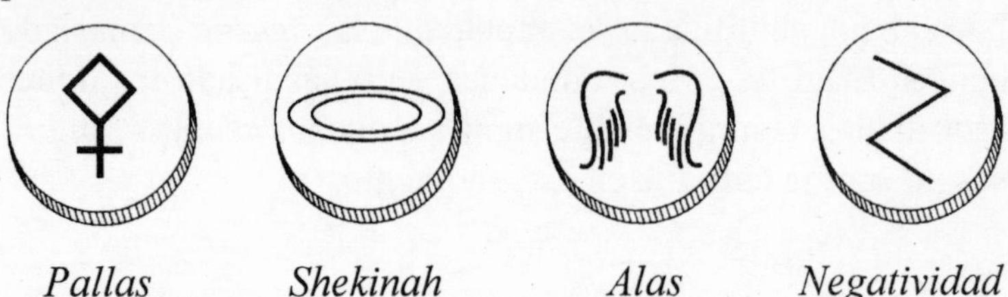

Pallas *Shekinah* *Alas* *Negatividad*

Shekinah: Halo. Esta runa representa a tu ser superior y lo mejor que puedes realizar en una situación dada. Invertida, no tiene un significado específico. Es una runa de bendiciones espirituales y energía de la Diosa.

Alas: Mensajes. Derecha significa mensajes buenos, invertida puede significar que no vas a recibir este mensaje que quieres o que puede no haber ningún mensaje.

Negatividad: Esta es negatividad proyectada a la situación, como chismes, malas intenciones, agendas ocultas, acciones sucias, o celos, de parte del consultante o en favor de otra persona. Revisa las runas circundantes. Invertida indica la probabilidad de una oportunidad para recuperar la situación. Otra vez, revisa las runas circundantes para ver qué posibilidades tiene el consultante de liberarse del problema.

Gabriel: Inicios. Esta runa representa el inicio de cualquier situación. Cerca de la runa de la familia, significa un nacimiento o matrimonio posible. Si está invertida, la esperanza de un inicio fresco está bloqueado y puede no manifestarse.

Azrael: Terminaciones. Esta runa representa el fin de un asunto. Si está invertida, la situación puede terminar mal si no te mueves y haces algo sobre ello, o posiblemente en este momento no está a la vista un final. Otra vez, revisa las runas circundantes para aclararlo.

Dinero: Esta es bastante directa. Revisa las runas circundantes para la fuente y la cantidad de dinero. Si está cerca de la familia o el legado, puede ser un regalo de un familiar o una muerte en la familia dando una herencia. Si está cerca la negatividad, ten cuidado —alguien está intentado embaucarte.

Vesta: Inspiración y protección. Busca algo nuevo que te ayude. Esto podría ser un nuevo pasatiempo, un nuevo empleo, una nueva sociedad, etc. (revisa las runas circundantes). Invertida, esta runa indica falta de inspiración de parte del consultante.

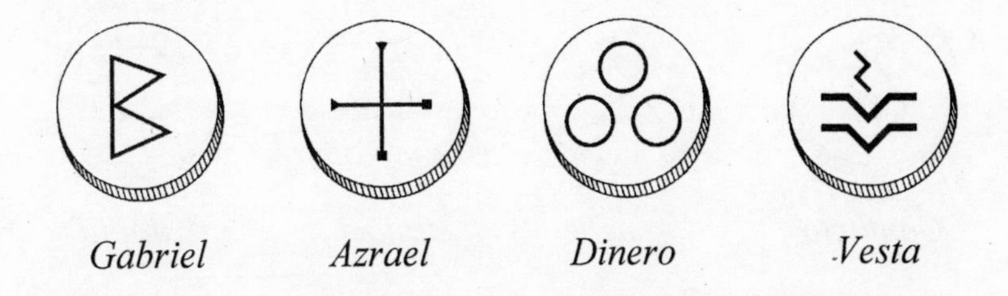

Gabriel *Azrael* *Dinero* *Vesta*

Conflicto: Esta runa significa lo que expresa: se está fraguando un pleito, una batalla franca, o tal vez una confrontación física. Cerca de la runa de la familia significa disputas familiares. Cerca de la negatividad, una discusión abierta. Cerca de adicción, probable actividad criminal o caída por una conducta adictiva u obsesiva. Entre más lejos esté esta runa, es más probable que el consultante pueda controlar ahora el daño o negar el conflicto por completo. Si está invertida, el conflicto ya sucedió y los pasos para resolverlo están en camino.

Anaelle: Familia. Otra vez, un sello directo. Cualquier cosa enlazada por la sangre o el espíritu. Esto pueden ser tus parientes cercanos o familia política. Derecha, todo está animándose bien (aunque revisa las runas circundantes). Invertida, posible disfunción o desequilibrio temporal.

Rafael: Armonía, gozo, excitación, sucesos agradables, felicidad, amor, autoestima. La mezcla de energías armoniosas. La recepción de regalos. Invertida, exhibe infelicidad, cosas de placer retrasadas o destruidas, la falta de autoestima.

Estrella: Esperanza del futuro, luz verde, cosas predestinadas a ser muy buenas para el consultante. Esta runa no tiene un significado invertido. Revisa las runas circundantes para más aclaración.

Conflicto *Anaelle* *Rafael* *Estrella*

Adicción: Significa lo que dice. Adicción a las drogas, alcohol, sexo o hábitos obsesivos —incluso poder, como un egocéntrico. Invertida, esta runa indica que la adicción es del pasado o que la persona en cuestión está haciendo un gran esfuerzo para superar el problema.

Quirón: Karma. La situación cercana es de naturaleza kármica —una situación que puedes haber estado trabajando durante varias vidas, o una que acaba de empezar. Invertida indica el proceso de negación en la situación y el rechazo a trabajar en el patrón constructivamente.

Hombre: Este es un hombre o una energía masculina que de alguna manera afecta al consultante. Las piezas que rodean esta runa indican sus intenciones. Derecha indica que él es una influencia positiva o una persona agradable y sincera (las runas alrededor de él pueden indicar que él está tomando buenas o malas decisiones). Invertida muestra un canalla sin agallas y sus efectos sobre el consultante serán pobres.

Mujer: Esta es una mujer o energía femenina que de alguna manera afecta al consultante. Las piezas que rodean esta runa indican sus intenciones. Derecha indica que ella es una influencia positiva o una persona agradable y sincera (las runas alrededor de ella indican que ella está tomando buenas o malas decisiones). Invertida muestra que ella es una víbora irreflexiva y chismosa y sus efectos en el consultante serán pobres.

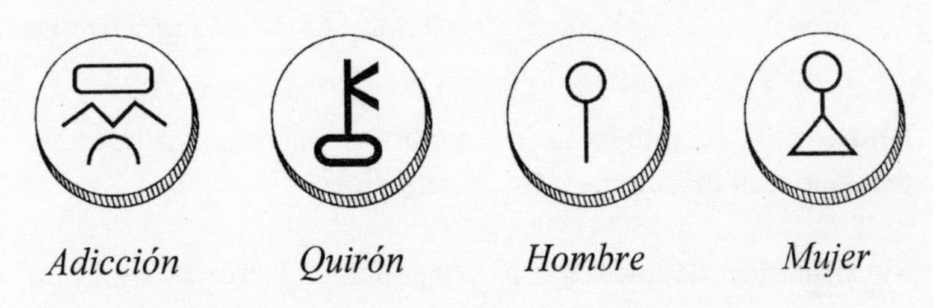

Adicción *Quirón* *Hombre* *Mujer*

Juno: Sociedad. La unión de dos personas para amor o negocios (revisa las runas circundantes). Invertida muestra que la sociedad se está yendo por el caño o los verdaderos sentimientos están ocultos. Otra vez, revisa las runas más cercanas a ésta para más detalles.

Trabajo: El trabajo que es más importante para el consultante en este momento. Este podría ser un empleo de tiempo completo, una aventura de medio tiempo, servicio comunitario, incluso trabajo inspirador. Aquí la clave es *aquello que es más importante*. Invertida indica que el consultante no está siguiendo el trabajo que él o ella desea en verdad hacer o su trabajo actual.

Luna Llena: Esta es una runa de tiempo. Las runas alrededor de ésta muestran que va a suceder cerca de la siguiente Luna Llena.

Luna Nueva: Esta es otra runa de tiempo. Las runas alrededor de ésta muestran que va a suceder cerca de la siguiente Luna Nueva.

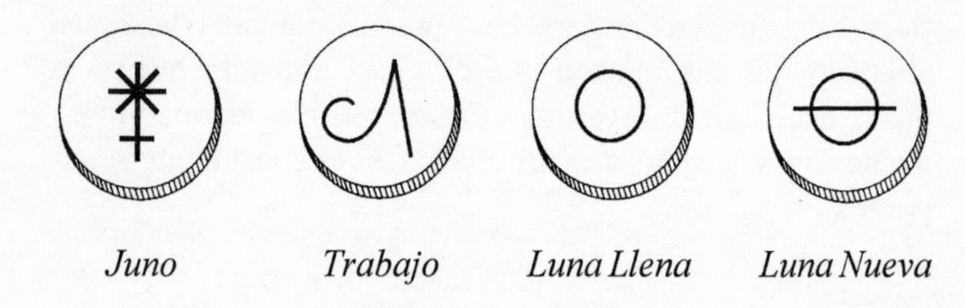

Juno *Trabajo* *Luna Llena* *Luna Nueva*

Blanca: El resultado se desconoce o hay una influencia desconocida involucrada en la situación.

Significador: Representa al consultante. Derecha significa que el consultante tiene sus ójos abiertos y está preparado para conocer los hechos y escuchar los mensajes espirituales. Invertida indica que el consultante está en un estado de negación, sin ver racionalmente todos los hechos o está tan atrapado en otras aventuras que no está poniéndole atención al negocio.

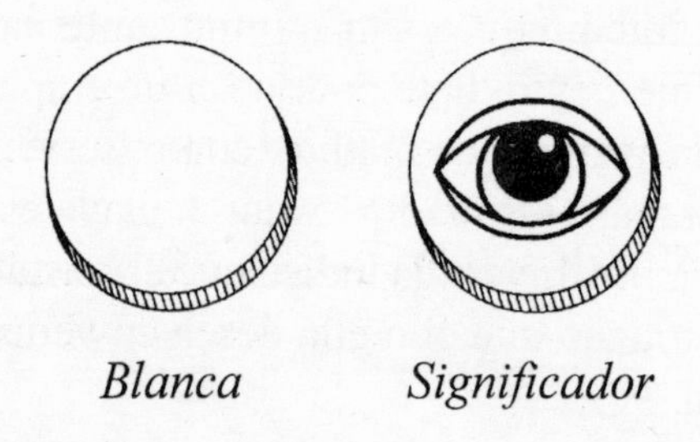

Blanca *Significador*

Los ángeles y el Tarot

Para tiradas angélicas, vas a necesitar un juego de cartas de Tarot limpias, consagradas y facultadas. Escoge un juego que te atraiga. No te preocupes si tus interpretaciones usuales son un poco diferentes que las normales con las que aquí trato. Puedes trabajar cualquier desacuerdo en tu propia mente.

Como he estado trabajando con los ángeles, he encontrado significados ocultos en las cartas del Tarot, indicando a quién contactar para pedir ayuda en los reinos angélicos. También descubrí que si le pedía ayuda a mi ángel guardián antes de cualquier lectura, mis predicciones y percepciones son más exactas. Aquí incluí un poco de información básica de Tarot para ti en caso de que a ti, igual que a mí, te encanten las cartas de Tarot y las uses con frecuencia, pero también incluí correspondencias angélicas que te ayuden a encontrar soluciones a tus problemas a través del Tarot.

Significado de los Arcanos Mayores

El Loco: El inicio de un nuevo ciclo o empresa; un asunto que es inesperado o no planeado; cambio a una dirección diferente, yendo hacia un futuro desconocido; mira antes de saltar; usa tus talentos ocultos.

Pregúntale a tu ángel guardián en qué dirección debes viajar y con qué fuerza debes recorrer el sendero. Usa los ojos de tu ángel en meditación. Los ángeles de Aries, aquellos que caminan donde otros temen, son excelentes ayudantes para el Loco. Los ángeles de Aries son Ariel, Machidiel, Satararan y Sariel. Estos ángeles son valientes, salvajes y apasionados. Los ángeles de Acuario dan el empuje para iniciar algo nuevo.

El Mago: Tener la habilidad para traer el asunto a la forma. Creatividad, percepción.

Rafael representa mejor al Mago, con su poder sobre los vientos, ciencia, creatividad, sanación, herramientas mágicas y los dones del pentáculo. Cuando el Mago aparece en tu lectura, busca un mensaje de este bendito arcángel. Recuerda que Rafael también es un Serafín. Las Dominaciones cumplen con el papel de los líderes divinos cuyos esfuerzos implican integrar lo material y lo espiritual sin perder el control. El príncipe de las Dominaciones es Hashmal o Zadkiel. Recuerda, Dominación también es el nombre del primer ángel registrado. Aquí, Dominación y el Mago son uno. Los ángeles de Capricornio pueden ayudarte a "crear" cuando pienses que no puedes traer a la forma el pensamiento.

La Sacerdotisa: Conciencia de los planos de la existencia, fuerzas ocultas con nuevas soluciones; equilibrio femenino y aprendizaje oculto; liderazgo potencial, pensamiento matriarcal.

Pídele ayuda a Gabriel en los misterios de las mujeres. Pídele a Uriel que revele el conocimiento oculto (él es Arcángel y Serafín). Shekinah guarda la llave de todos los secretos ocultos. Raziel es el fisgón divino y puede ayudarte a lograr descubrir las agendas ocultas que pueden estar afectando tu vida. Remiel es el ángel de la visión verdadera, pero su asistencia exige que tu intención sea honesta. Los ángeles de Vesta representan las aspiraciones femeninas hacia senderos o metas particulares. Los ángeles de Pallas se enfocan en la energía femenina involucrada con la intuición, destellos de genialidad, percepciones agudas y la formulación de pensamientos nuevos y originales. Los Tronos están interesados en el conocimiento divino y la transmisión de este conocimiento a la humanidad. Ariel es el guardián de las visiones, sueños y profecías. Aunque Ariel fue registrado primero como hombre, muchos creyentes de ángeles actualmente asocian a Ariel con la divinidad femenina. Los ángeles de Neptuno le van a dar al consultante experiencias místicas, clarividencia e inspiración. Quizás quieras usar la oración de Gabriel:

Dios te salve Señora, llena eres de gracia — Dios está contigo. Bendita seas entre las mujeres y bendito sea el fruto de tu vientre, el Consorte y el Hijo. Santa Diosa, Madre de la Tierra, trabaja tus misterios para tus hijos, ahora y en la hora de nuestras necesidades. Que así sea.

La Emperatriz: Seguridad económica y emocional; amor maternal o femenino; buena fortuna o felicidad; pareja femenina; embarazo; el matriarcado de una familia.

Pídele asistencia a la Reina de los Ángeles en asuntos de fertilidad o manifestación para tu bien o el de otros. Los ángeles sustentadores de Ceres, están más interesados en el principio incondicional del amor y los ángeles de la Gran Madre también están asociados con la Emperatriz. Los ángeles de Venus están involucrados con los asuntos del corazón y la belleza. Los ángeles de Venus son Anael, Hasdiel, Eurabatres, Rafael, Hagiel y Noguel. Como la Emperatriz puede representar también la fertilidad, cualquier súplica a Gabriel con respecto a esta condición podría ser una buena idea. Gabriel es la guardiana de la energía de la Diosa en la Tierra y la protectora del parto y el embarazo.

El Emperador: Razón sobre la emoción; sistemas de gobierno, políticas; mando y autoridad; pensamiento patriarcal; necesidad de ser famoso; el patriarca de una familia.

Miguel, jefe entre las Virtudes, jefe de los Arcángeles, un Serafín y el guardián de esas organizaciones o grupos en necesidad de estructura, siempre va a ayudar a alguien que tiene preguntas de negocios, orden y estructura. Los ángeles de los Principados (guardianes de grupos grandes), Dominaciones (líderes divinos) y los Tronos de la Tierra se pueden ver en la carta del Emperador. Los Querubines también funcionan bajo las energías de la carta del Emperador, ya que están disponibles cuando estés buscando protección, sabiduría y conocimiento divinos para traer el orden en el caos. Los ángeles de Virgo son excelentes representaciones de la carta del Emperador. Los ángeles de Virgo son Voil, Voel, Hamaliel, Iadra y Schaltielo. Estos ángeles están interesados en la perfección de una cosa, pensamiento, acción, deber o persona. Los ángeles del Sol (Arithiel, Galgaliel, Gazardia, Korshid-Metatrón, Miguel, Och, Rafael, Uriel y Zerachiel) van a ayudar al consultante en sus mayores ambiciones. Estos ángeles están asociados con figuras de autoridad, favores, avance, salud y promoción. Los ángeles de Capricornio están involucrados con la banca, el seguro y el gobierno.

El Sacerdote: Conformidad y tradición; ir con la corriente porque todos los demás lo hacen; trato con la fachada; karma; matrimonio o una ceremonia de algún tipo; pompa y gloria.

Metatrón encaja perfectamente aquí. Metatrón es un superángel, un príncipe divino y todo tipo de cosas buenas y espléndidas. Él es creador y guardián de los registros Akáshicos. Él guarda todos los secretos y sigue los acontecimientos de todo lo que están haciendo los humanos. En verdad, ninguna carta representa mejor a Metatrón que el Sacerdote. Los ángeles de Neptuno van a proporcionar seriedad, humildad, sinceridad y sabiduría.

Los Enamorados: La elección entre dos opuestos; una decisión que afectará a varias personas; segunda visión; amor contra viabilidad; posibilidad de un nuevo amor; pasión.

Busca a los ángeles de Venus para cuestiones del corazón, como noviazgo, citas, afecto, alianzas y armonía. Ellos adoran la cooperación y el amor romántico, además del matrimonio y las sociedades de todo tipo. Los ángeles de

Mercurio (Tiriel, Rafael, Hadiel, Miguel, Barkiel, Zadkiel y el Bene Serafín) van a asistir en asuntos de comunicación entre los enamorados. Si necesitas tomar una decisión, pregúntale a tu ángel guardián cuál será tu mejor movimiento. Los ángeles de la Luna traen mensajes, reconciliación y amor. Los ángeles de Juno te van a ayudar si estás experimentando problemas maritales. Ellos están involucrados en la armonía y la felicidad en las relaciones.

El Carro: Equilibrio a través del movimiento; traer bajo control dos puntos opuestos; movimiento vehicular; compra o venta de un coche.

Los ángeles de la Luna vigilan los viajes y los desplazamientos, igual que los Querubines (los guardianes de la luz y las estrellas). Las Virtudes son los espíritus del movimiento, trabajan y guían las energías elementales que afectan nuestro planeta. Los ángeles de Sagitario gobiernan los viajes largos.

Justicia: Legalidades, contratos, acuerdos; lo que siembres cosecharás; piensa antes de actuar; la Diosa va a equilibrar la situación.

El interés principal de los ángeles de Juno es el equilibrio de poder y nuestra libertad individual. Los ángeles exterminadores (Miguel, Gabriel y Uriel) son excelentes para obtener la justicia para quienes la merecen. Los Poderes son ángeles guerreros que pueden ayudarte en tu momento de necesidad. Puedes invocar a los Principados en momentos de discriminación, destrucción de animales o de gente, regencia inadecuada o traer la fuerza para hacer las reformas necesarias. Los ángeles de la Luna Negra tratan con adicciones, cambio, divorcio, enemigos, justicia, obstáculos, peleas, eliminación, separación, criminales y sus acciones, y muerte por medios injustos. Los ángeles de la Luna Creciente también tratan con el divorcio. Los ángeles de la Luna Declinante asisten en la eliminación del estrés y las emociones negativas en general y puede ayudar en un caso de divorcio. Los ángeles de la Luna Llena van a asistir en asuntos legales generales. Los ángeles de Saturno se encargan de las deudas y tratan con abogados, asuntos de dinero, bienes raíces, relaciones con gente anciana y cualquier cosa que implique a la familia y las finanzas (como legados y herencias). Los ángeles de Libra son atraídos a los incidentes legales, el consejo de otros o cuando la cooperación e interacción son necesarias entre las personas. Ellos irradiarán la luz sobre tus enemigos. Los ángeles de Saturno son Orifiel, Kafziel, Miguel, Maion, Mael, Zaphiel, Schebtaiel y Zapkiel. Los ángeles de Escorpión son excelentes cuando se trabaja en casos criminales que involucren homicidio o una muerte sin resolver; los ángeles de Virgo buscarán claves minuciosas. Por último, no olvides los Poderes, que son ángeles guerreros.

El Ermitaño: Introspección e iluminación espiritual; planeación y evaluación del siguiente movimiento; búsqueda de una inteligencia superior; se conoce a un maestro físico.

Los ángeles de Neptuno son lo que mejor representan al Ermitaño. Ellos son los que cuidan a los oprimidos y a los inadaptados de la sociedad. Les gusta la gente que es visionaria o están involucrados con el misticismo, la conciencia psíquica y la compasión. Los ángeles de Neptuno te van a dar los dones de la clarividencia, inspiración, genialidad, devoción, experiencias místicas y reverencia. Los ángeles de Libra están involucrados con la orientación.

La Rueda: Rotación de cualquier situación o suceso de la vida; movimiento regulado por la marea; cambio estable y uniforme de sucesos; movilidad ascendente.

Los ángeles de Júpiter (Zachariel, Zadkiel, Sachiel, Adabiel, Barchiel y Zadykiel) están más interesados en la prosperidad, incluyendo la superación personal y el bienestar de otros. Los ángeles de Júpiter gobiernan la acumulación de bienes materiales, poder y posición social y fortalecen tu optimismo, atrayendo hacia ti sucesos gozosos y ayudándote a desarrollar tus aspiraciones. Los ángeles de Tauro, tranquilos y estables, supervisan el ingreso y los bienes. Estos ángeles son Tual, Asmodel, Bagdal y Araziel.

Fuerza: Victoria sobre la dificultad; fin triunfante de un suceso pesado; fuerza espiritual; acción mental aguda e incisiva.

Miguel, el ángel de la fuerza y la victoria, aplica en esta carta. Los Poderes son ángeles guerreros que van a asistirte cuando estés en problemas o cuando sientas que necesitas fuerza adicional para tratar un problema. Si estás buscando fuerza emocional, invoca a Gabriel (ver la invocación en la página 54). Los ángeles de Urano dan el don de la fuerza e inventiva. Los ángeles de Marte (Uriel, Sammael, Gabriel y Chamael) dan independencia, fuerza, valor, energía, determinación, confianza en sí mismo, audacia donde se necesita, y devoción. Los ángeles de Marte son ángeles de la victoria.

El Colgado: Pensamientos, ideas o proyectos suspendidos; estar entre la espada y la pared; prepararse para moverse en una dirección definitiva.

Los ángeles de Quirón son los que representan mejor al Colgado. Estos ángeles guardan la llave del universo y se piensa que son el aspecto masculino del sacerdote herido o el sanador herido. Los ángeles de Quirón pueden abrir cualquier puerta, mover cualquier bloqueo, sacarte de la suspensión y dejarte que llegues debajo del árbol de la vida y captes el conocimiento que necesitas en las raíces.

La Muerte: Cambio imprevisto radical; lo viejo se desbarata para preparar lo nuevo; ilusiones que se van instantáneamente; un nuevo sendero en la vida.

Azrael, el ángel de la muerte, trae el cambio a la vida del consultante. Los ángeles de Saturno también instituyen el cambio y están involucrados con la autoridad, las lecciones kármicas, los límites y la resistencia. Los ángeles de Urano están implicados con los medios de comunicación masivos y la comunicación con los muertos. Los ángeles de Escorpión son extraordinariamente místicos y tratan con la muerte, el renacimiento y el karma.

La Templanza: Habilidad para adaptarse a nuevas circunstancias; acción como resultado del ser superior o de información guiada; amor maduro; control a través de la sabiduría; el arte de mezclar y combinar.

Esta es la carta del ángel guardián. Si esta carta se encuentra invertida, el consultante debe recordar hablarle a su ángel guardián; un mensaje está en espera. Los ángeles de Neptuno dan paciencia, resistencia, humildad, sinceridad y seriedad. Los ángeles de Mercurio también encajan aquí, trayendo adaptabilidad, actividad mental, inteligencia, elocuencia, destreza y conciencia. Los ángeles de Mercurio son Tiriel, Rafael, Hasdiel, Miguel, Barkiel, Zadkiel y el Bene Serafín. Los ángeles de Acuario tratan con las amistades, esperanzas, deseos y la brillantez de nuestra misión. Los ángeles de Piscis están más interesados en la sanación y las energías de fuerza y poder invisibles. La Templanza se puede considerar como la carta del sanador. Creo que aquellos que se ven atraídos por las artes curativas y los auspicios de los ángeles de Piscis con frecuencia tienen esta carta derecha. Las Virtudes también se pueden asociar con la Templanza, ya que se conocen como "los ángeles milagrosos." Rafael, el sanador, también encaja convenientemente aquí.

El Diablo: Atascado por el pensamiento, la palabra o la obra; lujuria desenfrenada o intensa pasión; una persona carismática pero indigna de confianza; flaquezas humanas; adicción a las drogas o al alcohol; violencia; obsesión.

Los ángeles de Ceres, los ángeles sustentadores, van a ayudar en la orientación a las amistades y en la adivinación con el único propósito de ayudar a los demás. Estos ángeles encuentran y sanan a las mascotas y los niños perdidos. Los ángeles de Neptuno van a ayudar en asuntos de confinamiento, abandono, adicción o intolerancia física a las drogas y otras sustancias.

La Torre: Ruptura rápida de una situación; ver las cosas como realmente son; contrariedades o repercusiones inesperadas; peligro; destino.

Cambio revolucionario que se puede atribuir a los ángeles de Urano. Ellos te van a ayudar a entender el cambio imprevisto que puede parecer oscuro y triste en la superficie, pero en realidad es para mejorar. Para mí, la Torre representa situaciones que nos golpean desde el exterior y dificultades que no provocamos, pero que de todos modos estamos manejando. Pídele ayuda a los ángeles de Urano para tratar este tipo de cambio de sucesos inesperado.

La Estrella: Fe, confianza y esperanza: influencias positivas; la habilidad de cortar a través de la ilusión; vida nueva con elecciones más amplias; buena fortuna del destino.

Esta carta se vincula mejor con los Querubines, que funcionan como guardianes de la luz y las estrellas. Ellos también crean y canalizan la energía positiva de la divinidad a los humanos. Se conoce como "los que interceden". Los Querubines vigilan las galaxias, cuidan cualquier templo religioso y funcionan como guardianes personales que blanden la espada para ayudarte a lograr tu destino.

La Luna: sueños, intuición, búsqueda de visión, imaginación, progreso psíquico, circunstancias con carga emocional, sentirse atraído a dos direcciones opuestas; trabajo mágico; posibilidad de una decepción.

Gabriel y los ángeles de la Luna son los que representan mejor las energías de esta carta. Los ángeles de la Luna se concentran en nuestras emociones o en las emociones de los demás. Los ángeles de Cáncer gobiernan la intuición y la sensibilidad y también desvían la energía negativa, protegiendo los secretos familiares y dando seguridad. Los ángeles de la Luna incluyen a Cael, Manuel, Muriel, Rahdar, y Phakiel.

El Sol: Gozo y felicidad, recompensas merecidas; celebraciones familiares; entorno nuevo y creativo; buenas noticias en camino.

Por supuesto, los ángeles del Sol están relacionados con esta carta. Miguel y Metatrón, que representan las personalidades brillantes y el éxito, también son importantes aquí. Los ángeles de Leo (Verchiel, Sagham y Seratiel) son llamativos, optimistas, entusiastas y leales. Las Virtudes le tienen cariño a los que intentan llegar más allá de sus capacidades para lograr más de lo que todos dicen que pueden. Los ángeles del Sol tratan con el poder de la voluntad, la autoridad y el reconocimiento. Los asuntos de interés para ellos son el avance, la salud, la diversión, los placeres, la lealtad y la generosidad.

El Juicio: Un proyecto o una situación está próxima a completarse; todavía se tiene que tomar la decisión final; despertar al final de un largo proceso; el final puede no ser lo que se espera; el pasado regresa para espantarte; eres demasiado crítico contigo mismo.

Después de muchas consideraciones, emparejé la carta del Juicio con los Arcángeles (Miguel, Rafael, Uriel y Gabriel). Cuando esta carta sale, para bien o para mal, es el momento de tomar una decisión — aunque esto puede no ser tan rápido como quisieras. Esta carta, para mí, es la carta del "ángel del papeleo". Todavía no ha terminado todo. Los Tronos representan también el Juicio. Los Tronos crean, reúnen y canalizan las energías positivas que entran y salen tratando con la justicia y el juicio. Son "los que tienen muchos ojos" y van a enviar energía de sanación a cualquier víctima. Los Tronos toman gran interés en lo que están haciendo los humanos, aunque puede ser que canalicen sus energías a través de tu ángel guardián.

El Mundo: Fin del ciclo en una situación, se cosechan las recompensas justas y se viaja hacia delante y hacia arriba; la situación se desarrolló por sí sola; no quedan cabos sueltos; conclusiones satisfactorias; posibilidad de explorar nuevos caminos.

Para mí, Shekinah es la que mejor representa la carta del Mundo. Shekinah se conoce como la gloria que emana de la divinidad y Ella representa la liberación, por lo tanto esta es Su carta. Ella es el Espíritu Santo, uniendo dos mitades (o mucha líneas de pensamiento o de trabajo). Su mensaje es el de maduración.

Significado de los números combinables

Entre más números combinables tengas (por ej. cuatro reyes, tres ases, etc.) más rápido será el resultado de la situación. Estas combinaciones también tienen sus propias interpretaciones.

As

4 Fuerzas de rápido movimiento trabajando; no estés en ángulo muerto.
3 El éxito se garantiza a un ritmo rápido.
2 El cambio está en marcha, como un empleo o casa.

Dos

4 Reorganización rápida y probable sacudida.
3 Conversaciones (incluyendo chismes) dan rápidas conclusiones.
2 Busca una agenda oculta en la sociedad.

Tres

4 Final fuerte y excelentes recompensas.
3 Una mentira está cerca (busca a la Luna; signo revelador).
2 Dos metas que se mueven en direcciones opuestas o te pueden llegar dos direcciones diferentes al mismo tiempo.

Cuatro

4 Una base fuerte se ha construido rápidamente. ¿Hay alguna grieta?
3 Celos probables en asuntos de estado.
2 Reorganización de bienes.

Cinco

4 Una confrontación golpeará rápido y te dejará girando o corriendo para encubrirte.
3 Busca un triángulo amoroso.
2 Busca un engaño.

Seis

4 Un ajuste de actitud llegará a la casa.
3 Busca una nueva oportunidad oculta en un viejo asunto.

Siete

4 La tristeza llega rápido; manténte y fluye con ella.
3 Cierra tus puertas y ventanas — un gran robo está en marcha.

Ocho

4 Comunicación rápida en asuntos importantes.
3 Empaca tus maletas, vas rumbo a un viaje.

Nueve

4 El final se aproxima rápidamente; espero que estés listo.
3 Otra persona puede ayudarte a provocar una conclusión acelerada del asunto.

Diez

4 Algo se va a comprar o a vender rápidamente; recuerda leer la letra pequeña.
3 Definitivamente un legado con este asunto.

Paje

4 Nuevas ideas llegarán rápido; quédate para el impulso creativo.

Caballo

4 Acción veloz en el asunto. Ten cuidado con lo que deseas. Puede indicar un cambio de casa, cambio de trabajo y cambio de relaciones.

Significado de los números en las cartas

El número en la carta no sólo puede indicar un período de tiempo (como dos días, dos semanas, o dos meses para una carta con el número dos), también puede decirte algo sobre el progreso de la situación.

Uno: El inicio.

Dos: La dirección o primer punto de encuentro.

Tres: Aquí es donde crecen los detalles y la idea se solidifica.

Cuatro: Aquí es donde las raíces se apuntan para construir.

Cinco: Primer reto o falla técnica de la situación.

Seis: Aquí es donde cambia el asunto y crece para continuar.

Siete: Ahora se agrega variedad para expandir la idea o el proyecto.

Ocho: Este es el período de evaluación.

Nueve: Acercándose a la terminación.

Diez: Terminación del ciclo, proyecto o asunto.

Paje: Ritos de paso.

Caballo: Movimiento y dirección.

Tiradas angélicas de cartas

Los lectores siempre andan buscando formas nuevas para obtener información a través de sus cartas de Tarot. He aquí algunas tiradas angélicas que puedes querer intentar.

Reglas generales

Siéntate tranquilamente, toma unas respiraciones profundas; arraiga y centra. Relájate.

Invoca a tu ángel guardián y pídele que te ayude con la lectura.

Invita a los ángeles de la profecía a tu vida y pídeles su ayuda.

Revuelve las cartas y considera tu pregunta.

Cuando estés listo, dispón las cartas en el patrón que hayas elegido. Puedes ponerlas boca arriba o elige ponerlas boca abajo, volteándolas conforme las leas.

Tirada del Arcángel

La disposición más sencilla es la de los Arcángeles. Principalmente ésta es una tirada de mensaje, aunque se puede utilizar para adivinación si se desea. Básicamente, cada carta en el patrón representa un mensaje del ángel que representa en particular.

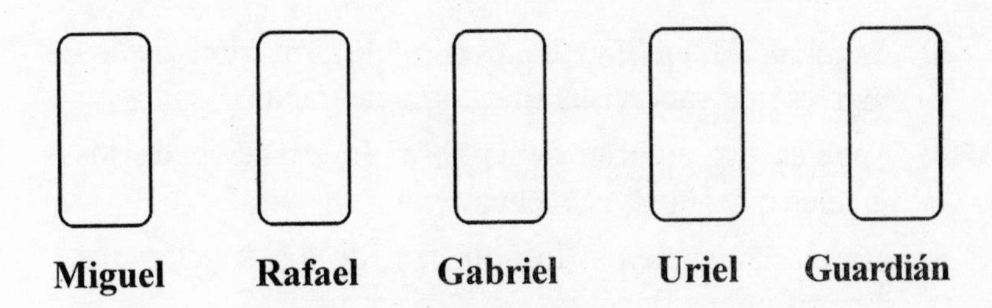

Miguel: Cuestiones de inteligencia, movimiento y protección. Asuntos de la mente.

Rafael: Cuestiones de inspiración, pasión, sanación y creatividad. Asuntos del espíritu.

Gabriel: Cuestiones de transformación, otros planos y amor. Asuntos del corazón.

Uriel: Cuestiones de estabilidad, herencia ancestral y profecía. Asuntos del físico.

Guardián: Un mensaje de tu ángel guardián.

Tirada de la energía angélica

Igual que la tirada del Arcángel, esta es para una información que ayude a elevar tu conciencia:

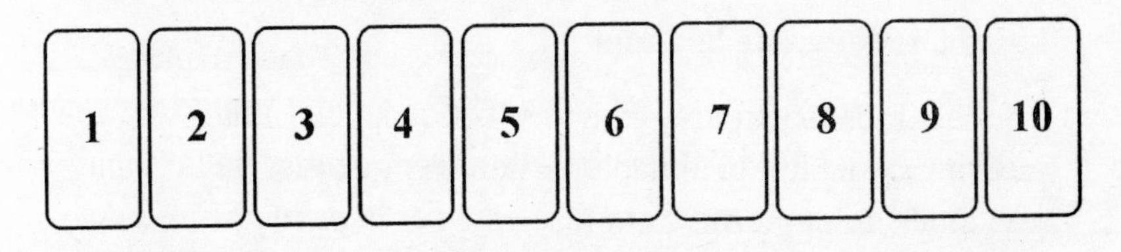

1. Mensaje del Guardián: Información de tu ángel guardián. Con frecuencia esta es la cuestión más importante para ti, por el momento.
2. Ángeles de las relaciones: Información de los ángeles que te enlazan con otras personas.

3. Ángeles del entorno de trabajo: Información de los ángeles que supervisan tu entorno de trabajo.
4. Ángeles del entorno de la casa: Información de los ángeles que supervisan el entorno de tu casa.
5. Ángeles financieros: Información de los ángeles que supervisan tus finanzas.
6. Ángeles de la salud: Información de los ángeles que supervisan tu salud.
7. Ángeles de la transformación: Información o cambios necesarios en tu vida o cambios que has implementado recientemente.
8. Ángeles de los patrones: Información de los ángeles sobre patrones que necesitas realzar o romper en tu vida.
9. Ángeles de sintonización: Información en áreas de tu vida que pueden estar dislocadas y necesitan un impulso hacia la armonía.
10. Ángeles de los secretos ocultos: Información que puede estar oculta para ti, sobre ti mismo o circunstancias a tu alrededor.

Tirada angélica de la Luna

Esta tirada se mueve con las fases de la Luna. Vas a necesitar consultar tu almanaque para ver qué fase de la Luna hay, antes de empezar. Esta fase va a ser la primera serie de dos cartas. En cada serie de cartas, la carta de la izquierda indica las circunstancias durante esa fase; la carta de la derecha indica dónde se necesita trabajar. La tercera carta debajo de cada fase indica el resultado en este momento. La última carta (en medio) muestra el panorama general del mes siguiente. (Ver la disposición en la siguiente página).

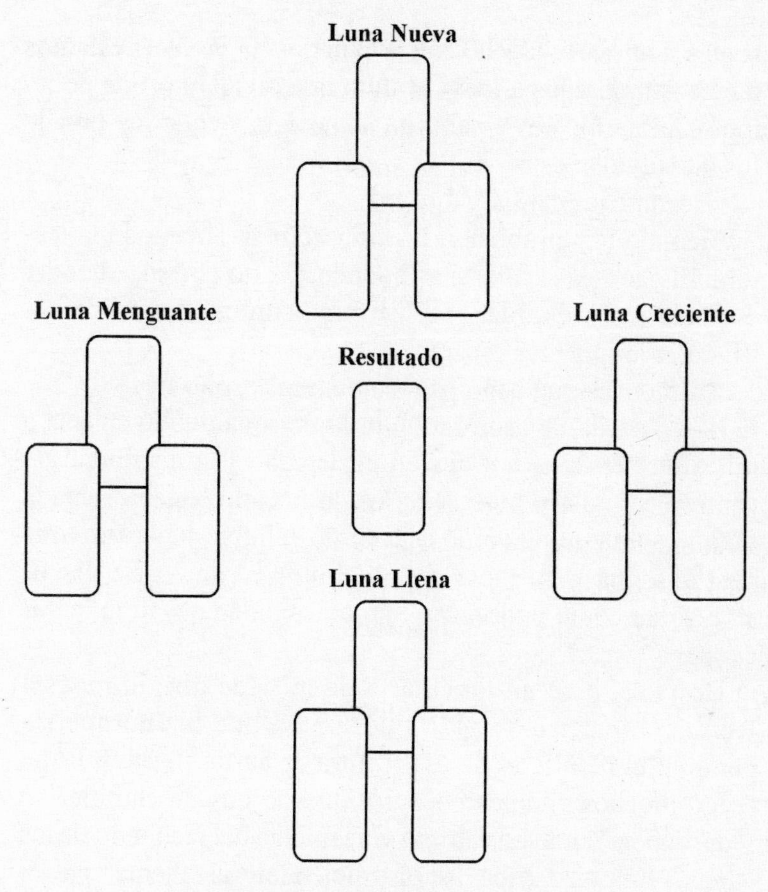

Tirada angélica de la Luna

Recuerda que cuando se trata el futuro, las herramientas de adivinación te muestran sólo lo que es más probable que suceda, si te mantienes en el rumbo actual. Esto es un recordatorio para los que somos adivinos veteranos, además de los que están aprendiendo una herramienta, o las personas que buscan la asistencia de un adivino.

Ese punto me llevó a casa la otra noche. Una vez que eres un perro viejo para manejar una herramienta de adivinación, sueles sentirte satisfecho con la experiencia. A veces estamos tan acostumbrados a leer el futuro que olvidamos que podemos cambiarlo. Voy a subir mi mano aquí ya que soy uno de los que olvidan esto.

"Échame las cartas", dijo Ina.

Bien, no hay problema. La comprometí. Hice toda la lectura. Ella movía la cabeza asintiendo, sí esto está sucediendo, eso se dijo —bla, bla, bla. Terminé con un dicho florido, "Esto es lo que más esperas".

"¿Entonces qué hago para cambiarlo?", dijo Ina.

La vi, muda de asombro. Yo, la persona que le enseña a miles de personas que tienen el derecho y la habilidad de cambiar su vida y mostrarles cómo hacerlo, estaba sentada viendo a un cliente como este como si hubiera perdido mis sentidos. Ina y yo luego nos metimos en una seria discusión sobre cómo podría cambiar el resultado negativo de las cartas.

Después, hice un inventario de mi vida dirigido a esta lectura en particular. ¿Por qué supuse que Ina no querría cambiar el resultado de esa lectura de cartas? ¿Era porque tengo muchos clientes de Tarot que no desean cambiar su vida, dependiendo en cambio únicamente del resultado de las cartas? Empiezo cada lectura diciéndole al cliente que el resultado de las cartas se puede cambiar, si se desea. ¿Por qué había dejado de escuchar mis propias palabras?

Porque me quedé atrapada en el plano material, es por eso. Vi a mí alrededor. Había sido un invierno duro. Durante esos meses mi esposo y yo economizamos cada centavo juntos para enfrentar las necesidades de nuestra familia. El plano material se cerró, sustituyendo las necesidades espirituales con las físicas. Mi vida estaba arruinada y lo sabía.

Manden a los ángeles. Primero hice un llamado mental de ayuda, pidiéndole a mi ángel guardián que me asistiera para elevar mis visiones espirituales. Pedí alivio de las preocupaciones del plano físico y ayuda para la imagen completa. Por último, pensé con más seriedad sobre lo que sentía que era más importante para mí por el momento y por qué. De ahí me dirigí a la acción, cambiando varios patrones en mi vida para aliviar el estrés físico.

Estas revisiones de la realidad nos llegan a todos en varios puntos de nuestra vida. Nadie está por encima de ellos. Usualmente señalan un punto de crecimiento inminente. En vez de permitir que nos hundamos en una existencia refunfuñona, o peor, en una desesperación total, lo único que necesitamos hacer es pedirle a nuestros ángeles que nos den una mano de ayuda.

Si los llamas, ellos van a venir.

17

Combatiendo el caos usando a los ángeles

Hasta ahora hemos cubierto mucho material. Si has seguido los ejercicios, las meditaciones y las magias sencillas, has adquirido una buena probada de magia angélica. Este es el momento de reunir todo y hundir tus dientes mágicos en cuestiones más grandes de la vida.

Antes de que sigas adelante en este capítulo, revisa tu diario angélico o las notas que hayas guardado de tus aventuras con los ángeles. ¿Tu vida ha tenido algún cambio desde que tomaste por primera vez este libro y buscaste activamente a los ángeles en tu vida? ¿Te sientes mejor sobre ti mismo? ¿Estás trabajando hacia la resolución de las cuestiones más grandes en tu vida con las que quizás no quisiste tratar previamente? Si respondiste que no a casi todas estas preguntas, te sugiero que regreses por los capítulos para conocer a tu ángel guardián, los ángeles y el ritual y el altar angélico. ¿Te saltaste alguno porque estabas apurado? Si lo hiciste, quizás quieras volver a trabajar esas secciones antes de que intentes esta.

Antes de empezar esta sección, le pregunté a una amiga que trabaja en una línea telefónica psíquica, para qué llama y qué tipo de preguntas hace la gente con más frecuencia. Me imagino que si alguien está dispuesto a soltar de $3.99 a $4.99 por minuto, las preguntas deben ser bastante importantes para ellos. Las preguntas más populares son sobre los siguientes tópicos:

Relaciones amorosas: Esto implica todo, desde estar solo y buscar una relación hasta el deterioro y la disolución de una relación y todas las cuestiones que rodean este tipo de experiencia humana dolorosa. Esto también incluye esas relaciones que definitivamente desaparecieron, pero una persona sigue aferrada a ella con esperanzas y sueños de que la pareja perdida lo pensará y regresará.

Cuestiones de salud: Desde cirugías menores a sucesos mayores que amenazan la vida.

Cuestiones de dinero: Desde la pobreza hasta la búsqueda de empleo y en dificultades con el trabajo, cambio de carrera y esperanzas para el futuro.

Cuestiones familiares: Relaciones con los niños, niños adoptivos, padres, hermanos y familia política que afecta a la persona.

Casi todas las llamadas se centran en cuestiones personales; de vez en cuando se preocupan por un amigo o familiar. En estas cuestiones nos vamos a centrar primero, luego cambiaremos a las más grandes, como trabajo por la ciudad donde vives, tu estado o provincia o tu país. De ahí puedes lanzarte a cuestiones globales que ves a través de los medios de comunicación.

Decidí que debo darte, lector, un proyecto con el cual trabajar aquí, para traer la felicidad hacia ti cuando sientas la necesidad de ello. Tenía que ser algo tangible, un asunto al que le pudieras poner tus garras cuando quisieras y algo que representara tu fe en los ángeles además del poder que guardas en tu interior.

Hmmmm. Qué hago.

Ver una pantalla de computadora en blanco no iba a ser nada bueno para mí (o para ti), así que decidí vagar un rato para hacer algunos encargos y almorzar. Era eso o un fregadero lleno de trastes. Muchas gracias, pero opté por el aire fresco.

En el banco me paré tranquilamente, cambiando de un pie a otro. Frente a mí estaba un oficial de policía en uniforme. Había alrededor de él, GRANDES ángeles. Cerré mis ojos apretándolos y entreabrí uno para ver. Los GRANDES ángeles seguían ahí. En la siguiente ventanilla estaba un hombre alto aproximadamente de cincuenta años con una niñita. Ella tiene cuatro. Eso dijo ella, tú sabes. Mi ángel guardián me dijo que se van de viaje. Vi colinas ondulantes y un ambiente agradable. El señor le dijo a la cajera: "Estamos por salir a West Virginia de fin de semana".

"Qué bien", dijo ella.

Pensé que todo esto era muy extraño.

Frente a mí estaba un hombre como de setenta años. Había perdido un hijo y una hija en alguna época de su vida. Mi ángel guardián me dijo que el niño andaba cerca. En este punto, no tuve las agallas de abrir mi boca para decirle algo a él. Cuando salía del banco pasé cerca de una señora alrededor de los sesenta. "Problemas del corazón", dijo mi ángel guardián. Seguí caminando.

Había una señora en la banca del parque que vestía un traje azul. El cielo era azul claro y el sol bailaba sobre su sombrero blanco primaveral. La señora se sonrió. Rayos de luz pasaron por algo que ella tenía en su mano. Miré detenidamente para descubrir que era un rosario. Me di la vuelta un momento para ver el vuelo de un pájaro, volví a voltear. No estaba la señora.

Pero supe qué hacer.

El rosario angélico

El rosario completo representa los cinco misterios. Desde que hice el rosario angélico, mucha gente lo ha usado con gran éxito. Es la afirmación de un propósito, una herramienta de meditación, un ancla cuando las cosas son difíciles, un deleite cuando todo está bien, una ayuda cuando se trabaja la elaboración de un hechizo, un vehículo para arraigar y centrar —y así podría seguir indefinidamente.

Materiales:

Una cinta de cuero o piel sin curtir

54 cuentas pequeñas

5 cuentas grandes

1 símbolo de la Diosa

1 pentáculo o una medalla milagrosa (o ambos)

Haz un nudo entre cada cuenta, pero cerciórate que haya suficiente espacio para que cada cuenta pueda girar. Podrías usar cuentas más pequeñas entre cada cuenta si no quieres hacer los nudos. (Usa el diagrama de la siguiente página como una guía.)

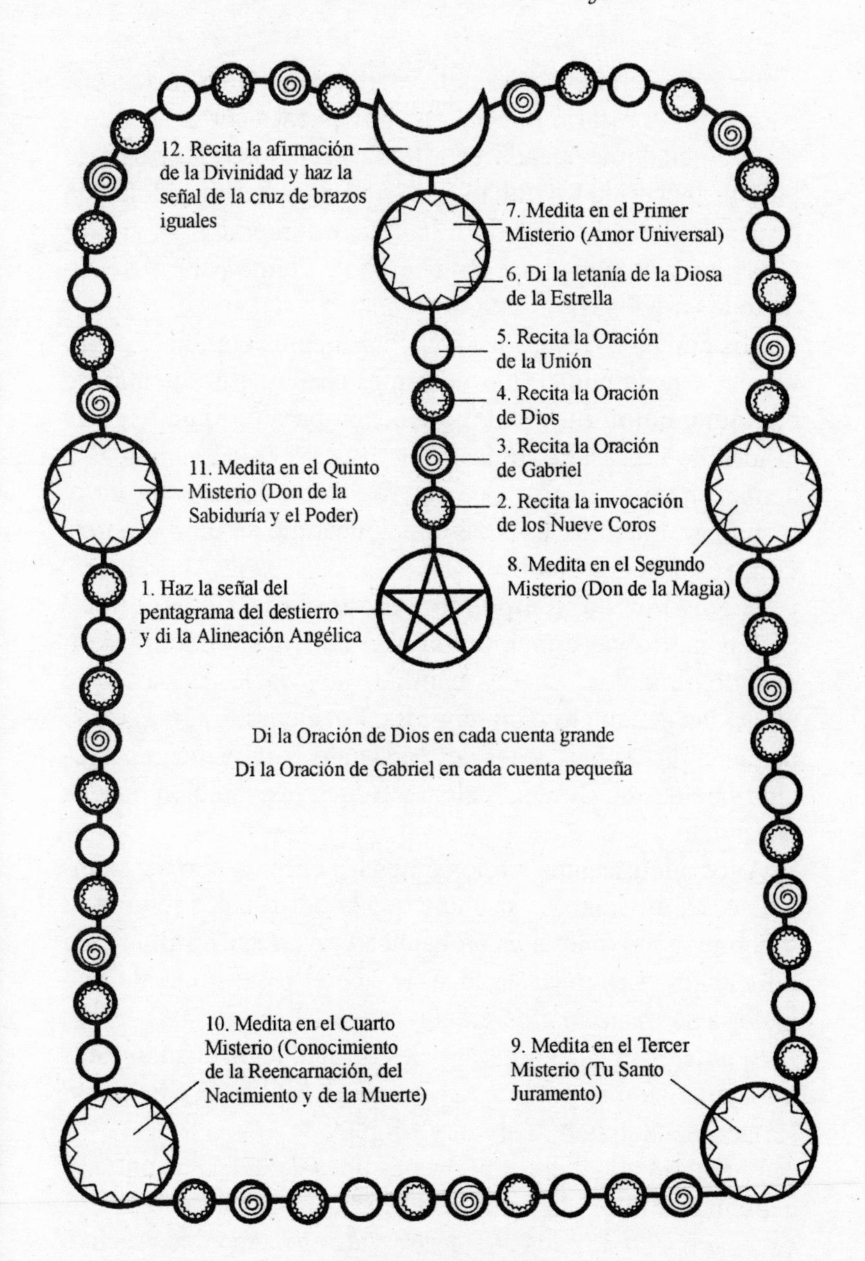

El rosario angélico

No te preocupes si no quieres dártelas de artista. Lo diseñé basado en el rosario normal, así que puedes comprar un rosario en cualquier tienda de artículos religiosos y arreglarlo para tus necesidades quitándole la cruz y sustituyéndola con el pentáculo (o la medalla milagrosa). Sin embargo, si eres Cristiano y como la cruz es un símbolo divino para ti, déjalo de todos modos como está.

Mis amigas Wiccans usan cuentas negras porque el negro repele la negatividad. No obstante, puedes usar cuentas de cualquier color que sientas adecuado para ti. Si no te gusta la idea de un rosario, quizás sólo quieras colocar cuentas o gemas en un recipiente decorativo y tocas las cuentas en el recipiente mientras usas las oraciones que se dieron antes. Otra vez, es tu elección.

¿Toma mucho tiempo memorizar el rosario angélico? Sí, así es. Lo vas a memorizar rápidamente si trabajas con él todos los días. Puedes cambiar las oraciones para que coincidan con tu elección religiosa. Por ejemplo, agregué una pequeña piedra lisa, antes del pentáculo porque me gusta recitar poemas de Doreen Valente. Si quieres, también puedes hacer esto.

A los adolescentes y a los niños les encanta el rosario angélico, en especial si vas a una tienda de artículos religiosos y compras los que ya están hechos con cuentas brillantes o relucientes. Les gusta la idea de que el rosario cuenta una historia de misterio y de magia.

Si quieres invocar a los ángeles de la oración cuando estés trabajando con tu rosario, son Akatriel, Metatrón, Shekinah, Rafael, Sandalphón, Gabriel y Miguel.

El rosario angélico es tu primer línea de defensa contra el caos indeseable. ¿Por qué uso la palabra "indeseable"? A veces un poco de caos en nuestra vida es bueno. Nos sacude un poco; nos hace pensar y (con suerte) movernos.

Para decir el rosario

Empieza haciendo un pentagrama del destierro en el pentáculo (o medalla) y diciendo la **Alineación Angélica:**

Yo me alineo con la armonía universal.
Yo me alineo con la Diosa.
Yo estoy alineada con el Dios.
Yo estoy alineada con mi ángel guardián.
Que así sea.

En la primera cuenta, recita la **Invocación de los Nueve Coros:**

Brillante Serafín yo te invoco
Haz que circule el amor hacia mí.
Poderoso Querubín vigila mi puerta
Quítame la tristeza y el odio.
Tronos manténganse firmes y sean estables
Manténganme estable en la tierra o el mar.
Invoco a las Dominaciones, verdadero liderazgo
Que yo sea justo en todo lo que hago.
Círculos de protección, forman los Poderes
Ayúdenme a capear cualquier tormenta
Milagrosas Virtudes revoloteen cerca
Energías elementales aquí las evoco
Principados traigan reforma global
Bendigan al mundo y a cada recién nacido.
Gloriosos Arcángeles muéstrenme el camino
Para traer paz y armonía todos los días.
Ángel Guardián, deleite de la Diosa
Dótame con tu luz de guía.

Di la **Oración de Gabriel** en la segunda cuenta:

Dios te Salve Señora, llena eres de gracia — Dios es contigo. Bendita eres entre las mujeres y bendito sea el fruto de tu vientre, el Consorte y el Hijo. Santa Diosa, Madre de la Tierra, trabaja tus misterios para tus hijos, ahora y en la hora de nuestra necesidad. Que así sea.

Di la **Oración de Dios** en la tercera cuenta:

Gloria al Consorte, al Hijo, al Sabio y a la Diosa. Como era en un principio, ahora y será siempre, el espíritu sin fin, magia con amor. Que así sea.

Di la **Oración de la Unión** en la cuarta cuenta:

Así como el bastón es de Dios
Así el cáliz es de la Diosa
Y juntos son uno.

Di la **Letanía de la Diosa de la Estrella** en la siguiente cuenta:

Escucha las palabras de la Diosa de la Estrella; ella está en el polvo de cuyos pies son las huestes del cielo y cuyo cuerpo rodea el universo. Yo, que soy la belleza de la verde tierra y la blanca Luna entre las estrellas y el misterio de las aguas y el deseo del corazón del hombre, llamo a tu alma. Levántate y ven a mí. Porque yo soy el alma de la naturaleza, que le da vida al universo. De mí, proceden todas las cosas y a mí, todas las cosas deben regresar; y ante mi rostro, amado de los Dioses y de los hombres, deja que tu ser divino más profundo sea envuelto en el arrobamiento del infinito. Permite que mi veneración esté dentro del corazón que se regocija; porque contempla todos los actos de amor y de placer en todos mis rituales. Y por lo tanto, deja que ahí haya belleza y fuerza, poder y compasión, honor y humildad, regocijo y reverencia en tu interior. Y tú que pensaste en buscarme, sabe que al buscar y anhelar no me encontrarás a menos que conozcas el misterio; si eso que buscaste y no encontraste dentro de ti, tú nunca lo encontrarás fuera de ti. Porque contempla, he estado contigo desde el principio y yo soy aquello que se logra al final del deseo.

El Primer Misterio

Ahora estás en el punto del primer misterio de los ángeles — el amor universal. Medita en volverte uno con las energías universales, abriendo tu corazón al amor divino. Toca con la medalla de la Diosa tu frente, luego sigue a las siguientes diez cuentas, recitando la Oración de Gabriel cada vez que pases cada cuenta. No olvides meditar en el misterio. Ve cómo brillan las cuentas cuando te vuelves uno con el concepto sagrado.

El Segundo Misterio

Este es el don de la magia en nuestra vida y la habilidad para cambiar nuestras circunstancias a través del libre albedrío —el misterio de la libertad. Empieza con la Oración de Dios en la cuenta grande, luego continúa con la Oración de Gabriel, pasando una cuenta mientras dices cada oración. No olvides meditar en el misterio. Ve las cuentas brillar mientras te unes con este concepto sagrado.

El Tercer Misterio

El tercer misterio es el misterio de tu juramento. Este es el conocimiento de y la habilidad de trabajar dentro de los ciclos del universo en servicio al planeta y a tus hermanos y hermanas. Empieza con la Oración de Dios en la cuenta grande; luego sigue con la Oración de Gabriel, pasando las cuentas sucesivas cuando dices cada oración. No olvides meditar en el misterio. Ve las cuentas brillar cuando te vuelvas uno con este concepto sagrado.

El Cuarto Misterio

El conocimiento de la reencarnación y el karma, el nacimiento y la muerte, la alegría y la tristeza nos enseña que cada acción que realizamos tiene una reacción igual y como vivir en los ciclos de las estaciones. Empieza con la Oración de Dios en la cuenta que está sola, luego sigue con la Oración de Gabriel, pasando las cuentas mientras dices cada oración. No olvides meditar en el misterio. Ve las cuentas brillar mientras te vuelves uno con este concepto sagrado.

El Quinto Misterio

Este es el regalo de sabiduría y poder para los niños ocultos de la Diosa. Este misterio nos enseña a ser humildes en nuestros deseos y a usar nuestros dones para el bien de todos, sin dañar a nadie. Inicia con la oración de Dios en la cuenta solitaria, después continúa con la oración de Gabriel, pasando las cuentas conforme dices cada oración. No olvides meditar en este misterio. Ve cómo brillan las cuentas cuando te vuelves uno con el concepto sagrado.

Ahora regresamos a la medalla de la Diosa y a la conclusión de nuestra secuencia de meditación. Termina con la **Afirmación de la Divinidad:**

Una gran señal aparece en los cielos.
Es la Diosa vestida de sol, con la luna bajo sus pies,
Y en su cabeza una corona con doce estrellas.

El Dios se para detrás de ella en su gloria
Con sus manos descansando sobre sus hombros
Y juntos son uno.
Que así sea.

Termina haciendo la señal de la cruz de brazos iguales.

Trayendo amor a tu vida con los ángeles

No hay nada peor que sentirse solo y sin amor. Cada vez que te embarguen estos sentimientos, no olvides que nunca estás solo — tu ángel guardián está siempre contigo y todos los ángeles en combinación con la divinidad te aman. Para atraer hacia ti el amor, intenta esta sencilla magia de siete días.

Día: Viernes (el día de Venus).

Hora angélica: Uriel.

Fase de la Luna: Nueva (no lo realices cuando la Luna esté fuera de curso).

Materiales: Dos velas afiladas rosas, una fotografía tuya, un corazón rojo cortado en cartulina.

Qué ángeles invocar: Hahaiah, que inspira pensamientos positivos y amorosos; Anael, que está a cargo del amor, pasión y romance; Hael, que inspira el arte, amabilidad, misericordia y belleza; Mihr, que te va a encontrar un amigo fiel (o a sanar una amistad interrumpida); o puedes preferir un canto de nombres angélicos: Rafael, Rahmiel, Theliel, Donquel, Anael, Liwet, Mihr.

Empieza trabajando en tu altar angélico. Limpia, consagra y faculta las velas rosas. En el reverso del corazón escribe tu deseo. No llames a una persona específica. Eso va en contra del libre albedrío y los ángeles no te van a ayudar. Mejor, llama pensamientos amorosos hacia ti (amistad, compañerismo, etc.). Por favor sé específico.

Arraiga y centra. En un ritual que diseñes, invoca a tu ángel guardián e invoca a la divinidad y al ángel que hayas elegido para ayudarte. Sé honesto y directo. Sé claro y opera sólo en armonía con el universo.

Pon las dos velas rosas a una distancia aproximada de treinta centímetros, con tu fotografía en el centro, entre las dos velas. Pon el corazón encima de tu foto. Enciende las velas y deja que se quemen por cinco minutos. Junta un poco las velas, luego apágalas.

Dale las gracias a la divinidad y a los ángeles por su ayuda.

La siguiente noche, a la misma hora, repite este procedimiento y cada noche de aquí en adelante hasta el séptimo día. El séptimo día, asegúrate de que los candelabros estén tocando la imagen y el corazón. Deja que las velas se quemen hasta que no quede nada. Toma el corazón y tu foto (manténlos juntos) y ponlos en un lugar seguro donde nadie los toque. Cuando te llegue lo que llamaste, asegúrate de que regresas a tu altar y le das las gracias a la divinidad y a los ángeles por tu buena fortuna. Puedes mantener el corazón y tu foto juntos todo el tiempo que quieras.

Deja que los ángeles te ayuden en la disolución de una sociedad

Las cosas no están yendo bien y te has hecho a la idea de que la relación que tienes es disfuncional o simplemente sólo eres infeliz. Quieres terminar, pero quieres hacerlo de una manera amigable.

Deja que los ángeles te ayuden. Primero, háblale del asunto a tu ángel guardián y pide la guía en todas las decisiones que tomas con respecto a la separación. Prepárate para dedicar energía y tiempo para atar todos los cabos sueltos. En otras palabras, en primer lugar tomó tiempo ensamblar la relación, así que es probable que te tome tiempo disolverla.

Día: Sábado.

Hora angélica: Cassiel.

Fase de la Luna: La Luna Negra (No lo hagas cuando la Luna esté fuera de curso).

Materiales: Dos velas negras (para repeler la negatividad); una fotografía tuya y de la persona de quien deseas separarte; una caja con espejos pegados en los lados, arriba y abajo, viendo hacia fuera.

Qué ángeles invocar: Mupiel, que adopta una filosofía tolerante de "vive y deja vivir"; Nemamiah, que pelea por las buenas causas; Rhamiel, que traerá empatía, amabilidad, misericordia, amor, protección y compasión (algunos creen que San Francisco y este ángel estaban intrínsecamente enlazados); Shekinah, el ángel/espíritu femenino Judío que cree en la libertad e inspira a los humanos a ser justos y equitativos.

Se necesita un poco de magia preparatoria cuando estás tratando con las magias de separación/destierro. Primero, quítate toda la joyería, hiérvela, ponla en hielo, luego regálala o guárdala. No uses ropa que sea de otra persona. Lava toda tu ropa que haya usado la otra persona con detergente normal mezclado con una pizca de albahaca facultada.

Este trabajo de separación/destierro es opuesto al ejercicio previo donde trajiste amor a tu vida. Donde juntaste las velas, ahora vas a separar las velas negras y las fotos, día tras día, durante siete días. El séptimo día, deja tu fotografía en el centro del altar y quita la fotografía de la otra persona. Pídele a tu ángel guardián que te envuelva con amor, paz y armonía.

Pon tu fotografía en la caja con espejos, pidiéndole a los ángeles que te protejan a través del proceso de separación. Cierra la caja y séllala con una cruz de brazos iguales. Deja que las velas se quemen por completo. Deja tu fotografía en la caja durante todo el proceso de separación y después, si sientes la necesidad.

Cuando se haya dado la separación amistosa, no dejes de darle las gracias a los ángeles por su amable y amorosa asistencia en el asunto. Recuerda, es tu responsabilidad tratar de mantener el proceso de separación en buenos términos, pero, ¿y si no sucede?

He descubierto que en las relaciones severamente disfuncionales, ha crecido tanta negatividad que a veces los ángeles envían poder adicional para cortar a la pareja abusiva de la que es victimizada. También vas a necesitar seguir el consejo mundano de tu abogado y otros que te están ayudando a calmar tu situación.

Si piensas que tu pareja es del tipo que acecha o sientes que vas a ser agobiado, amenazado o afectado negativamente de otra manera, puedes descubrir que necesitas tomar otras medidas.

Levanta una demanda, e investiga y usa las leyes de acecho en tu estado.

Ten el menor contacto posible con la persona abusiva. Esto significa ninguna llamada, ni visitas, ninguna oportunidad de encuentros, no hablarle a sus amistades, etc. Sé un cubo de hielo y frío. No te dejes engañar por llamadas dulces, flores, dulces o regalos de cualquier clase.

Cambia todas las cerraduras de tus puertas y aprende a proteger tu casa (de todos modos no te hará daño). Consigue un perro, compra un sistema de alarma, etc.

Escribe cada detalle cuando él o ella intente ponerse en contacto contigo. Usa cámaras de vídeo con micrófono, grabadoras, investigadores privados y otros testigos. Estas cosas te van a ayudar a ser convincente en la corte, si este paso fuera necesario.

No muestres temor cerca de la persona abusiva. De eso se alimenta esta clase de personas —de tu dolor y tu temor. Prívalos de eso.

Considera tener lecciones de defensa personal. Son económicas y nunca sabes cuándo podrías necesitar ese conocimiento, de todos modos.

Fracaso en la mesa del almuerzo

Mi hija adolescente llegó una tarde a casa con una cara larga. "¿Qué te pasa?", le pregunté, separándome de mi querida computadora.

"Algunos muchachos de la escuela tomaron nuestra mesa del almuerzo. Ahora tenemos que correr a la cafetería, sólo para conseguir un lugar. No me gustan porque nos tiran cosas y son una verdadera molestia", dijo mi hija. "¿A quién puedo llamar para que los detenga?".

"Llama a tu ángel guardián", dije.

"Pensé que sólo andaban por ahí", dijo ella con aire pensativo. "¿Quieres decir que realmente pueden hacer cosas por ti?".

Observé su sorpresa. "¿Qué le he estado enseñando a la gente, día y noche, durante los dos últimos años?".

Ella me miró atentamente. "Ángeles".

"¿De qué he estado hablando casi desde hace tres meses hasta el punto de que has estado dispuesta a meterme un calcetín en la boca?", le pregunté.

Ella se apoyaba en uno u otro pie. "Ángeles".

"Entonces, ¿a quién le vas a hablar?".

"¿Vas a hacer otro de tus experimentos, verdad?", preguntó ella con una leve sonrisa en su cara. No esperó que yo respondiera, sabía lo que sería. "Y va a ser otra de tus historias familiares que entrará a tu libro, ¿eh?". Hizo una pausa, respondiendo mentalmente su pregunta porque todo lo que dijo fue: "Está bien, ¿entonces a quién le hablo?".

"Empieza por tu ángel guardián y luego pídele que le hable a los Poderes por ti, o puedes hablarles tú misma; tú eliges".

"¿Qué son los Poderes?".

"Grandes tíos que no les gusta que mangoneen a la gente".

"¡Eso será perfecto! ¡Intentaré eso mañana!".

El problema con los adolescentes y la magia (y también con algunas personas mayores) es que olvidan trabajar la magia. Las cosas llegan a cargarse tanto emocionalmente o están tan ocupadas que la idea de que controlan su entorno llega a ser un concepto olvidado. Tienes que recordarles amablemente, de vez en cuando, que lo más seguro es que tengan el poder de traer armonía a su vida. Con este pensamiento en la mente, esperé pacientemente para ver si mi hija recordaba hacer lo que le dije que hiciera. Para mi sorpresa, al día siguiente ella me dijo que los niños habían perdido el interés en su mesa; sin embargo, ella y su amiga siguieron esforzándose por llegar ahí primero, por si las dudas.

Enviando pensamientos angélicos amorosos a una persona gritona

Por supuesto, puedes ser como mi otra hija que realmente recordó hacer la magia. Una profesora, que en ese momento ella no tomaba en cuenta en particular, decidió que la mejor manera de manejar su clase era gritándoles repetidamente. Le dije a mi hija que le enviara a esa profesora pensamientos amorosos angélicos.

"Parece que ellos eran insuficientes. Como si hubiera una barrera alrededor", dijo ella tristemente. "¿Qué puedo hacer?".

"Apunta algo hacia la profesora y dispara los pensamientos", le dije. "Visualiza luz angélica sanadora dirigiéndose hacia la profesora".

Mi hija se sonrió y prometió hacer eso exactamente. Al día siguiente, ella llegó a casa con una expresión conmocionada en su rostro.

"Hice lo que me dijiste, mamá. Me la pasé apuntando mi lápiz, como si estuviera jugando, ¿sabes? Y cada vez que la punta del lápiz se alineaba con la profesora le disparaba pensamientos angélicos hacia ella".

"¿Entonces qué sucedió?", le pregunté, sintiendo que algo no estaba del todo bien.

"Realmente me metí tanto en el movimiento, que el lápiz voló de mi mano y le pegó a la profesora".

"¡Ay no!"

Ella movió su cabeza. "Pero está bien. Todo el mundo se rió y dije que realmente lo sentía. La profesora también se rió".

Después de la sesión de bombardeo del lápiz, mi hija y esa profesora en particular se llevaron bien el resto del año. Supongo que los ángeles querían asegurarse que los pensamientos amorosos dieran en el blanco, aunque nunca recomiendo o perdono que le peguen a alguien a propósito por ningún motivo. Deja que los ángeles dispensen la magia como ellos vean que encaja.

Los ángeles te ayudarán a atrapar criminales

Si te robaron algo o te han cometido una injusticia, los ángeles te ayudarán a atrapar al perpetrador. Si estás involucrado en el cumplimiento de la ley, debes trabajar esta magia para cada caso difícil (y los que no son tan difíciles si ves que es necesario).

Días: Domingo, martes o sábado (dependiendo del tipo de asistencia que se necesita).

Hora angélica: Miguel, Camel, Uriel o Cassiel.

Fase de la Luna: La Luna Negra, Luna Nueva o Luna Llena.

Materiales: Una hoja de papel, recortes de noticias, etc., indicando el crimen y el nombre del criminal (si lo sabes; si no estás seguro NO pongas el nombre de nadie en el papel); una jaula pequeña (puede ser una vieja jaula de pájaros, una jaula de roedores, una jaula de grillos, etc., siempre y cuando tenga barras); dos velas negras, un listón negro.

Qué ángeles invocar: Miguel, Uriel, Cassiel —todos ayudarán en asuntos de justicia. Ambriel para la comunicación y la protección mientras estés trabajando con la magia (y de ahí en adelante debes sentir que necesitas su ayuda); Armait otorga la verdad, bondad y sabiduría (pídele que "la verdad del asunto se revele a las autoridades correspondientes").

En el papel, dibuja el símbolo de las tres religiones más importantes de tu vida. Por ejemplo, mi padre es Cristiano, por lo tanto el Cristianismo juega un papel en mi vida; yo soy Wiccan, por supuesto eso es importante en mi vida; también estudio el misticismo Judío (cuando tengo tiempo), así que eso es parte de mi vida. Para mí, podría dibujar el pentáculo, la cruz (está bien que la use en este caso) y la Estrella de David en el papel. En esencia, le estoy pidiendo a las religiones que se unan y me ayuden a traer al criminal a la justicia.

En un ritual (dentro de un círculo trazado) pon la jaula firmemente en el altar junto con la hoja de papel indicando la naturaleza del crimen y las dos velas negras. Pon la jaula (con la puerta abierta) entre las dos velas negras.

Arraiga y centra. Haz una devoción al altar y el rosario angélico, manteniendo tus pensamientos en el asunto.

Enciende las velas negras, afirmando su propósito de alejar la negatividad de ti (y de la víctima, si además hay otra persona). Lentamente, pon la hoja de papel dentro de la jaula (ya sabes, como si estuvieras jugando con el juguete de un niño). Visualiza los Poderes y los Querubines ayudando al perpetrador dentro de la jaula. (No te rías —funciona; te lo diré en un minuto).

Cierra de golpe la puerta de la jaula y amárrala con el listón negro.

Termina el ritual, asegurándote de arraigar y centrar, dale las gracias a la divinidad y a los ángeles y levanta el círculo. Deja que las velas negras se quemen por completo.

Espera hasta que hayan atrapado, juzgado y condenado al criminal, luego regresa a tu altar, dale las gracias a los ángeles, abre la jaula y quema el papel. Limpia, consagra y bendice la jaula y guárdala hasta la próxima vez que la necesites.

He aquí tres casos en los que usé esta magia con éxito:

Falta de pago de manutención de un niño: Tomé este recorte del periódico y lo puse en la jaula. En cinco días ellos lo encontraron y lo metieron a la cárcel. Finalmente entregó el dinero.

Pareja abusadora: La cliente me dio la ropa interior del hombre. (En serio.) Puse eso en la jaula. En dos días él se sometió a vigilancia psiquiátrica de un hospital y nunca regresó a casa de ella. Posteriormente quemé esa ropa interior sensual.

Secuestro: Una adolescente fue secuestrada y llevada a otro estado. En cuatro días ella estaba de vuelta en casa, sana y salva.

No trabajo magia para todos mis clientes, aunque para todos mis clientes pido ayuda angélica en su situación. La gente tiene que aprender a trabajar la magia por sí sola, para que entiendan que ellos pueden tomar el control de su propia vida y triunfen. Seguro, probablemente tenga muchos clientes más si les trabajo magia, pero entonces ellos se volverían dependientes míos, y no es como quiero jugar el juego de la vida.

Deja que los ángeles te ayuden a aceptar el amor no correspondido

Es cierto. Todos hemos pasado por ello. Ese alguien muy especial ya no te ama. Qué destructor de ego. Experimentamos una variedad de emociones —odias a la persona, tu autoestima se va en picada, odias a la otra mujer (u hombre) involucrada, estás profundamente lastimado—, eso espantoso que duele. No quieres comer (o no dejas de comer). La vida está fatal. Si alguien te dice que lo olvides y sigas adelante, te enojas. Y si tenían amistades mutuas, es probable que hayas perdido su atención también.

Trae a los ángeles. Si rompieron contigo, he aquí lo que debes hacer.

Habla con tu ángel guardián. Deja que salga todo. Tus temores, tu odio, tus heridas y tu dolor.

Deja que la otra persona se vaya. Sí, que se vaya. Si la otra persona realmente se preocupa por ti, él o ella podría, posiblemente, regresar (pero no cuentes con ello). Limpia el lugar. Déshazte de los objetos personales que te entristecen.

Haz un montón de cosas agradables para ti. Sal a cenar con una amiga, visita un parque de diversiones, ve a nadar —¡sal de la casa! Inicia un nuevo pasatiempo o deporte que te hará conocer a otras personas. No tienes que buscar un nuevo romance, sólo trae nueva vida en tu red de gentes.

Trabaja en tu autoestima. Cuando alguien te abandona, tu orgullo es lo primero que se desmorona en una pila de porquería. Compra ropa nueva, cambia tu estilo de peinado, trabaja en una meta que te agrade y te haga sentir valioso, o dona un poco de tu tiempo en caridad (eso siempre ayuda). Haz algo que eleve tu autoestima (siempre y cuando no lastime a nadie más).

Cuando te veas mejor, ve a tomarte unas fotografías. ¿Crees que estoy bromeando? En absoluto. Puedes conseguir bonitas fotografías por poco dinero. Pon esta fotografía en una charola en tu altar.

Ve a la cocina y haz un poco de azúcar de ángel: dos tazas de azúcar blanca y una cucharadita de vainilla. Mézclalas, luego rocíala en papel aluminio o papel encerado para que se seque, durante cuatro horas (o más, dependiendo del clima). Aplasta los grumos con una cuchara. Dale poder a toda el azúcar. Pon un poco en un recipiente hermético y lleva un poco a tu altar. Esparce el azúcar en la charola alrededor de tu fotografía en un ritual.

Pídele a los ángeles que sanen tu dolor y te faculten para que continúes con tu misión en la vida. Sé específico y concéntrate en lo que sientes que necesitas realmente. ¿Es un cambio de panorama, un nuevo trabajo, nuevas amistades? Sé justo y honesto en tu evaluación.

Deja tu fotografía con el azúcar en tu altar hasta que empieces a sentirte mejor y puedas ver que el dolor se está alejando y ha iniciado la sanación. Usa el azúcar del recipiente en tu cereal, tu café o en un postre. Cada vez que lo introduces a tu cuerpo, recuerda que los ángeles están contigo y te están sanando.

El azúcar de ángel también funciona bien en otras ocasiones. Por ejemplo, si alguien en el trabajo, en la familia, un amigo, etc., te está dando problemas, puedes esparcir un poco de azúcar de ángel en su escritorio, en su comida, o en lo que sea y pídele a los ángeles que observen especialmente el problema para ayudarte a resolver sus diferencias. Invoca al ángel Balthial para que te ayude a superar los sentimientos de celos y de amargura.

También puedes llevar un recipiente con azúcar de ángel; poner el nombre de la persona desagradable en un trozo de papel, enterrarlo en el recipiente, luego introduces una vela café en el mismo y la enciendes, pidiéndole a los ángeles que promuevan la armonía. Esto le funcionó tan bien a una de mis clientes que su relación, que iba muy mal, dio un giro completo y ella se casó con él. Son muy felices y se sienten bien en su nueva vida.

El encantamiento angélico del huevo

Día: Domingo o viernes.

Hora angélica: Miguel o Uriel.

Fase de la Luna: Luna Nueva o Luna Llena.

Materiales: Un huevo grande, pintura azul o colorante de alimentos, un marcador, una aguja, un corcho, cosas pequeñas que simbolicen para ti la armonía (gemas, símbolos, la medalla milagrosa, hierbas, un mechón de tu cabello, etc.), una vela azul.

Qué ángeles invocar: Baglis, que inspira la moderación y el equilibrio; Barbelo, que trae la abundancia, la bondad y la integridad; Camael, que trae el gozo, la felicidad y el contento. (Oración Esenia: "Camael, ángel de gozo, desciende sobre la tierra y embellece todas las cosas."); Gabriel; Hahaiah, que nos da pensamientos amorosos; Rhamiel, que da amabilidad y compasión; Samandiriel, que da creatividad y una imaginación vívida.

Con un marcador, dibuja un círculo que sea del mismo tamaño que el extremo pequeño de un corcho en el extremo más grande de un huevo. Haz un hoyo pequeño en el extremo pequeño del huevo con la aguja. Dale la vuelta al huevo y haz un hoyo más grande arriba, cerca de los bordes de tu línea marcada. Ten cuidado, si presionas demasiado, puedes romper el huevo. Toma tu tiempo y vacía el huevo. Ocasionalmente sacude el huevo para ayudar. Deja que el huevo seque por completo.

Pinta el huevo con el colorante o la pintura. Ten cuidado para no romper el cascarón. Si no tienes colorante para pintar huevos, usa marcadores. Pinta o dibuja cualquier símbolo que quieras en el cascarón que indique armonía para ti. Lleva el cascarón a la luz directa del sol. Esto es para ayudar a que seque; aunque uses marcadores que secan al instante, vas a necesitar poner el cascarón en el sol unos minutos, pidiéndole a la divinidad que bendiga el cascarón.

En un ritual en tu altar angélico, llena el huevo con las cosas que indican armonía para ti. Cuando pongas cada artículo en el huevo, quizás quieras recitar alguna de las oraciones o invocaciones que ya se dieron en este libro. Luego sostén el cascarón ya lleno con ambas manos frente a ti. Expresa tu propósito e invoca a cualquier divinidad y ángeles que quieras que le den poder al artículo. Pídeles que traigan hacia ti la armonía que buscas. Enciende la vela azul, pidiéndole a los ángeles que a su paso aceleren este trabajo. Con cuidado (con muchísimo cuidado) pon el corcho en el huevo.

Puedes dejar el huevo en tu altar todo el tiempo que desees. Cuando estés listo para separarte de él, entiérralo en la tierra cerca de tu casa. Puedes enterrarlo de inmediato si quieres, pero a mucha gente le gusta dejar en su altar el huevo, por lo menos durante siete días. Es tu elección.

Cierra tu ritual, recordando darle las gracias a la divinidad y a los ángeles que invocaste para ayudar. Deja que la vela azul se termine.

Deja que los ángeles le bajen los humos a las personas intrigantes

"Él me está volviendo loca", dijo mi amiga. "Me divorcié de él hace años y ahora está aquí otra vez. Quiero que se vaya —permanentemente. Siempre está conspirando e intrigando, retorciendo la mente de las personas. ¡Quiero detenerlo! ¿Qué podemos hacer?".

Pídele a los ángeles que te ayuden a corregir esta injusticia usando un antiguo encantamiento angélico escocés. El creador del encantamiento fue a donde se encontraban tres cauces a primera hora de la mañana y lavó su cara ahí, luego dijo la siguiente invocación. Intentamos este encantamiento aquí con agua corriente de la llave y funcionó.

Diosa, estoy lavando mi cara en los nueve rayos del Sol
Que la dulzura esté en mi rostro,
Que las riquezas estén en mi bolsa
Que dulces mieles estén en mi lengua
Que mi aliento sea como incienso.
Negra es aquella casa,
Más negros los hombres dentro de ella;
Yo soy el cisne blanco,
Que reina sobre ellos.
Iré en nombre de Dios y la Diosa
A semejanza del ciervo, a semejanza del caballo
A semejanza de la serpiente, a semejanza de la reina
Con la ayuda de los ángeles, yo soy más victorioso que todas esas personas.

Cuando veas que la persona que cometió la injusticia o el chisme se infiltra contigo, di lo siguiente bajo tu aliento:

Ángeles saneen la casa
Desde los cimientos hasta la cima;
Mi espada sobre cada persona,
La espada de cada persona bajo mis pies.

Hablándole a los muertos con los ángeles

Los ángeles te traerán mensajes de las amistades y los seres queridos fallecidos. Lo único que necesitas es pedirlo y tener seriedad en el asunto. Haz la devoción al altar y enciende una vela para representar a la persona de la que deseas recibir un mensaje. Puede ser que no recibas un mensaje de inmediato. A veces vamos a escuchar cosas en nuestra mente. No temas. Si parece que la comunicación no es positiva, destiérrala. En otro momento vas a recibir otra clase de señales —una canción preferida que compartieron juntos toca en la radio cuando estás pensando en la persona, o sucede algo que está asociado con el recuerdo del fallecido.

Deja que los ángeles te ayuden a estudiar

¿Estás teniendo problemas con tu tarea, o con algún tipo de material de estudio? Pídele a los ángeles que te ayuden. Toma una vela blanca y ponla en la mesa donde estás trabajando. Háblale a tus ángeles guardianes, indicando que necesitas ayuda, lo que estás estudiando y cuál es tu meta final. Enciende la vela blanca y deja que se queme mientras estás trabajando. Quizás también quieras pedirle su ayuda a los siguientes ángeles: Akriel, que inspira el logro intelectual y ayuda a mejorar tu memoria; Ecanus, que inspira a los escritores (otros son Ezra, Vretil, Enoch y Dabriel); Iahhel, que vigila a los filósofos; Liwet, que preside sobre las ideas y los pensamientos originales; Mupiel, que te ayuda a aumentar y a conservar tu memoria; Samandiriel, que te ayuda con tu imaginación o Satarel, que es el ángel del conocimiento. Cuando hayas terminado, apaga la vela y dale a los ángeles las gracias por su ayuda.

Ángeles de la ciudad y del país

Cada pueblo, aldea, villa, ciudad, provincia y país tiene un ángel guardián. Todos ellos pueden usar tu ayuda y les encanta que los ayudes trabajando magia. Puedes poner una estatua pequeña en tu altar o en tu jardín para representar a este ángel. En tus devociones diarias, no olvides pedir que esa energía sea canalizada a este ángel para que él o ella pueda mantener la ciudad (o lo que sea) a salvo de vibraciones negativas. Si tienes un interés particular en tu ciudad, ponla ante su guardián. Pídele a los ángeles de los Nueve Coros que te ayuden si sientes que hay demasiada criminalidad en tu calle. Si sientes que un proyecto en desarrollo dañará ambientalmente tu ciudad, suplícale al ángel Zuphlas, que protege y vigila los bosques y los árboles; o a Hayyel, que protege a los animales salvajes, junto con Turiel, Mtniel y Jehiel.

Cada semana, escoge por lo menos un día y aparta unos minutos para sentarte en tu altar y enviar energía positiva a los guardianes de tu ciudad, estado, provincia y país.

El caldero angélico

Toma un difusor de potpourrí y llénalo con tus hierbas y especias favoritas (y por supuesto, el agua necesaria). Ponlo en el centro de tu altar a que se queme durante el día. A medida que la esencia se impregna en la habitación, pídele a los ángeles que bendigan tu casa y cuiden a tu familia. Ten en tu altar un tarro con brillantina. Cuando necesites algo con desesperación, acerca hacia ti el tarro, visualizando tu necesidad tomando forma. A medida que la brillantina y las hierbas se "cocinan" tu deseo se manifestará. En poco tiempo, lo que necesitas va a estar en tu vida.

La canasta del ángel guardián

Recibo muchas peticiones de ayuda de la gente de todo el país. Llegaron tantas súplicas de ayuda que finalmente decidí crear una canasta del ángel guardián.

Compré una canasta "especial" y la adorné con listones y campanas. Cuando alguien pide ayuda, escribo su nombre en un pedazo de papel, luego me paro ante mi altar angélico. Sostengo el papel cerca, arraigo y centro, luego digo lo siguiente:

Ángeles serviciales circulen.
Ángel guardián, acércate a mí.
Sostengo en mi mano el nombre de una persona
que necesita ayuda de los ángeles.

(Di el nombre de la persona)

Su problema es:

(Lo digo en voz alta, exactamente como la persona
me relató la situación.)

Por favor llama ahora a cualquier fuerza angélica
que se necesite para ayudar a esta persona.
En el nombre de la Diosa y el Dios.
Que así sea.

A veces enciendo una vela o digo mi rosario angélico (para los casos realmente difíciles) o elijo hacer otra magia menor, o simplemente medito, enviando energía positiva a la persona que necesita ayuda. Luego tomo el papel y lo pongo en la canasta, tocando las campanas para sellar la petición. Al final de cada semana quemo todos los papeles y disperso las cenizas a los vientos. Los ángeles siempre me ayudan casi de inmediato.

Bendición del fuego del corazón

El "levantamiento del fuego" de las mujeres celtas recién Cristianizadas fue de gran importancia en sus tareas diarias. Los celtas mezclaron exitosamente su sistema de creencias Pagano con la doctrina Cristiana, más que muchas otras culturas tribales. El fuego del corazón siempre se ha bendecido y no encontraron la necesidad de detener el proceso, simplemente porque el Cristianismo apareció en los páramos. Los celtas consideraban el fuego como un milagro del poder divino. La renovación de ellos les recordaba que deben renovar sus recursos personales, espirituales y materiales.

Una bendición celta para el "levantamiento del fuego" que se dice cada mañana bajo el aliento de las mujeres es como sigue:

Voy a encender mi fuego esta mañana
En presencia de los santos ángeles del cielo.
En presencia de Ariel, la forma más encantadora,
En presencia de Uriel de los miles de encantos
Sin malicia, sin celos, sin envidia
Sin temor, sin terror de nadie bajo el Sol
Porque la Diosa me escuda.

Diosa, enciende dentro de mi corazón
Una flama de amor por mi vecino;
Por mi enemigo, por mi amigo, por todos mis semejantes,
Por el valiente, por el bribón, por el esclavo,
De los hijos de mi amada Reina
De la cosa con vida más ínfima,
Para la Diosa que es superior a todos.[1]

Esto fomentó la fuerza del fuego en los residentes de la casa y trajo las bendiciones divinas y el poder de los ángeles a la forma.

[1] *Carmina Gadelica Hymns and Incantations* por Alexander Carmichael, página 93.

18

Viviendo con los ángeles

Muchos de los que estamos en esta parte del mundo buscamos la mezcla espiritual "correcta". Tal vez nos hayan inculcado una religión, luego nos cambiamos a otra de adultos. Cada día debemos buscar conscientemente mejorar en nosotros mismos, nuestra familia y el planeta. Ningún aspecto de la divinidad se alejará jamás de esa persona. Cada uno, debemos descubrir nuestras propias verdades y traer la divinidad a nuestra vida, solos. No puedes hacer que alguien se trague tus conceptos y esperar que te siga ciegamente o a tus verdades.

Yo soy Wiccan y los ángeles forman parte de mi sistema de creencias personal. Me han ayudado en muchas ocasiones, de muchas maneras diferentes. No le negaré el crédito a quien se lo merezca. Ellos han expandido mi creatividad personal, me dieron ideas imaginativas y he atraído hacia mí cosas cuando más las necesitaba. No me importa si son arquetipos o son una especie propia. Simplemente no me importa.

A medida que nos aproximamos al nuevo milenio, a los humanos se nos llamará en mayor número a trabajar con los ángeles para traer el equilibrio a nuestro mundo. Esta es nuestra misión general. Aquellos que practican la magia con los ángeles serán doblemente benditos, ya que tienen un pie en ambos mundos y siguen manteniendo su dignidad y equilibrio personal. Depende de todos nosotros, de todas las religiones, aprender a trabajar juntos para generar la armonía. Si no lo hacemos, todos fracasaremos miserablemente.

Trabajar con los ángeles cambiará tu vida. Cambió la mía. Su influencia y sus energías positivas te llevarán a progresar en tus búsquedas espirituales, además de enseñarte cómo manejar las pequeñas dificultades (y a veces grandes) de la vida diaria. Hay un plan de acción que puedes usar para ayudarte a trabajar con los ángeles.

Descubre un propósito significativo en tu vida. Con mucha frecuencia nos movemos tan rápido que no tomamos en cuenta qué estamos haciendo aquí y qué deseamos lograr en el tiempo que nos queda. Nuestra misión principal en la vida deja pistas por todos lados. Sólo tenemos que ser suficientemente astutos para encontrarlas. Usualmente nuestra misión principal tiene que ver con algo que nos encanta hacer y con un talento que poseemos. Necesitas aprender a unir las piezas para determinar qué será satisfactorio para ti. Si has hecho elecciones que te han alejado de tu misión, puede tomar algún tiempo volverte a alinear. Todos quedamos atrapados en cacerías de gansos salvajes de vez en cuando; es parte de la condición humana.

¿Cómo se va a descubrir el propósito significativo de la vida? Abriendo tu mente y tu corazón a la sabiduría del universo. Puedes emplear la meditación, una serie de caminatas relajantes, un campamento de fin de semana, o un cambio diario de decoración. Descubrir nuestro propósito significa tomar el tiempo para pensar en ello y admitir que el mundo está lleno de gente que necesita ayuda. Tenemos que estar dispuestos a conectarnos con la gran imagen, para encontrar ahí nuestro lugar.

Pídele a los ángeles que te ayuden a encontrar tu propósito de vida. Toma conciencia de lo que sucede a tu alrededor, las conversaciones con los demás, la información que llega a través de los medios de comunicación, etc. Quizás tu propósito de vida es una serie de pasos para una meta final. Es posible que necesites trabajar en un lugar durante algunos años, luego cambiar a algo diferente, usando lo que aprendiste en cada etapa de tu vida. Puedes empezar un proyecto maravilloso y dos años después, verlo desmoronarse. Sin embargo, durante los meses vibrantes de la experiencia, puedes haber agregado circunstancias inestimables a la vida de otra persona o a las de un grupo de personas. Puede ser que nunca te des cuenta de lo que hiciste. Así es como se manifiesta el plan para ti. Las coincidencias no existen.

Aprende a dar los pasos efectivos que te lleven hacia tu misión en la vida. No sueñes con algo y esperes cruzado de brazos a que sucedan las cosas. Sal y haz que sucedan. Pon en acción tus sueños, visiones y esperanzas. Toma una parte activa para traer hacia ti las cosas que quieres. Las ideas como

"No puedo", "No pienso que podría" y "No soy capaz de" están prohibidas. Piensa positivamente y prepárate para las experiencias que quieres atraer hacia ti. Tu Gran Novela Norteamericana nunca se escribirá si nunca preparas el lápiz y el papel, o los dedos en el teclado. No conseguirás la casa que siempre has querido si no ahorras efectivamente y buscas la manera de procurarlo. No serás capaz de mudarte al oeste (o norte, este o sur) si no trazas un plan de acción. No podrás tener el mayor invento en el mundo si no lo diseñas.

Crea una red de apoyo para ti. Sé por experiencia propia, que nuestra familia y amistades no siempre son el mejor apoyo de nuestros sueños y visiones. Intentarán controlarte por diversas razones que usualmente empiezan con el lío del temor. Pueden pensar que te alejarás o pasarás menos tiempo con ellos, o que ya no serán el centro de atención. Pueden no ser felices en tener que ayudarte liberándote de las faenas de la casa u otras responsabilidades. Pueden pensar que tus sueños son tontos porque ellos no tienen las agallas de salir de ahí y satisfacer su propia misión, por lo tanto te juzgan por tus acciones y sus propios fracasos.

No dejes que la gente negativa te deprima. Para combatir esta negatividad, arregla un grupo de apoyo de gente que comparte un interés común con tus metas. A veces esto puede incluir a un amigo o un familiar (sucede). Aunque con más frecuencia, tu red de apoyo se construye a medida que atraes hacia ti activamente tus sueños y tus metas. Conocerás a estas personas a lo largo del camino. No esperes un ejército, pero uno o dos "pilares" inestimables en realidad es todo lo que necesitas.

Pídele a tu ángel guardián que te ayude a traer a estas personas hacia ti. No olvides tratar bien a estas personas, respetando su misión y sus sueños o metas. Debes ser tan comprensivo con ellos (u otros) como ellos son contigo.

Aprende a elegir tu red sabiamente. No necesitas gente insípida con consejos malos o con actitudes controladoras.

Aprende a tomar la responsabilidad de tus propias acciones. Nos hemos vuelto una sociedad de víctimas, un patrón que encuentro verdaderamente indignante. No puedes culpar a todo el mundo por tus problemas y esperar salir triunfante. Aprende a tomar la responsabilidad de todo lo que dices y haces y no intentes retirarte bajo el mito de que "alguien te hizo de ese modo". ¡Basura! Tú eres la suma de todo lo que ya hiciste y dijiste. Si no te gusta lo que ves, cámbialo.

Cree en ti mismo. Si no lo haces, nadie lo hará. Aprende a ser tu propio porrista. Haz cosas especiales para elevar tu autoestima. Habla positivamente contigo mismo las veinticuatro horas del día. Si piensas que no estás preparado para realizar algo, piensa por qué. Tal vez sientes que necesitas más conocimientos. Luego procura encontrarlos. Aprende a limpiar la basura de tu vida que te deprime. No camines hacia las circunstancias negativas a sabiendas; intenta evitar el desastre. Sé positivo en tu enfoque de todas las cosas. Esto requiere de agallas, pero te puedo asegurar, vale la pena.

Usa tus habilidades mágicas y tu poder recién encontrado con los ángeles para ayudarte a lo largo del camino. No seas tímido. Sal y haz la vida tan maravillosa y plena de amor y risa como puedas. No te arrepentirás.

Que el amor de la divinidad y el poder de los ángeles estén contigo siempre.

Apéndice

Necesidades y sus elementos y ángeles asociados

Te he dado muchas asociaciones y correspondencias a través de este libro. He aquí una lista rápida de referencias para asistirte al trabajar magia con los ángeles. Éstas no son todas las correspondencias que podrían hacerse con el material en este libro; lee las secciones en ángeles específicos y revisa los libros en la Bibliografía para más ideas.

NECESIDAD	ELEMENTO(S)	ÁNGEL(ES)
Aborto	Agua	Kasdaye
Adivinación	Todos	Adad, Teiaiel, Isaiel, Bath Kol, ángeles de la Luna Llena y de la adivinación
Alcoholismo (para romper la adicción)	Tierra	Uriel, Rafael, ángeles de la Luna Negra, ángeles de la Luna Menguante y Declinante, ángeles de Quirón y de Neptuno

NECESIDAD	ELEMENTO(S)	ÁNGEL(ES)
Amistad	Agua y Tierra	Mihr, Cambiel, Ausiel, ángeles del Sol, la Luna Nueva y Creciente, Venus, Juno (armonía), Leo (lealtad), Virgo (elocuencia), Sagitario (risa y fiestas), Acuario, Mercurio, Géminis y de la amistad
Amor	Agua para empezar Tierra para mantener	Gabriel, Anael, Shekinah, Serafín (amor divino y universal), ángeles de Venus, la Luna Llena y Nueva, el Sol (éxito), Cáncer, Juno (relaciones), Mercurio (comunicación), Virgo (estructura) y amor
Animales (para protección)	Tierra	Behemiel, Hariel, Thegri, Mtniel, Jehiel, Tronos, ángeles de la Luna Creciente
Animales (para sanación)	Tierra y Agua	Manakel (agua), ángeles de la Luna Creciente, ángeles de los animales
Asuntos kármicos	Espíritu	Metatrón, ángeles de la Luna Menguante y Karma
Belleza (para mejorar)	Agua	Hael, ángeles de Venus y de la Luna Nueva
Belleza (para obtener)	Tierra	Uriel, ángeles de Venus, Tierra, Tauro (posesiones materiales) y belleza
Casa (para conseguir)	Tierra	Uriel, ángeles de la Luna Llena y Nueva, Júpiter, Libra (para una negociación justa), Cáncer (para conservar tu casa), Saturno (financiamiento) y casas
Celos (para liberarlos)	Agua o Tierra	Gabriel, Uriel, Ariel, ángeles de la Luna Negra y Declinante, Neptuno, Quirón (sanación), Juno (libertad) y Géminis (comunicación)

NECESIDAD	ELEMENTO(S)	ÁNGEL(ES)
Cocaína, adicción (para romper)	Agua	Rafael, Gabriel, ángeles de Neptuno, la Luna Negra y Quirón
Coche (para obtener)	Tierra	Uriel, ángeles del Sol, Libra (para un trato justo), Tauro (encontrar un buen coche), Pallas (verdad) y vehículos
Comer en exceso (para detenerlo)	Aire	Rafael, ángeles de la Luna Negra y Menguante, Neptuno y Quirón
Conciencia psíquica	Todos	Arcángeles, Dominaciones (sabiduría divina), ángeles de la Luna Llena, Urano, Pallas, Escorpión (misticismo), Neptuno (sanación psíquica), Urano (astrología) y psiquismo
Cuentas (por pagar)	Tierra	Uriel, Ariel, ángeles del Sol, Júpiter, Tauro, la Luna Menguante y Declinante y finanzas personales
Departamento (para obtener)	Tierra	Uriel, ángeles de Júpiter y de Libra, ángeles de los departamentos
Dinero	Tierra	Uriel, Anauel, Ariel, ángeles del Sol (éxito), Júpiter (para hacer), Tauro (para que paguen los deudores), Vesta (protección), Capricornio (estabilidad) y prosperidad
Divorcio	Todos	Arcángeles, Poderes (defensa), ángeles de la Luna Menguante y la Luna Negra, Libra (trato justo), Escorpión, Saturno, Quirón (sanación después del divorcio), Pallas (verdad, protección), Géminis (comunicación), Marte (si te ves obligado a pelear), Tauro (para recibir tu parte de la propiedad) y Ceres

NECESIDAD	ELEMENTO(S)	ÁNGEL(ES)
Empleo	Tierra	Uriel, Anauel, Principados (protección contra la discriminación), ángeles de la tierra, el Sol, la Luna Llena y Nueva, Virgo y empleo
Energía mágica	Todos	Uriel, Ariel, Serafín, Virtudes (milagros), Querubines (los que interceden), ángeles de la Luna Llena, Vesta (poder puro), Escorpión y magia
Entrevistas	Fuego	Ambriel, Anauel, guardianes de los negocios, ángeles de la Luna Llena y Nueva, Júpiter, Libra (para un trato justo), Virgo, Géminis (comunicación) y Mercurio
Estrés (para aliviarlo)	Aire o Agua	Rafael, ángeles de la Luna, Quirón y armonía
Estudio	Aire, Fuego o Tierra	Uriel, Miguel, Rafael, ángeles de Quirón (para estudios religiosos), Vesta (guardianes del conocimiento), Pallas (nuevas ideas y teorías), Escorpión (estudio místico), Sagitario, Géminis (para entender los conceptos) y del aprendizaje
Fertilidad	Tierra	Samandriel, Yushamin, Anahita, Gabriel, Reina de los Ángeles, ángeles de Virgo, el Sol y la fertilidad
Fumar (para romper con la adicción)	Agua	Rafael, Gabriel, ángeles de la Luna Negra, Neptuno y Quirón
Jardines	Tierra	Uriel, Ariel, ángeles de la Luna Nueva, Leo, Virgo (cosecha), Aries y agricultura

NECESIDAD	ELEMENTO(S)	ÁNGEL(ES)
Matrimonio (armonía)	Agua, Tierra	Gabriel, Tronos (suavizan nuestros problemas), ángeles de Venus (amor), la Luna, Vesta (protección), Juno (relaciones), Virgo (estructura), Capricornio (estabilidad), Libra (equilibrio), Sagitario (risa), Géminis (comunicación) y matrimonios
Negocios (éxito)	Tierra o Fuego	Anauel, Dominaciones, Principados, ángeles del Sol, Júpiter, Leo, la Luna Nueva y Creciente, Tauro, Géminis y de los negocios
Niños (para protección)	Agua o Tierra	Gabriel, Dina, Reina de los Ángeles, Uriel, Ariel, ángeles de Ceres, Vesta y niños
Odio (para liberar)	Agua	Gabriel, ángeles de la Luna Negra, Menguante y Declinante
Paciencia	Agua	Gabriel, ángeles de la Luna Gibosa, Juno (armonía), Capricornio y paciencia
Pájaros (para protección)	Tierra o Aire	Ariel, Anpiel, ángeles de los pájaros
Parto	Agua	Ardousious, Gabriel, Reina de los Ángeles, Virtudes, ángeles de Quirón (sanación), Virgo, Ceres (protección), Vesta y parto
Paz	Agua	Gabriel, Gavreel, Esferas, Shekinah, Serafines, Virtudes (milagros), Tronos (suavizan nuestras dificultades), Querubines (los que interceden), Principados, ángeles del Sol, la Luna, Plutón (cambio global), Juno (armonía), y paz

NECESIDAD	ELEMENTO(S)	ÁNGEL(ES)
Presión social (detenerla)	Agua	Gabriel, Querubines, ángeles de la Luna Negra, Saturno, Juno (libertad) y protección
Protección	Todos	Arcángeles, Dina, Ambriel, Querubines (protectores personales), Virtudes (milagros), ángeles de la Luna Llena, Ceres, Cáncer, Marte y Protección
Purificación	Todos	Arcángeles, ángeles de la Luna Llena, Vesta (guardianes del templo), Juno (armonía) y purificación
Registros Akáshicos (acceso a)	Espíritu	Metatrón, ángeles de Quirón y de los registros Akáshicos, los Serafines
Sanación	Todos	Miguel, Gabriel, Uriel, Rafael, Querubines (los que interceden), Virtudes (milagros), ángeles del Sol, de la Luna Llena, Quirón, Virgo, Sagitario y sanación
Somnolencia (prevenir)	Fuego	Rafael
Sueño (para provocarlo)	Agua	Ángeles de la Luna, Gabriel, Rafael, ángeles de Venus y del sueño
Sueños	Aire y Agua	Gabriel, cualquier ángel de la Luna, ángeles de Cáncer, Pallas (intuición), Escorpión y sueños
Trabajos artísticos	Fuego	Akriel, Hael, ángeles de Venus (belleza), Vesta (inspiración), Pallas (intuición), Sagitario, Mercurio, Acuario (inventos, exploración) y creatividad

NECESIDAD	ELEMENTO(S)	ÁNGEL(ES)
Valor	Fuego	Miguel, Rafael, Metatrón, Poderes (defensa), Virtudes (milagros), ángeles del Sol, Leo, la Luna Creciente y Media Luna, Ceres y valor
Violencia hogareña (para detener)	Todos	Miguel, Uriel, Arcángeles, Tronos (descubrir la injusticia), Virtudes (milagros), Querubines (los que interceden), ángeles de Saturno, la Luna Negra y la Luna Declinante, Escorpión, Aries, Marte, Ceres (protección), Juno (libertad), Urano (libertad, independencia), Vesta (guardianes de las mujeres mágicas) y protección
Violencia hogareña (para sanar)	Agua	Gabriel, ángeles de Quirón, la Luna Menguante y Declinante y sanación

Bibliografía

Andrews, Ted. *How to Meet and Work with Spirit Guides*. St. Paul, MN; Llewellyn Publications, 1992.

Buckland, Raymond. *Buckland's Complete Book of Witchcraft.* St. Paul, MN; Llewellyn Publications, 1987.

Buckland, Raymond. *Practical Color Magick.* St. Paul, MN; Llewellyn Publications, 1987.

Burnham, Sophy. *A Book of Angels*. Nueva York, NY; Walker & Company, 1990.

Carmichael, Alexander. *Carmina Gadelica Hymns and Incantations.* Floris Books, 1992.

Connell, Janice. *Angel Power*. Nueva York, NY; Ballantine Books, 1995.

Connolly, David. *In Search of Angels.* Nueva York, NY; Perigee, 1993.

Cunningham, Scott. *Living Wicca.* St. Paul, MN; Llewellyn Publications, 1993.

Cunningham, Scott. *Magical Aromatherapy.* St. Paul, MN; Llewellyn Publications, 1989.

Daniel, Alma et al. *Ask Your Angels.* Nueva York, NY; Ballantine Books, 1992.

Davidson, Gustav. *A Dictionary of Angels*. Nueva York, NY; Free Press, 1971.

Delaney, John J. *A Woman Clothed with the Sun.* Nueva York, NY; Image/Doubleday, 1990.

Frater, U.D. *Practical Sigil Magic.* St. Paul, MN; Llewellyn Publications, 1990.

Freeman, Eileen Elias. *Touched by Angels*. Nueva York, NY; Warner Books, 1993.

Freeman, Elieen Elias. *Angelic Healing.* Nueva York, NY; Warner Books, 1994.

Georgian, Linda. *Your Guardian Angels.* St. Luis, MO; Fireside Books, 1994.

Godwin, Malcolm. *Angels: An Endangered Species.* Nueva York, NY; Simon and Schuster, 1990.

Hauck, Rex. *Angels: The Mysterious Messengers.* Nueva York, NY; Ballantine Books, 1994.

Howard, Jane M. *Commune with Angels.* Virginia Beach, VA; A.R.E. Press. 1992.

Kraig, Donald Michael. *Modern Magick.* St. Paul, MN; Llewellyn Publications. 1988.

Moolenburgh, H.C. *A Handbook of Angels.* The C.W. Daniel Company Limited. 1984.

Pearsal, Paul, Ph. D. "El Poder de Tu Propio Pensamiento para Fortalecer Tu Sistema Inmunológico," *Going Bonkers Magazine.* Marzo 1995.

Price, John Randolph. *The Angels Within Us.* Nueva York, NY; Fawcett Columbine, 1993.

Pruitt, James. *Angels Beside You.* Nueva York, NY; Avon, 1994.

Pruitt, James. *The Complete Angel.* Nueva York, NY; Avon, 1995.

Raven Wolf Silver. *Hexcraft.* St. Paul, MN; Llewellyn Publications, 1995.

Raven Wolf Silver. *To Ride a Silver Broomstick.* St. Paul, MN; Llewellyn Publications, 1993.

Raven Wolf Silver. *To Stir a Magick Cauldron.* St. Paul, MN; Llewellyn Publications, 1996.

Ronner, John. *Know Your Angels.* Oxford, AL; Mamre Press, 1993.

Ronner, John. *Do You Have A Guardian Angel?* Oxford, AL; Mamre Press, 1993.

Skalka, Julia Lupton. *The Instant Horoscope Reader.* St. Paul, MN; Llewellyn Publications, 1994.

Taylor, Terry Lynn. *Creating with the Angels.* H.J. Kramer, Inc., 1993.

Taylor, Terry Lynn. *Guardians of Hope.* H.J. Kramer, Inc., 1992.

Taylor, Terry Lynn. *Messengers of Light.* H.J. Kramer, Inc., 1990.

Tyl, Noel. *Astrology's Special Measurements.* St. Paul, MN; Llewellyn Publications, 1993.

Tyson, Donald. *New Millenium Magic.* St. Paul, MN; Llewellyn Publications, 1996.

Índice

Introducción 7
1 Busca y encuentra a los ángeles 11
2 El altar angélico 35
3 Jerarquía angélica y la Reina de los ángeles 67
4 Ángeles y correspondencias mágicas 91
5 Los ángeles y la meditación 117
6 Ángeles y rituales 147
7 El periódico del ángel guardián 169
8 Los ángeles y el elemento aire 195
9 Los ángeles y el elemento fuego 215
10 Los ángeles y el elemento agua 229
11 Los ángeles y el elemento tierra 253
12 Los ángeles y el zodiaco 275
13 Los ángeles y los planetas 297
14 Ángeles, sellos y símbolos 329
15 Talismanes de ángeles 345
16 Ángeles y adivinación 375
17 Combatiendo el caos usando a los ángeles 413
18 Viviendo con los ángeles 443
Apéndice: Necesidades y sus elementos y ángeles asociados 449
Bibliografía 457

TÍTULOS DE ESTA COLECCIÓN

Adivinación y magia del antiguo Egipto. *E.L. Harris*
Ángeles. Cómo invocarlos y contactarlos. *Mark T. Halen*
Ángeles compañeros mágicos. *Silver Raven Wolf*
Ángeles protectores invisibles. *C.W. Leadbeater*
Cambios de la Tierra. Destino del hombre. *M. Pogacnik*
Canción de Arturo. *John Matthews*
Cosmología egipcia. *Moustafa Gadalla*
El camino de la virtud. *James Vollbracht*
El camino místico y la búsqueda del rey Arturo. *D. Bryce*
El Kybalión. Tres Iniciados
El libro completo de las pirámides. *Moustafa Gadalla*
El libro de los sacramentos. *E.J. Gold*
El poder de los lugares. *James A. Swan*
El retrato del maestro. *James F. Twyman*
El secreto del discípulo amado. *James F. Twyman*
El sendero de los ángeles. *Isabelle Padovani*
Encuentros con la virgen. *Adela Amado*
En la compañía de los ángeles. *David Lawson*
Evangelio de Quetzalcóatl. *Frank Díaz*
Jesús. El maestro constructor. *Gordon Strachan*
La enseñanza oculta de Jesús. *Ramiro A. Calle*
La sagrada magia de los ángeles. *David Goddard*
La torre de la alquimia. *David Goddard*
Las verdaderas enseñanzas y parábolas de Buda. *R.A. Calle*
Los ángeles. *Nadine y Daniel Briez*
Los ángeles sí existen. *Louis Gerard Boleaux*
Los evangelios. Claves e Interpretación. *R.A. Calle*
Los grandes iniciados. *Eduardo Schure*
Los grandes maestros de la sabiduría. *J.G. Bennett*
Más allá de la muerte. *David Hyatt*
Muchos caminos una verdad. *Carole Addlestone*
Nuestros compañeros espirituales. *Adam Bittleston*
Oración de paz. *James F. Twyman*
Primeros auxilios angelicales. Remedios para el éxito
Primeros auxilios angelicales. Remedios para obtener milagros
Tiernas historias de los Beanie Babies. *Pam Knapp*
Todo acerca de la reencarnación. *Robert Parish*
Tut-Ankh-Amen. La imagen viviente del Señor. *Gadalla*